クイント・ブックレットシリーズ

マイクロスコープによる歯内療法

MI時代の歯内療法

飯島国好　編著

中川寛一／宮下裕志／澤田則宏　著

クインテッセンス出版株式会社
Tokyo, Berlin, Chicago, London, Paris, Barcelona, Istanbul, Milano, São Paulo,
Moscow, Prague, Warsaw, New Delhi, and Beijing

刊行にあたって

　歯科臨床は，診断にしても，治療にしても見えなければ始まらない．それまで見えなかったものが見えるようになったとき，診断も治療技術も格段に向上する．自分の眼を「第一の眼」とすると，外からはうかがい知ることができなかった歯や歯周組織の内部構造を透視可能にしたレントゲン写真は，「第二の眼」ということができる．そしてついに私たちは「第三の眼」を手に入れた．マイクロスコープの日常臨床への導入である．

　歯科臨床に携わってみて最初に感じるとまどいは，患者さんの口腔の意外な狭さではないだろうか．それもやがて臨床経験を積み重ねることによって，少しずつ歯や口腔が大きく広く感じられるようになっていく．弓の名人にとっては小さな的もとても大きく見えるに違いない．もしも，口腔が東京ドームのように大きく広く感じられるとしたらどうだろうか．口腔を狭く感じる臨床と大きく感じる臨床では診断にしても治療にしてもそのレベルには格段の相違がある．

　マイクロスコープの使用によって，これまで手探りで行っていた歯内療法が眼に見えるようになる．長年の経験と勘では及びもつかないような診療レベルの向上がもたらされるようになる．

　「第三の眼」としてのマイクロスコープを自在に駆使して，素晴らしい歯内療法の臨床と研究を展開されていく際に，本書が少しでもお役に立てれば筆者一同にとってこの上ない幸せである．

　日々少しずつ階段を上るように歯科臨床を向上させていきたい．患者さんから学ぶ「歯科臨床の教科書」に今日も新しいページを書き加えていきたい．今日の自分を明日の自分が越えていきたい．絶えず臨床を変化させ，向上させていくとき，歯科臨床に感動と充足が訪れる．

2005年　夏

編者　飯島国好

マイクロスコープによる歯内療法

CONTENTS

CONTENTS

1 マイクロスコープと根管解剖

1-1 歴史　　　　　　　　　　　　　　　　　　　　　　　　　　　　　　中川寛一

マイクロスコープ（顕微鏡）の発明 ———————————————————— 14
顕微鏡とその応用 ———————————————————————————— 14
テレスコープシステムとマイクロスコープ ———————————————— 16

1-2 マイクロスコープの種類と特徴　　　　　　　　　　　　　　　　　澤田則宏

マイクロスコープの選び方 ——————————————————————— 17
マイクロスコープの特徴 ———————————————————————— 17
　　対物レンズ／17　レンズの種類／18　鏡筒／18　接眼レンズ／19　変倍機構／19
　　照明装置／20　懸架装置／20　助手用観察装置／21　CCDビデオカメラ，デジタル
　　カメラ／21　フットコントローラー／21
国内で手に入るマイクロスコープ ———————————————————— 22

1-3 マイクロスコープ下で使用する器具　　　　　　　　　　　　　　　澤田則宏

有用な器具 ——————————————————————————————— 26
歯科用ミラー —————————————————————————————— 26
超音波チップ —————————————————————————————— 26
マイクロデブライダー ————————————————————————— 26

1-4 マイクロスコープ下の根管解剖　　　　　　　　　　　　　　　　　中川寛一

顕微鏡の視野 —————————————————————————————— 29
何が見えるか —————————————————————————————— 29
　　髄室形態／30　髄床底の構造（related groove）／30　髄室内・根管内の石灰化
　　物／30　根管口／31　根管形態／31　根管壁の汚染・清掃状態／31　根尖孔と

表紙の写真／中川寛一氏　撮影・提供

大きさ／32　髄床底・根管壁の穿孔／32　根管内破折機器／33　髄室・根管内の亀裂／34

2 う蝕へのアプローチ

2-1　診断におけるマイクロスコープの利用　　宮下裕志

マイクロスコープの効果的な利用法 ───── 36
診査におけるマイクロスコープの有用性 ───── 37
ポストごと補綴物が脱離して来院された症例での対応 ───── 40
冷水痛を主訴とする患者さんへの臨床応用例 ───── 41
冷水痛に対するマイクロスコープの利用 ───── 42
　冷水反応の鑑別診断／42

2-2　MI時代の臨床判断　　宮下裕志

う蝕と最小侵襲治療（MI：minimal intervention） ───── 45
歯髄保存と最小侵襲治療（MI：minimal intervention） ───── 45
誤って抜髄を行う理由 ───── 47
　疼痛の鑑別診断と歯髄の保存／48　問診の重要性／50

2-3　マイクロスコープによるう蝕の診断　　飯島国好

マイクロスコープの利用の仕方 ───── 52
初期う蝕の診断 ───── 52
二次う蝕の診断 ───── 52

2-4　処置の記録と画像処理（Microscopic Documentation）
中川寛一

マイクロスコープによる処置の記録 ───── 54

CONTENTS

静止画の記録 —— 54
動画の記録 —— 55
動画からの静止画記録と画像処理 —— 55

2-5　感染歯質の診断と除去　　　飯島国好

マイクロスコープによる感染象牙質の除去 —— 57
窩底象牙質の厚さの診断法 —— 57
切削法 —— 58
修復法 —— 59

2-6　直接歯髄覆罩　　　宮下裕志

直接歯髄覆罩の予知性 —— 60
　　直接歯髄覆罩後の歯髄生存率／60
直接歯髄覆罩の失敗の原因 —— 62
　　疼痛の鑑別診断と歯髄の保存／62　　術中の感染除去／63　　術後の細菌感染／65
直接歯髄覆罩の適応症 —— 68

3　歯内療法へのアプローチ

3-1　アクセスキャビティプレパレーション　　　飯島国好

アクセスキャビティプレパレーションの重要性 —— 70
アクセスキャビティプレパレーションの目的 —— 70
アクセスキャビティプレパレーションのステップ —— 71
　　ガイドホールの形成／71　　貫通／71　　天蓋の除去／71　　髄床底の郭清／72
　　根管口の探索／72　　根管口の拡大／73　　直線的形成／74
その他 —— 74
　　補綴物の除去／74　　テンポラリークラウンの装着／74　　縁上歯質の確保／74

3-2　感染の除去　　　　　　　　　　　　　　　　　　　　　　宮下裕志

感染除去へのファーストステップ　感染予防 ——————————— 75
無菌治療／75　　MI時代の根管治療／75
感染除去へのセカンドステップ　術野の滅菌 ——————————— 78
感染除去（根管内へのアプローチ） ———————————————— 79
根管口の明示／79　　見逃し根管の探索／80
ラバーダムを含めた包括的な無菌治療の勧め ——————————— 81

3-3　感染の除去（清掃）　　　　　　　　　　　　　　　　　　澤田則宏

根管治療の3つのステップ ———————————————————— 84
Step 1　髄腔開拡（Access Cavity Preparation）———————— 84
根管口の探索／85
Step 2　根管上部の形成（Coronal flare）——————————— 86
Step 3　根尖部の根管形成（Apical Preparation）——————— 90

4　難症例へのアプローチ

4-1　根管内異物の除去　　　　　　　　　　　　　　　　　　宮下裕志

治療用器具の破折 ————————————————————————— 96
根管内異物の除去器具と偶発症／96
器具の破折対策 ——————————————————————————— 98
治療前に考えること／98　　器具を回転する前に考えること／98　　破折してしまった場合に考えること／99
破折器具の除去 ——————————————————————————— 99

4-2　あかない根管　　　　　　　　　　　　　　　　　　　　飯島国好

あく根管とあかない根管の診断 ————————————————— 102

CONTENTS

石灰化した根管 — 102
逸脱した根管 — 102
人為的に閉鎖された根管 — 103
あきにくい根管 — 103
病変のあるあかない根管 — 104

4-3　穿孔
澤田則宏

予知性の高い穿孔部封鎖法 — 105
穿孔部封鎖の原則 — 105
Internal Matrix Technique — 106
　Internal Matrix Techniqueの術式／107
穿孔の位置 — 107
症例供覧 — 108
まとめ — 115

4-4　歯根破折
宮下裕志

歯根破折とマイクロスコープ — 116
生活歯の場合 — 116
失活歯の場合 — 116

4-5　歯根破折の診断
飯島国好

診断とは何か？ — 120
歯根破折の診断 — 120
マイクロスコープによる歯根破折の診断 — 121
　根管内からのマイクロスコープ診断／121　根管外からのマイクロスコープ診断／121
破折確率 — 121
　これまでの歯根破折の診断／121　破折確率／122

5 ケースプレゼンテーション

5-1 フルアーチブリッジ支台歯の感染根管治療に頬側根面からアプローチ　　宮下裕志

症例 5-1 ———— 124

5-2 未処置根管の探索と根管治療　　中川寛一

再根管治療 ———— 128
症例 5-2 ———— 128

5-3 ラバーダムを装着するため，クラウンレングスニングを行った症例　　澤田則宏

症例 5-3 ———— 130
まとめ ———— 131

5-4 第三の眼としてのマイクロスコープ　　飯島国好

症例 5-4 ———— 133

コラム
- ブロック使用による苦痛軽減／飯島国好 ———— 44
- 付属の光ファイバーとランプの寿命／宮下裕志 ———— 51
- 顕微鏡酔い／中川寛一 ———— 83
- ポジショニング／澤田則宏 ———— 94
- ピラミッドの入口／飯島国好 ———— 101
- ミラーの選択／飯島国好 ———— 104
- マイクロスコープの写真撮影／飯島国好 ———— 135

索引 ———— 136

1 マイクロスコープと根管解剖

1-1 **歴史** ——————————————— 14
中川寛一

1-2 **マイクロスコープの種類と特徴** ——————————— 17
澤田則宏

1-3 **マイクロスコープ下で使用する器具** ——————————— 26
澤田則宏

1-4 **マイクロスコープ下の根管解剖** ——————————— 29
中川寛一

1 歴史

東京歯科大学歯科保存学第一講座

中川寛一

マイクロスコープ（顕微鏡）の発明

　レンズによる拡大効果を最初に記載したのは古代ローマ時代に遡るとされている．またガラスレンズは8世紀ごろに開発されたといわれている．歴史上に残るマイクロスコープ（顕微鏡）の開発は1590年ころオランダの眼鏡商であったヤンセン父子によって，ついでイギリスのロバート・フック，オランダのレーベンフックによってなされた．

　ロバート・フックは1663年コルクが水に浮くことから空気の入った空洞の存在を予想し，この切片を観察しこれが小さな部屋に分かれていることを見いだした．そしてこの部屋にセル（細胞）という名前を与えた．生物学上の一大発見である．さらに1665年『ミクログラフィア』を著し，彼の発見したミクロの世界を人びとに紹介した功績は大きい．

　またレーベンフックは単レンズを用いた顕微鏡を開発し，樋を伝わってしたたりおちる雨水のなかの微生物や，歯垢までも精力的に観察した．そして，そこに目に見えない小さな世界の存在することを発見した（1-1-1）．

顕微鏡とその応用

　臨床面での顕微鏡の応用を歴史的に見ると19世紀中頃には，すでに医科領域でのルーペ応用の記録がある．1921年には単眼の顕微鏡を中耳の手術に応用した記録があり，1923年には双眼顕微鏡の応用が行われている．また1953年にはツアイス社から専用の顕微鏡が開発され，これと呼応してテクニックや応用機器の開発が進捗した．

　歯内療法領域における拡大鏡の応用については，手術用顕微鏡を用いたBraumann（1975）やファイ

[レーベンフック顕微鏡]

1-1-1　レーベンフック顕微鏡のレプリカ．
　彼は真鍮板にはめ込まれた単レンズ顕微鏡（×266）を用いて微生物などを観察した．小さなものを拡大してみようという試みと好奇心は今も昔も変わらない．

[マイクロスコープの使いこなしと研修]

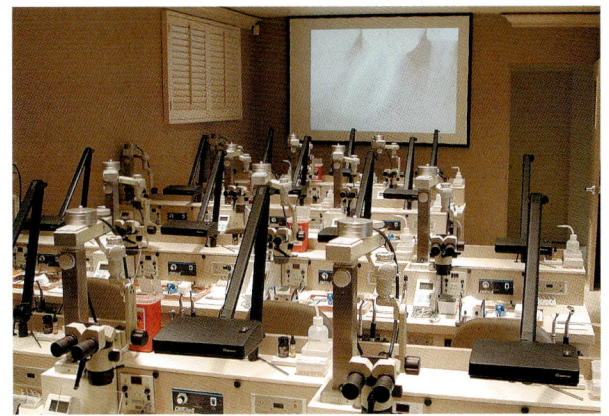

1-1-2 Advanced Endodontic Seminorの実習室．各人の実習机に顕微鏡が設置され，すべての実習を顕微鏡下で行えるようになっている．顕微鏡を応用した歯内治療を特徴づけるものは①拡大，②照明，③特殊器具とその応用である．

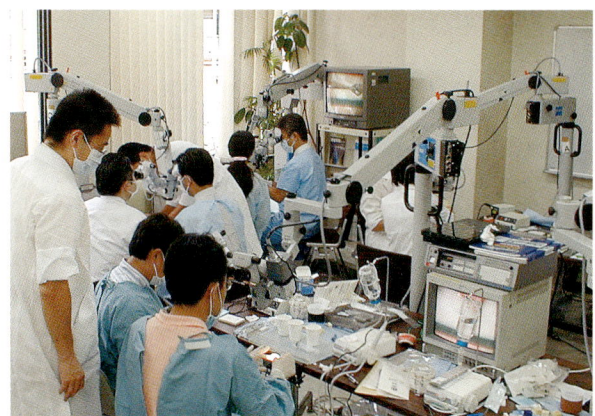

1-1-3 顕微鏡を使いこなすには十分なトレーニングが必要である．これによって術者は拡大下で実施される治療で必要な手指の動き，適切な診療姿勢，各処置のコンセプトを修得する．

[ヘッドランプとテレスコープシステム]

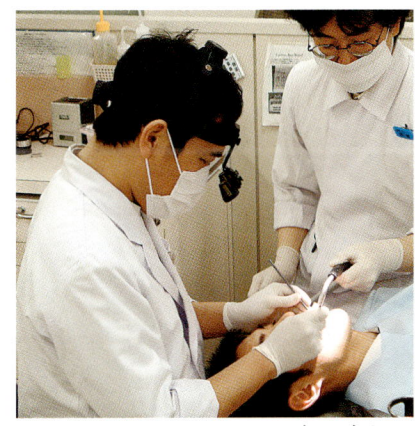

1-1-4 ヘッドランプとテレスコープシステムの組み合わせは，低倍率でのフットワークの軽い拡大処置に有効である．この場合，ある程度の拡大効果が期待できるが処置のステップごとに視点の移動が生じ，術者の視点確保が困難であることから処置が必ずしもスムーズに行えない．また，観察視軸と照明軸が一致しないことも狭隘な根管の深部を処置するには不利である．

[テレスコープによる拡大像]

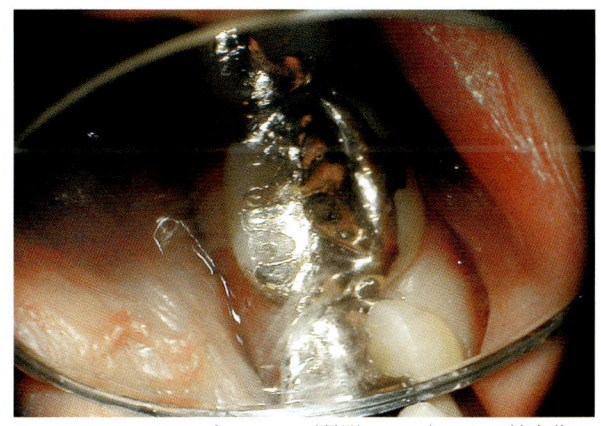

1-1-5 テレスコープシステム（双眼ルーペ）による拡大像．このような簡便なシステムでも視覚強化が得られるが，同軸照明を装着しない無影灯の照明のみでは深部の処置は困難である．

バースコープを用いたPapamichael（1976）の報告が古いが，本格的な応用が実施されだしたのはScipioni（1991）やCarr（1992）以降である．なかでも"Pacific Endodontic Research Foundation:PERF"を主宰するCarrは，この種の処置に際して必要な専用機器を自ら開発し，またハンズオンコースを通じて，多くの臨床家・研究者への顕微鏡を用いた歯内療法処置の普及に努めた．

またペンシルベニア大学のKimらも，イタリアのPecoraらとともに主として外科処置への応用を実施し，1993年3月にはマイクロサージェリーの講演会を開催した．90年代後半には市販品として多くの歯科用顕微鏡が開発され，普及したことが顕微鏡を用いる処置の急速な拡大につながったと考える．

これらをバックにAAE（米国歯内療法学会）は1995年にCODA（Commission on Dental Accreditation:認定医委員会）に対して歯内療法専門医資格の収得に顕微鏡のトレーニングを義務づける提言を行った．わが国においては1993年にCarrが来日し東京と大阪での講演を行っている．またKimもマイクロサージェリーの紹介を行った．そして多くの者が渡米し彼らの施設において研修を受け，その後の顕微鏡の導入と普及に努めた．

現在，歯内療法処置における顕微鏡の応用は，外

テレスコープシステムとマイクロスコープ

歯内療法では処置に際して，数少ない画像情報であるエックス線写真をもとに処置を進めることが一般的である．さらに最近の特殊な撮影法によって得られる画像情報を除いて，頬舌あるいは唇舌的なイメージしか得られないなどの診断上の制約もある．

これらのことから少しでも多くの可視情報を得るためにエックス線診断装置の改良やテレスコープシステム（拡大ルーペ），ファイバースコープの使用などが試みられてきた．しかしそれぞれ一長一短があり，診療効率の増大と処置方法そのものの変革には至っていない．

たとえばファイバースコープの応用は視覚の強化にはつながるものの，機器が処置領域を占有してしまい，処置そのものの継続性という観点からすれば非実用的であるといえる．根管内を観察することはできても，ファイバースコープなどの間接視装置で科的処置や再治療など根管系の複雑性への対応や狭隘な根管内における処置精度の向上に対する視覚強化（Visual enhancement）の1ツールとして，また卒前・卒後の教育ツールとしても重要な位置を占めつつある（1-1-2,3）．

は処置の効率化ははかれない．

[ヘッドランプとテレスコープシステム]

ヘッドランプとテレスコープシステムの組み合わせでは，ある程度の拡大効果が期待できるものの視点の移動が煩雑であり，術者の視点確保が困難であることから処置が必ずしもスムースに行えない．また，観察視軸と照明軸が一致しないことも狭隘な根管の深部を処置するには不利である（1-1-4,5）．

[マイクロスコープの選択基準]

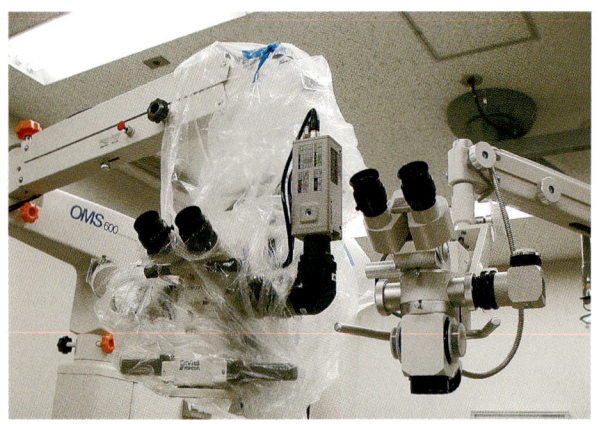

1-1-6 手術用顕微鏡の選択にあたっては①使用頻度，②目的，③拡張性，④設置場所などを基準に選択する．高価な顕微鏡は高機能ではあるが，十分に活用できなければ意味がない．光学系とくに眼鏡などの併用を考えるとアイポイントの高い，明るい光学系であることが重要である．貧弱な接眼レンズでは使いにくい．カメラなどのドキュメンテーション機器を装着する可能性がある場合，しっかりとした支持構造が得られるか確認も必要である．

[マイクロスコープによる拡大像]

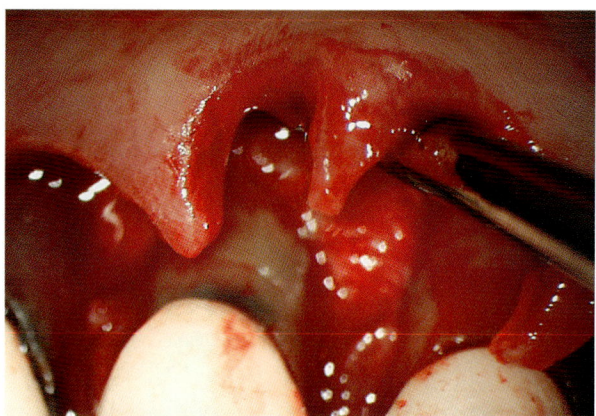

1-1-7 手術用顕微鏡を用いたマイクロサージェリーでは，特化された器具がステップに応じて使用され，非常にファインな拡大像が得られる．

手術用顕微鏡の選択にあたっては，①使用頻度，②目的，③拡張性，④設置場所などを基準に選択する．高価な顕微鏡は高機能ではあるが，十分に活用できなければ意味がない．光学系とくに眼鏡などの併用を考えるとアイポイントの高い，明るい光学系であることが重要である．貧弱な接眼レンズでは使いにくい．カメラなどのドキュメンテーション機器を装着する可能性がある場合，しっかりとした支持構造が得られるか確認も必要である（1-1-6）．

手術用顕微鏡を用いたマイクロサージェリーでは，特化された器具がステップに応じて使用され，非常にファインな治療が可能となる（1-1-7）．そして個々のステップに対するこだわりが最終的に低侵襲化を達成するだろう．

マイクロスコープによる歯内療法／MI時代の歯内療法

2 マイクロスコープの種類と特徴

東京都開業（澤田デンタルオフィス）

澤田則宏

マイクロスコープの選び方

　マイクロスコープは使用により消耗し破損するような機材ではないので，修理というようなものはほとんど不要である．しかし，それでも数年に1度ぐらいはメインテナンス様の調整が必要となるのも事実である．

　メインテナンスなどを考慮すると，国内で販売されているマイクロスコープを購入するべきであろう．幸い，国内でも信頼できるメーカー数社がマイクロスコープを販売している．本章では，マイクロスコープの特徴を説明したのち，国内で手に入るマイクロスコープを紹介する．

マイクロスコープの特徴

　マイクロスコープの満たすべき要件には，
1．拡大された術野のイメージを作り出すこと
2．観察像が正像（反転像でない）であること
3．観察部位の色再現性に忠実であること
4．立体的（三次元）な観察ができること
　　（深さの情報判断）
5．器具使用のために十分な作業距離が確保できること

の5点があげられる[1]．

　本章では，マイクロスコープの特徴について，その構造を説明し解説する．ここに記載する内容は，マイクロスコープを臨床で使用するために必要な知識であり，機種選定の際にも役立つ情報である．

対物レンズ

　対物レンズにより焦点距離（作業距離）が決められる（1-2-1）．新しい機種では，作業距離を自由に変えることができる対物レンズが装着されているものもある．作業距離が短いとマイクロスコープ下に器具を動かす十分なスペースを確保できなくなるが，作業距離が長すぎると術者は反っくり返るような姿勢をとらざるを得なくなり，小柄な女性歯科医師などには不向きである．歯科では通常200〜250mmの対物レンズを使用するのが良いと思われる．

　対物レンズは治療中患者の目の前に設置されるレンズであり，飛び散った血液や埃がついていると，患者はその下で口を開けるのをためらってしまう．術者には普段見えない角度であるが，ときどきマイクロスコープを下から覗き，汚れがついていないかチェックするべきである．対物レンズについた汚れはていねいに拭き取る必要があるが，レンズを傷つけないように配慮し，専用の布を使用する．機種によっては，防塵ガラスを装着しているものもある．

[対物レンズ]

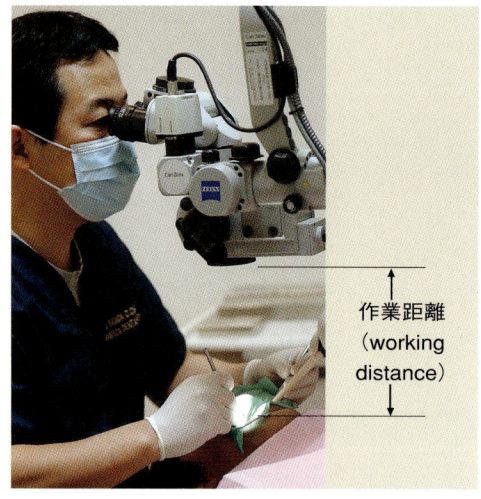

1-2-1 対物レンズの種類により，作業距離が変わってくる．

[レンズコーティングと色収差]

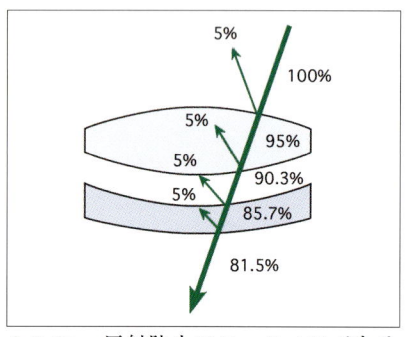

1-2-2a 反射防止のコーティングをせずガラス表面で5％の光が反射すると仮定すると，2枚のレンズを通過した時点で光量は約80％になる（文献1より改変）．

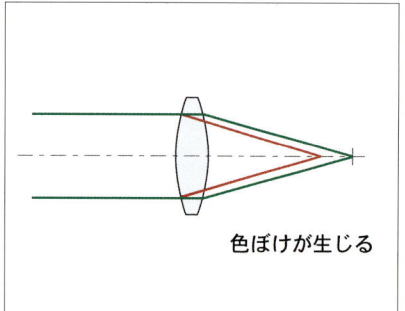

1-2-2b 色収差を補正しない場合（文献1より改変）．

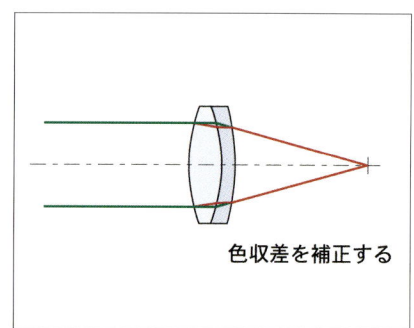

1-2-2c 色収差を補正した場合（文献1より改変）．

レンズの種類

　マイクロスコープの命ともいえる部分である．マイクロスコープの内部には数枚〜十数枚のレンズが入っている．レンズ1枚のコーティングの違いによって，最終的に術者の目に入ってくる光量が変わってくる（1-2-2a）．もしレンズのコーティングが悪ければ，術野をより明るく照らす必要が生じ，手術などでは粘膜の乾燥などを引き起こすともいわれている．また，術野を肉眼で直視するアシスタントは，光量が増えることにより目の疲れなどを感じるかもしれない．

　また，レンズを通った光には色収差という現象が生じる．これは色の種類によって屈折率が異なることにより起きる現象である．収差を補正しないでおくと，画像に色ぼけが生じ，鮮明な画像をみることができない（1-2-2b）．レンズを組み合わせて色収差を取り除くことにより，色ぼけをなくすことが可能となる（1-2-2c）．

鏡筒

　鏡筒には固定式と可変式のタイプがある．歯科における使用では，可変式のものをお勧めする．

　治療する歯種により，口に対するマイクロスコープの角度を微調整する必要があるが，このとき固定式であると，術者が背伸びをするような姿勢を強いられるか，もしくは患者の頭をかなり下げる必要が生じる．可変式であれば，このような症例にも十分対応が可能となる（1-2-3a, b）．

[固定式鏡筒と可変式鏡筒]

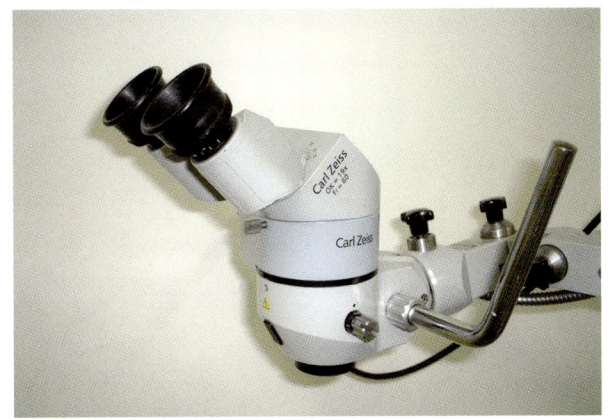 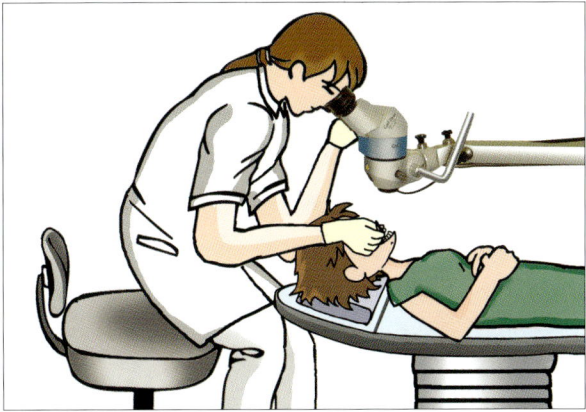

1-2-3a　固定式鏡筒だと,術者が背伸びをするような姿勢になることがある.もし,術者の姿勢を快適なポジションに固定しようとすれば,患者の頭部を必要以上に下げなければならなくなる.

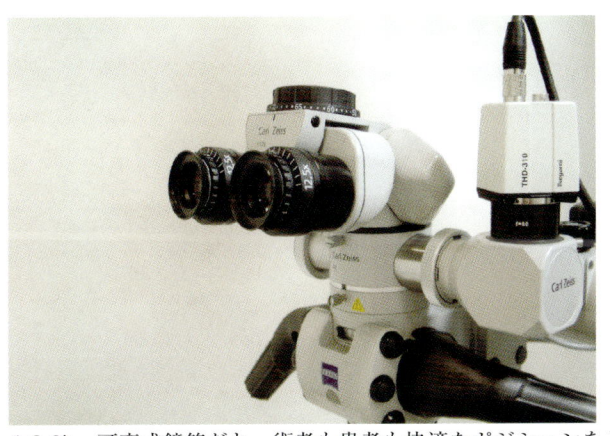 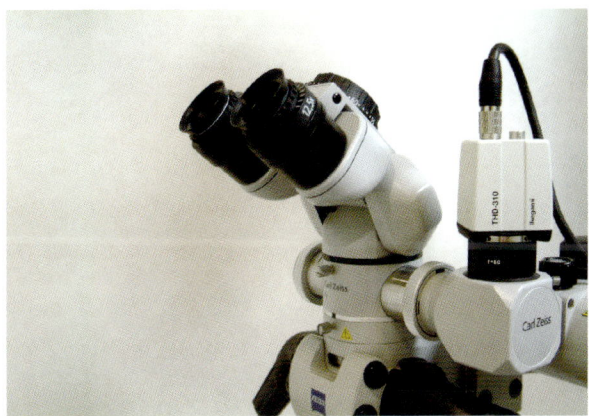

1-2-3b　可変式鏡筒だと,術者も患者も快適なポジションをとることが可能となる.

[接眼レンズ]　　[マイクロスコープの変倍機構]

1-2-4　接眼レンズ.　　1-2-5　手動の段階式変倍機構(左)とズーム式変倍機構(右).

接眼レンズ

接眼レンズは一般に10倍か12.5倍を使用する(1-2-4).当然,倍率の高い方が術者は拡大された術野を観察することが可能であるが,視野は狭くなる.

変倍機構

ほとんどの機種は手動の段階式変倍機構を持っている.機種により3段階から6段階までさまざまである.また,一部の機種ではズーム式のものを採用

[マイクロスコープの懸架装置]

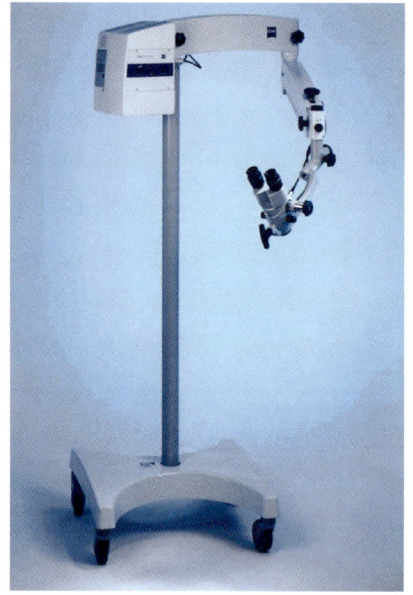
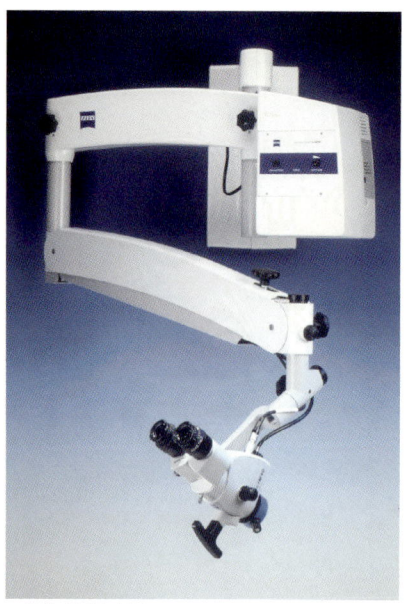
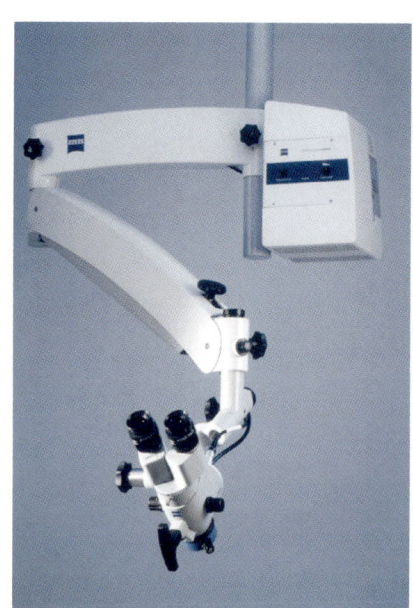

1-2-6a　床置き（左），壁掛け（中），天吊りの懸架装置（右）．

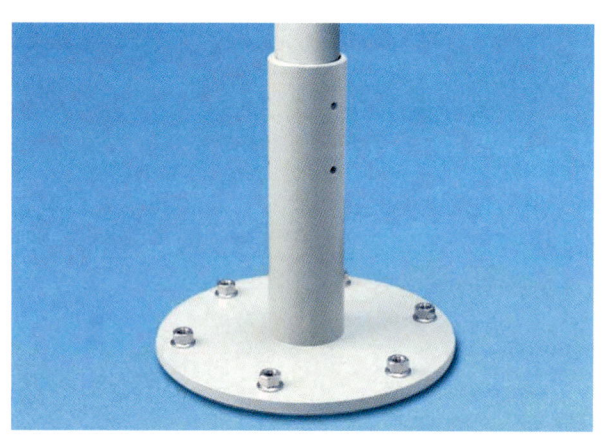

1-2-6b　床固定式．

しているものもある．ズーム式の利点は見たい拡大視野で自由に倍率を調整することが可能となることである（1-2-5）．

マイクロスコープに記載されている数字は倍率ファクターであり，実際の倍率は次の式によって算出される．

$$\text{接眼レンズの倍率} \times \frac{\text{接眼鏡筒長}}{\text{対物レンズの焦点距離}} \times \text{倍率ファクター}$$

照明装置

光源として一般的に使用されているのはハロゲン光源である．機種によってはキセノン光源を取り付けることも可能である．

キセノン光源は，昼色光に近く色合いが自然であるが，網膜に有害であるとされている475nm以下の青色から紫外域の波長を多く含んでいる．歯科用マイクロスコープで使用するキセノン光源を患者の目に直接入れることは禁忌である．もしキセノン光源を使用する場合は，患者の目に直接キセノン光が入らないように配慮すべきであり，サングラスなどを患者につけてもらうのも一案である．

懸架装置

マイクロスコープの懸架装置には，床置き，壁掛け，天吊りの3種類がある（1-2-6a）．壁掛けや天吊

[助手用観察装置]

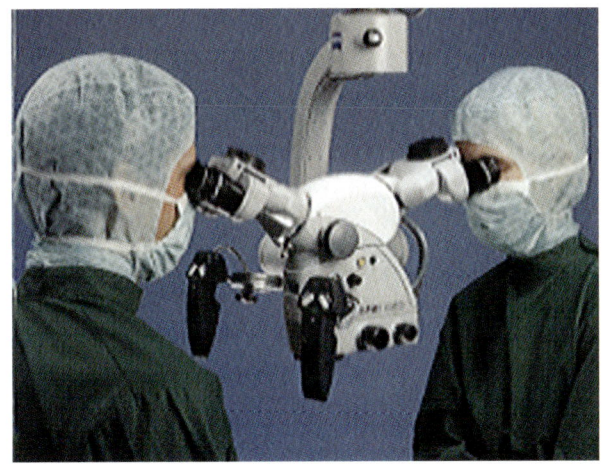

1-2-7 助手用観察鏡筒を覗くアシスタント（カールツァイスメディテック社提供）．

[記録装置／CCDビデオカメラ, デジタルカメラ]

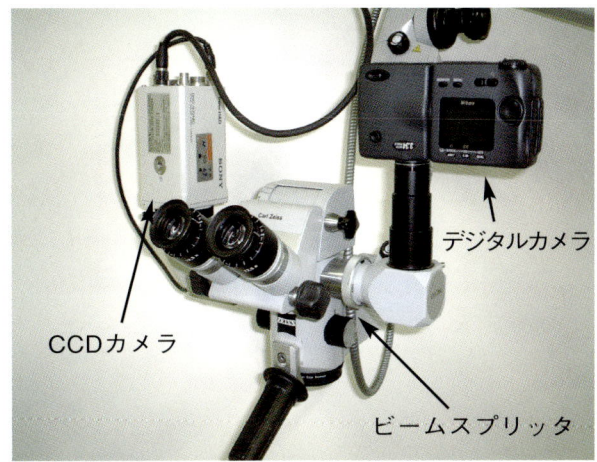

1-2-8 記録装置．動画記録用のCCDカメラ（左）と静止画記録用のデジタルカメラ（右）．

りはスペースのない診療室で有効な手段であるが，壁や天井の強度を補強する必要があり，診療室の構造によっては設置が困難なこともある．

　最も多く使用されているのは床置きタイプであるが，マイクロスコープ自体が倒れないように足下の台はかなりの重量を持っており，診療室の床によっては床が傾くことも考えられる．またユニット周りにスペースが必要となり，アシスタントが立つ位置に制限が加わる可能性もある．メーカーによっては，床にアンカーで固定するタイプのものも用意している（1-2-6b）．診療室の状態にあわせて，マイクロスコープの設置方法を検討する必要がある．

助手用観察装置

　米国では，アシスタントにもマイクロスコープを覗かせ，同じ視野を見ながら治療をしている歯内療法専門医がいる（1-2-7）．アシスタントにはより高度のトレーニングが必要となるが，アシスタントにマイクロスコープを覗かせるメリットは少ないと思われる．

　術者がマイクロスコープを覗くことにより，より詳細な拡大した視野を確保することが可能となるが，一方で術野はとても狭くなる．痛みを感じている患者の表情など，通常の視野では見逃すことのないものが，マイクロスコープを覗いた視野では見えなくなる．アシスタントは術者の見えない視野をカバーし，術者に伝える必要があり，そのためには広い範囲を見渡すように見ている必要がある．

CCDビデオカメラ，デジタルカメラ

　学会，スタディーグループなどでの発表および患者への説明には，記録装置が必須である．動画を記録するか，静止画を記録するかにより，カメラの種類も変わる（1-2-8）が，マイクロスコープ下での映像を見せるのであれば，動画の方が有効である．

　学会発表などをしない歯科医師でも，自分が見ている視野を必ず患者に見せたくなる．後からカメラを付けられる機種もあるが，必ず必要となることを考えると，最初から装着する方が経済的であろう．

　内蔵タイプのCCDカメラを装着せずに購入し，後からカメラを付けようとするとビームスプリッタなど余分な出費をしなければならないかもしれない．また，増設したビームスプリッタによってマイクロスコープ本体のバランスがとりにくくなるかもしれない．記録装置は購入の際に付けておくことをお勧めする．

フットコントローラー

　マイクロスコープの拡大率やフォーカスなどを足で調節するのがフットコントローラーである．両手がふさがってしまうオペなどでは便利なこともあるが，歯科ユニットの周囲には多くのフットペダルが存在するので，さらにマイクロスコープのための

[国内で手に入るマイクロスコープ]

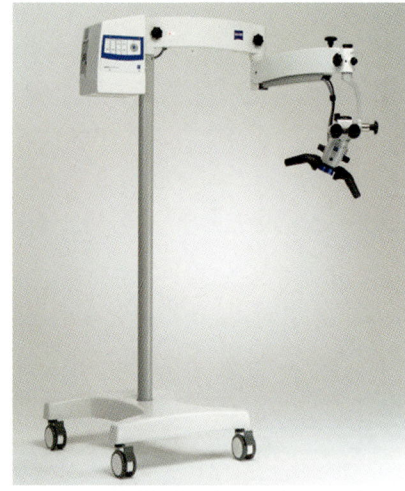
1-2-9a　OPMI pico with MORA interface.

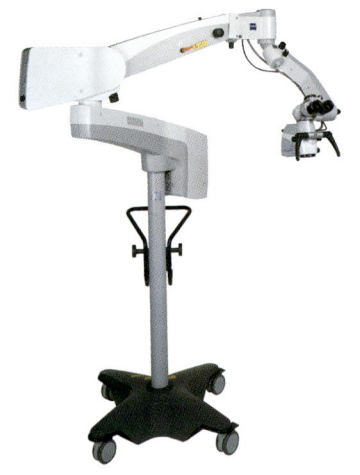
1-2-9b　OPMI Movena.

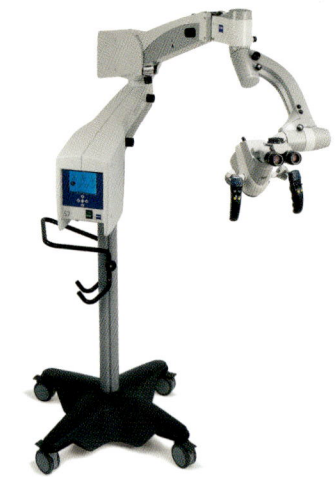
1-2-9c　OPMI PROergo.

フットコントローラーを置くことが可能かどうか疑問の残るところである．

国内で手に入るマイクロスコープ

[OPMI pico with MORA interface]
（Carl Zeiss, Germany／1-2-9a）

倍率機構　手動5段階変倍式機構
作業距離　200mm, 250mm, 300mm
　　　　　　フォーカシングレンズ付交換可能レンズ
倍率　　　3.4〜21.3倍
　　　　　（対物レンズ250mm，接眼レンズ12.5×使用時）
光源　　　ハロゲンランプ（12V　100W）
　　　　　　冷光源ファイバーライトガイド式同軸照明
双眼鏡筒　180°広角双眼可変鏡筒
懸架装置　床置き，壁掛け，天吊り
カメラ　　1CCDカメラ内蔵
定価　　　¥4,400,000（CCD内蔵の場合）
その他　　MORA　interface
　　　　　　回転角：+/−25°
問合先
　　カールツァイスメディテック株式会社
　　　〒160-0003 東京都新宿区本塩町22番地
　　　　　Tel. 03-3355-0331
　　白水貿易株式会社
　　　〒532-0033 大阪府大阪市淀川区新高1-1-15
　　　　　Tel. 06-6396-4400

[OPMI Movena]
（Carl Zeiss, Germany／1-2-9b）

倍率機構　手動5段階変倍式機構
作業距離　200〜415mm連続可変
倍率　　　1.9〜18.2倍（接眼レンズ12.5×使用時）
光源　　　ハロゲンランプ（12V　100W）
　　　　　　冷光源ファイバーライトガイド式同軸照明
　　　　　　キセノンランプ装着可（180W）
双眼鏡筒　180°広角双眼可変鏡筒
懸架装置　床置き，天吊り
カメラ　　CCDカメラ装着可
定価　　　¥5,200,000（CCD未装着の場合）
問合先
　　カールツァイスメディテック株式会社
　　　〒160-0003 東京都新宿区本塩町22番地
　　　　　Tel. 03-3355-0331
　　白水貿易株式会社
　　　〒532-0033 大阪府大阪市淀川区新高1-1-15
　　　　　Tel. 06-6396-4400

[OPMI PROergo]
（Carl Zeiss, Germany／1-2-9c）

倍率機構　電動ズームシステム
作業距離　200〜415mm連続可変
倍率　　　1.9〜19.2倍

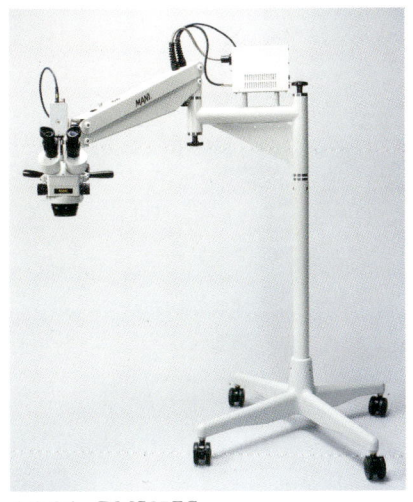 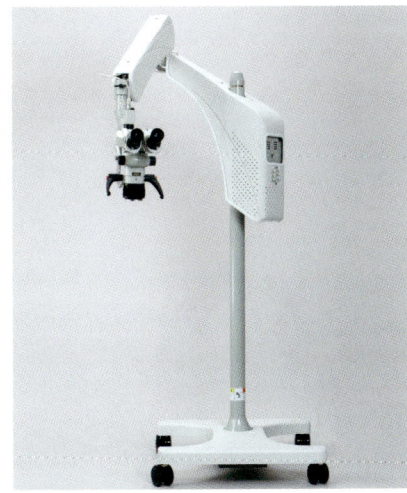 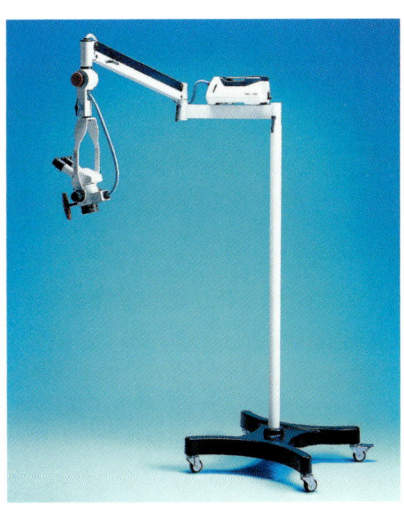

1-2-9d　DMS25ZC.　　　1-2-9e　ManiScope.　　　1-2-9f　M300.

　　　　　（接眼レンズ12.5×使用時）
光源　　　ハロゲンランプ（12V　100W）
　　冷光源ファイバーライトガイド式同軸照明
　　キセノンランプ装着可（180W）
双眼鏡筒　180°広角双眼可変鏡筒
懸架装置　床置き，壁掛け，天吊り
カメラ　　CCDカメラ装着可
定価　　　￥7,690,000（CCD未装着の場合）
問合先
　カールツァイスメディテック株式会社
　　〒160-0003 東京都新宿区本塩町22番地
　　　　Tel. 03-3355-0331
　白水貿易株式会社
　　〒532-0033 大阪府大阪市淀川区新高1-1-15
　　　　Tel. 06-6396-4400

[DMS25ZC]

　　　　　　　　　（マニー株式会社／1-2-9d）
倍率機構　ズーム式
作業距離　180mm（オプション225mm）
倍率　　　4.0〜24.0倍
光源　　　ハロゲンランプ（12V　100W）
　　ファイバーライトガイド方式
双眼鏡筒　30°タイプ，45°タイプ
懸架装置　床置き，スタンド（アンカー止め）
カメラ　　CCDカメラ装着可（3眼タイプ）
定価　　　￥1,280,000（CCDカメラ付き　床置き）
問合先
　マニー株式会社

　　〒329-1234 栃木県塩谷郡高根沢町中阿久津743
　　　　Tel. 028-675-3931
　株式会社　モリタ
　　〒564-8650 大阪府吹田市垂水町3-33-18
　　　　Tel. 06-6380-2525
　　〒110-5813 東京都台東区上野2-11-15
　　　　Tel. 03-3834-6161

[マニー歯科用実体顕微鏡]

　　（ManiScope, IMS22ZC，マニー株式会社／1-2-9e）
倍率機構　ズーム式
作業距離　200mm
倍率　　　3.4〜22.0倍
光源　　　ハロゲンランプ（100W，150W）
　　ファイバーライトガイド方式
双眼鏡筒　0〜90°可変鏡筒
懸架装置　床置き，壁掛け，天吊り
カメラ　　CCDカメラ装着可
定価　　　￥2,150,000（CCDカメラ未装着　床置き）
　　　　　￥2,350,000（CCDカメラ付き　床置き）
その他　　オレンジフィルター標準装備
問合先
　マニー株式会社
　　〒329-1234 栃木県塩谷郡高根沢町中阿久津743
　　　　Tel. 028-675-3931
　株式会社 モリタ
　　〒564-8650 大阪府吹田市垂水町3-33-18
　　　　Tel. 06-6380-2525
　　〒110-5813 東京都台東区上野2-11-15

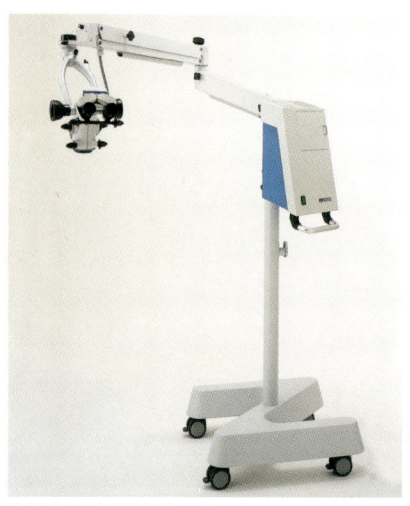
1-2-9g　DENTA300．

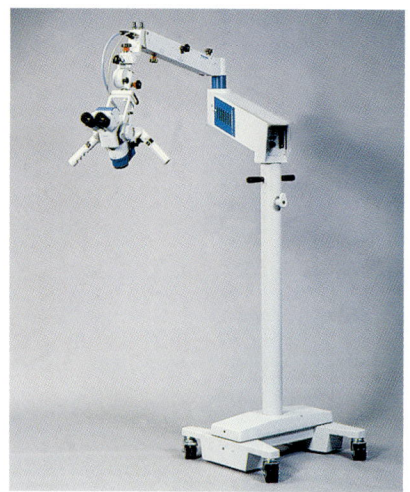
1-2-9h　ユニバーサ300．

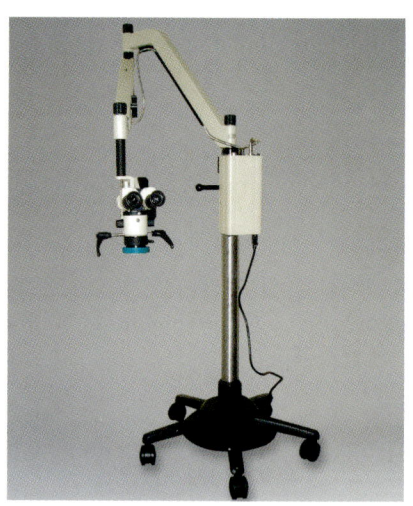
1-2-9i　アントレー．

Tel. 03-3834-6161

[M300]

（Leica, Germany／1-2-9f）

倍率機構　手動5段階変倍式機構

作業距離　200mm（オプション250mm，300mm）

倍率　3.2～20.0倍

　　（対物レンズ200mm，接眼レンズ10.0×使用時）

光源　ハロゲンランプ（21V　150W）

　　ファイバーライトガイド方式

　　自動照明ON・OFF機能

双眼鏡筒　30～150°可変鏡筒

懸架装置　床置き，壁掛け，天吊り

カメラ　ICAカメラ装着可

定価　¥3,500,000（ICAカメラ付き）

問合先

　マニー株式会社

　　〒329-1234　栃木県塩谷郡高根沢町中阿久津743

　　　Tel. 028-675-3931

　株式会社　モリタ

　　〒564-8650　大阪府吹田市垂水町3-33-18

　　　Tel. 06-6380-2525

　　〒110-5813　東京都台東区上野2-11-15

　　　Tel. 03-3834-6161

[DENTA300]

（Möller, Germany／1-2-9g）

倍率機構　手動5段階変倍式機構

作業距離　250mm±25mm

倍率　2～24倍

　　（接眼レンズ12.5×使用時）

光源　ハロゲンランプ（15V　150W）

双眼鏡筒　160°可変鏡筒

懸架装置　床置き，壁掛け，天吊り

カメラ　1CCDカメラ標準装備

　　（オプションで3CCDカメラなどに変更可能）

定価　¥3,280,000（CCDカメラ標準装備）

その他　二重虹彩絞り（接眼レンズ）標準装備

　　　飛沫防止の対物レンズカバー標準装備

問合先

　株式会社　東京歯材社

　　〒110-0001　東京都台東区谷中2-5-20

　　　Tel. 03-3823-7501

[ユニバーサ300]

（Möller, Germany／1-2-9h）

倍率機構　手動5段階変倍式機構

作業距離　235mm±50mm

倍率　2～24倍

　　（接眼レンズ10.0×使用時）

光源　ハロゲンランプ（15V　150W）

双眼鏡筒　160°可変鏡筒

懸架装置　床置き，天吊り

カメラ　オプションで装着可能

定価　¥4,600,000（CCDカメラ別売）

その他　飛沫防止の対物レンズカバー標準装備

問合先

　株式会社　東京歯材社

1-2 マイクロスコープの種類と特徴

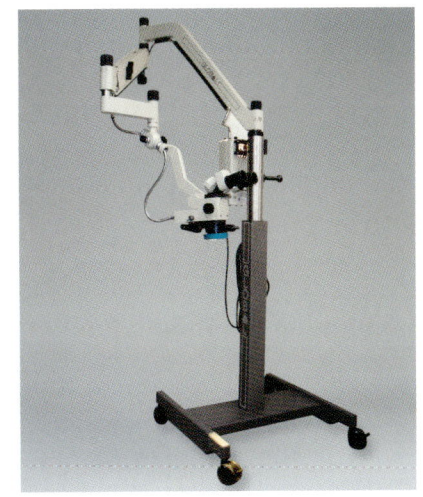
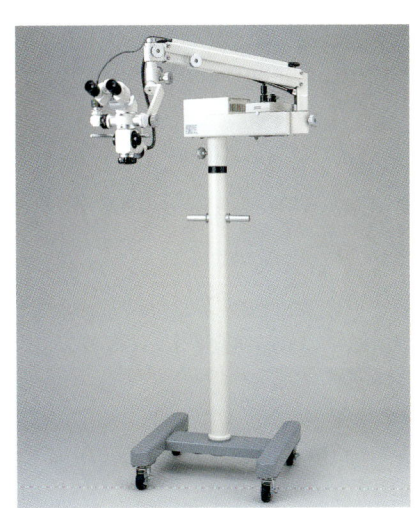

1-2-9j プロテージ．
1-2-9k ヨシダ・デンタルマイクロスコープ．

〒110-0001 東京都台東区谷中2-5-20
Tel. 03-3823-7501

[アントレー]
(Global, America／1-2-9i)

倍率機構　手動3段階もしくは4段階変倍式機構
作業距離　200mm，225mm，250mm
倍率　　　3〜20倍
　（最大倍率は，対物レンズ200mm，接眼レンズ12.5×使用時）
光源　　　ハロゲンランプ（21V　150W）
　メタルハライドタイプ光源，キセノンタイプ光源に変更可
双眼鏡筒　220°可変鏡筒
懸架装置　床置き，壁掛け，天吊り
カメラ　　CCDまたはデジタルカメラ選択（オプション）
定価　　　￥1,650,000〜
問合先
　名南歯科貿易株式会社
　〒453-0864 愛知県名古屋市中村区横前町551-1
　　　Tel. 052-412-8899

[プロテージ]
(Global, America／1-2-9j)

倍率機構　手動5段階もしくは6段階変倍式機構
作業距離　200mm，225mm，250mm
倍率　　　2.0〜30倍
　（最大倍率は，対物レンズ200mm，接眼レンズ12.5×使用時）
光源　　　ハロゲンランプ（21V　150W）
　メタルハライドタイプ光源，キセノンタイプ光源に変更可
双眼鏡筒　220°可変鏡筒
懸架装置　床置き，壁掛け，天吊り
カメラ　　CCDまたはデジタルカメラ選択（オプション）
定価　　　￥2,240,000〜
その他　　アシスタント用鏡筒取付可
問合先
　名南歯科貿易株式会社
　〒453-0864 愛知県名古屋市中村区横前町551-1
　　　Tel. 052-412-8899

[ヨシダ・デンタルマイクロスコープ]（1-2-9k）

倍率機構　手動5段階変倍式機構
作業距離　250mm
倍率　　　5〜30倍
　（対物レンズ250mm，接眼レンズ12.5×使用時）
光源　　　ハロゲンランプ（150W）
双眼鏡筒　45°可変鏡筒
懸架装置　床置き，床固定
カメラ　　CCDカメラ装着可
定価　　　￥1,080,000〜
問合先
　株式会社　ヨシダ
　〒110-8507 東京都台東区上野7-6-9
　　　Tel. 03-3845-2931

参考文献

1．今亮人：手術顕微鏡の変遷と低侵襲手術への方向性．歯科機械学．1999；69（11）：602-608．

マイクロスコープによる歯内療法／MI時代の歯内療法

3 マイクロスコープ下で使用する器具

東京都開業（澤田デンタルオフィス）

澤田則宏

有用な器具

　マイクロスコープ下で通常の歯内療法を行う際に使う特別な器具というものはそんなに多くはない．一般に使う器具をそのまま使用しているものが多いのである．そのなかで通常の根管治療では使わない，もしくは使いにくいがマイクロスコープ下では有用な器具を紹介する．

歯科用ミラー

　通常の歯科用ミラーには表面に傷がつきにくいようにガラスが張ってある（1-3-1a）．このミラーを使って，マイクロスコープ下で観察すると，ガラスに反射した虚像が認められる．この虚像が強拡大下では問題を起こす（1-3-1b～e）．マイクロスコープ下で鮮明な映像を得るためには，表面反射ミラーを使う必要がある．
　第二大臼歯の根管治療では，対合歯とのスペースを十分とれないことがある．そのような場合に，小さ目のミラーを用意しておくと，マイクロスコープを使いながら適切な処置が可能となる（1-3-1f～h）．

超音波チップ

　マイクロスコープ下での歯内療法に超音波チップは不可欠である．対合歯とのスペースがない限られた範囲で，細くて狭い根管内の感染源を的確に除去するには超音波チップが有効である．
　現在，各メーカーから根管内で使用するためのさまざまなチップが発売されている（1-3-2a,b）．

マイクロデブライダー

　マイクロスコープ下で使う器具として，マイクロデブライダーというファイルが発売されている（1-3-3a,b）．通常のファイルを根管内に入れると，術者の手がマイクロスコープ下の視野を妨げてしまうが，マイクロデブライダーを使用すればマイクロスコープ下で根管内を観察しながらファイリングすることが可能となる．
　最近では電気的根管長測定器を接続できる器具も発売されており，視野を妨げることなく使用できるので便利である（1-3-3b）．

1-3 マイクロスコープ下で使用する器具

[歯科用ミラー]

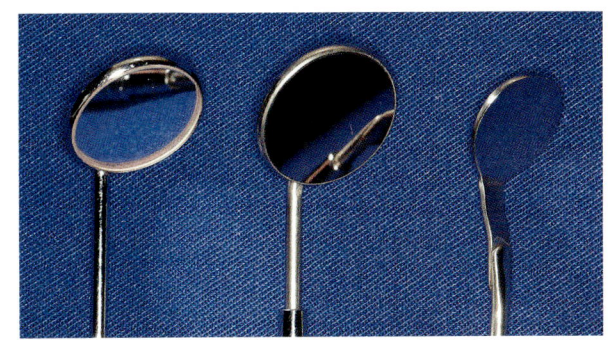

1-3-1a 通常の歯科用ミラー（左），表面反射ミラー（中），マイクロスコープ下の歯内療法で有効な小さ目の表面反射ミラー（右／東京歯材社）．

| 1-3-1b | 1-3-1c |

 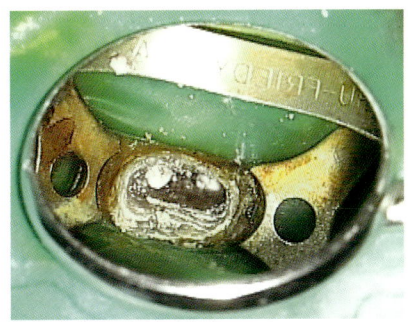

1-3-1b,c マイクロスコープ下でガラスの張ってある歯科用ミラーで見た場合（b）と，表面反射ミラーでみた場合（c）の視野．

| 1-3-1d | 1-3-1e |

1-3-1d,e 1-3-1b,cの強拡大像．強拡大にすると，表面のガラスに反射した虚像が写っているのがよくわかる．表面反射ミラーではそのような虚像は見られない．

| 1-3-1f | 1-3-1g |

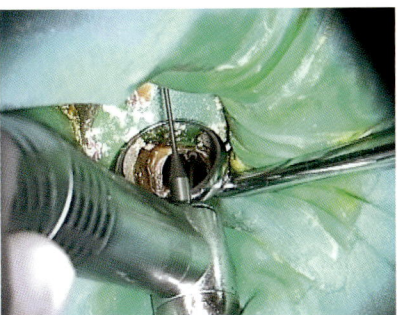 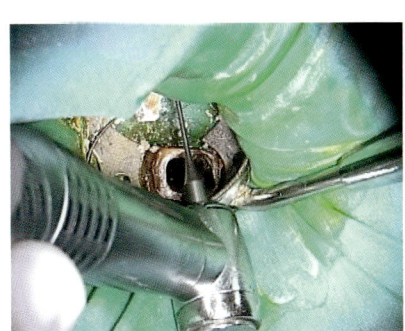

1-3-1f 小さ目の表面反射ミラーは，対合歯とのスペースが十分確保できない第二大臼歯の根管治療でも威力を発揮する．
1-3-1g 通常の大きさのミラーだと十分なスペースを確保できず，器具の動きを制限してしまう．

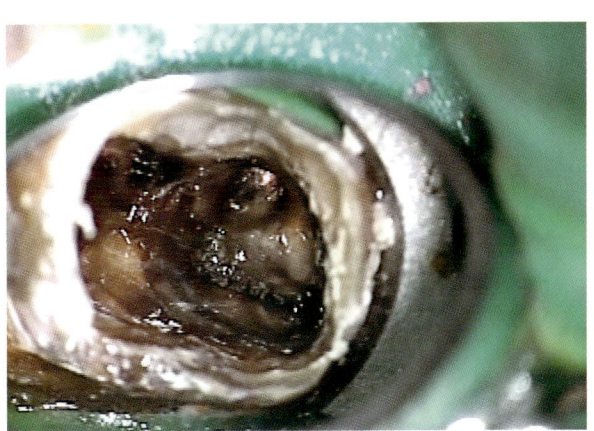

1-3-1h 小さ目の表面反射ミラーでみた髄腔内．大臼歯の根管治療でも十分な大きさであり，各根管の感染状態を確認することができる．

1 マイクロスコープと根管解剖

[超音波チップ]

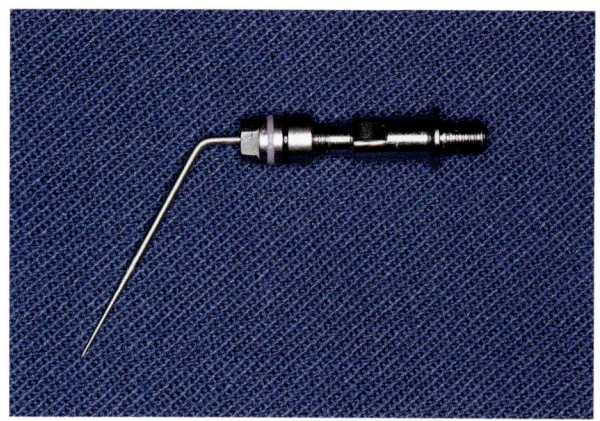

1-3-2a　SCポイント4（オサダ）.

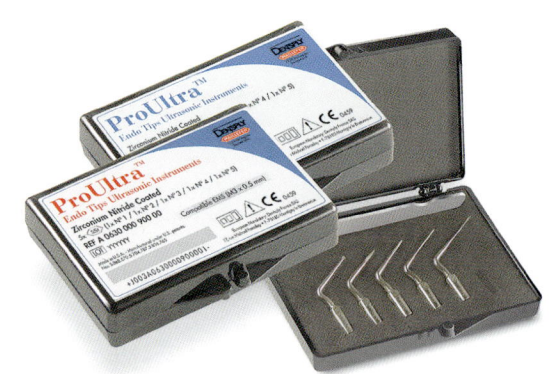

1-3-2b　ProUltra（デンツプライ三金）.

[マイクロデブライダー]

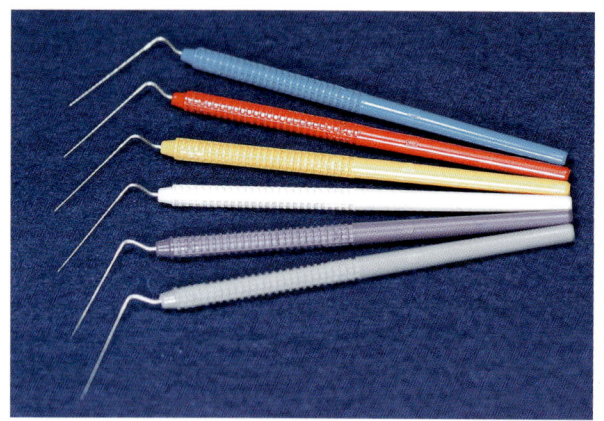

1-3-3a　MC File（茂久田商会）.

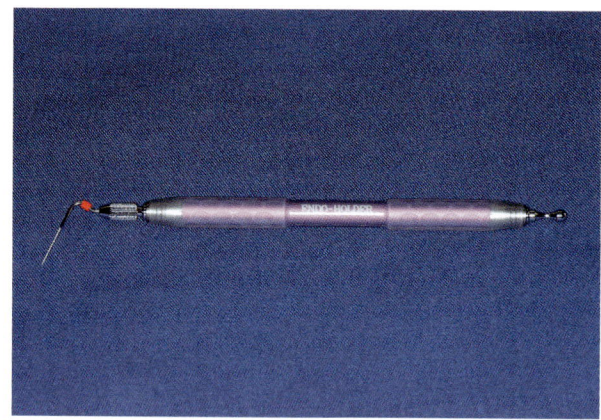

1-3-3b　マイクロファイル（マニー株式会社）.
　エンドフォルダーの先にKファイル，Hファイル，ダイヤファイル・スプレッダーを装着し使用する．エンドフォルダーのおしりの部分に電気的根管長測定器をつなぐことにより，作業長の測定をしながらの処置が可能となる．

マイクロスコープによる歯内療法／MI時代の歯内療法

4 マイクロスコープ下の根管解剖

東京歯科大学歯科保存第一講座

中川寛一

顕微鏡の視野

　口腔内では，ほとんどの領域で処置を直視下に行うことはできない．位置的に最も視認が容易な上顎前歯部のわずか2mmのポケット処置や歯石の除去でさえ，基本的には手探りの処置である．実際，歯内療法処置，ことに根管治療では，直接根管内を見わたせるのは，とくに大きく開拡した下顎前歯部の根管口付近くらいなもので，他のほとんどの歯種では髄室内でさえそのすべてを確認することは容易ではない．

　対象が視線内にあること，そして十分な照明が得られていることが視認に必要な条件である．ここで問題となるのは，照明からの光路と視線との関係である．多くの場合，光路と視線とは一致しない．たとえば根管内を明るく照らそうと思えば，ミラーを操作して照明の光軸を対象に一致させれば良い．しかしながら，その位置では根管内を広く見通すことは不可能である．したがって光路と視線とは必ずしも一致しない．

　一方，顕微鏡を覗いて驚くことは，その明るさと視認性の良さである．それは顕微鏡の視野（観察視軸）が照明の光軸（照明軸）と同一線上にあること，照明の光路と作業領域との間に障害物が介在しないこと，さらに通常の歯科用無影灯に比較して，格段に強力な照明装置を具備していることによる．また安定した視野を確保できるのも，他の拡大機器と比較した場合の大きな利点ともなる．同じ拡大率でも，手で支えた双眼鏡と同じものを三脚に載せたものでは，見え方がまるで異なるのと同じである．このように治療上有効な顕微鏡の大きな特徴は安定した高倍率と立体視である．

何が見えるか

　顕微鏡の倍率を上げ，光量を上げれば陰になっている領域を除いて，かなりの部分まで根管内を見わたすことができる．髄室はもとより根尖孔まで視野に納めることができる．しかしながら高倍率では焦点深度が浅く，ピントの合っている領域が極端に狭くなる．構造物全体を明瞭に捉えることが困難になり，また処置時の振動も気になる．処置対象に合わせて適切な倍率を選択する必要がある．

　顕微鏡の解像度からすれば，50ミクロン以下の構造を判別することが可能で，これは他の拡大機器と比較して大きなアドバンテージとなっている．加えて，立体視ができることも構造の位置的関係を正確に把握する上で大きな利益を与えてくれる．歯内療法に顕微鏡を応用して得られる情報は以下のようなものである．

[髄室形態の把握]

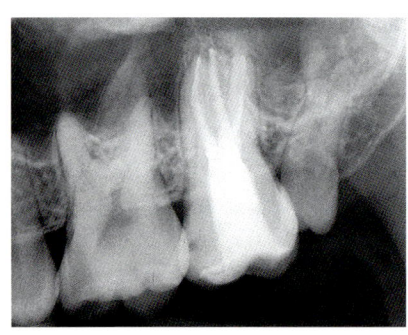
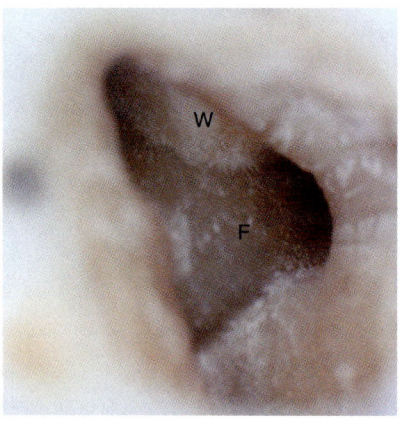

1-4-1a 大臼歯，小臼歯において開拡窩洞から根管口・髄床底までの距離が長いような症例では，髄室形態を把握することが困難である．手術用顕微鏡の有する強力な光源は，髄室の深部まで照明することが可能で，根管口や切削範囲を明視することが可能となり，過切削から歯質を保護することができる．
1-4-1b 髄室壁面（W）と髄床底（F）とでは色調に差異がある．十分な光量は髄室内の色調の違いを明確にし髄床底を確認・保護する上で役立つ．

[髄床底の構造と根管口の位置]

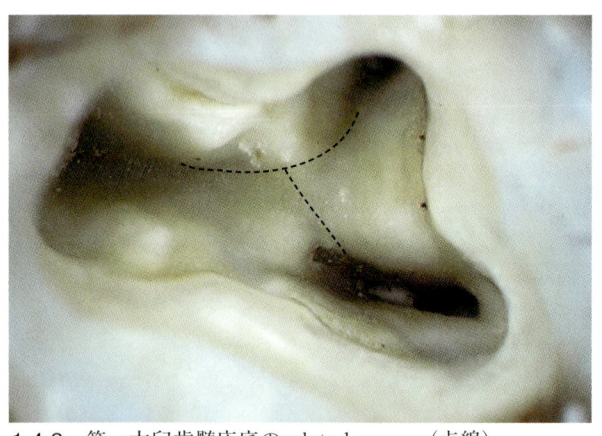

1-4-2 第一大臼歯髄床底のrelated groove（点線）．
複根歯の髄床底の線状構造物は黒線とも呼ばれている．髄室周囲の色調とは明らかに異なり，髄床底および根管口の位置の指標となる．
下顎大臼歯ではHもしくはTのパターンを，上顎ではYのパターンを示すことが多い．

[髄室内・根管内の石灰化物]

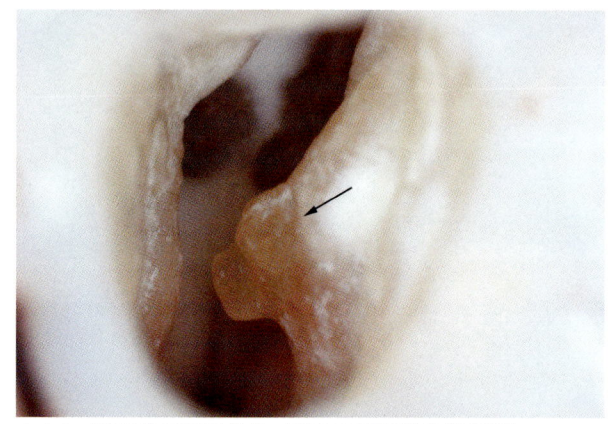

1-4-3 髄室内の石灰化物（矢印：壁着性象牙質瘤）．
歯髄腔内にはさまざまな大きさの石灰化物が存在する．これらは多くの場合透明感のある塊状・粒状構造物として確認できる．歯内療法上問題となるのは，開拡時に髄床底に存在し開拡の障害となる場合や，根管口の確認・根管内で通過障害を惹起する可能性のある石灰化物である．

髄室形態

咬合面からのアクセスによって比較的全体像を把握しやすい臼歯部に比較して，小臼歯・前歯の髄室はアクセスの制限もあって，症例によっては困難である場合が多い．とくに開拡窩洞から髄床底までの距離が長いような症例（1-4-1a）では，髄室形態を把握することも困難である．

手術用顕微鏡の有する強力な光源は，このような髄室の深部まで照らすことが可能で，切削範囲を明視することが可能となり過切削から歯質を保護することができる．また十分な光量は髄室内の色調の違い（1-4-1b）を確認する上で役立つ．

髄床底の構造（related groove）

複根歯の髄床底に認められる線状構造は黒線あるいはrelated grooveと呼ばれている（1-4-2）．髄室周囲の色調とは明らかに異なり，髄床底およびそれぞれの根管口の位置の指標となっている．

髄室内・根管内の石灰化物

歯髄腔内にはさまざまな大きさの石灰化物が存在する（1-4-3）．歯内療法上問題となるのは，開拡時

[根管口]

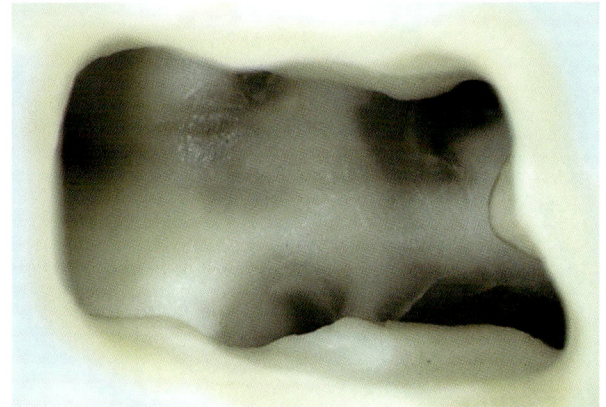

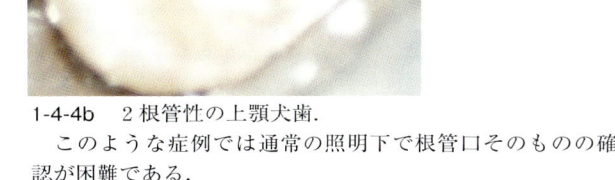

1-4-4a　上顎第一大臼歯の頬側根は2根，根管は2根管もしくは3根管である．
　しかしながら多くの症例で近心頬側根管は第2根管が存在し，その発現位置も変化に富んでいる．

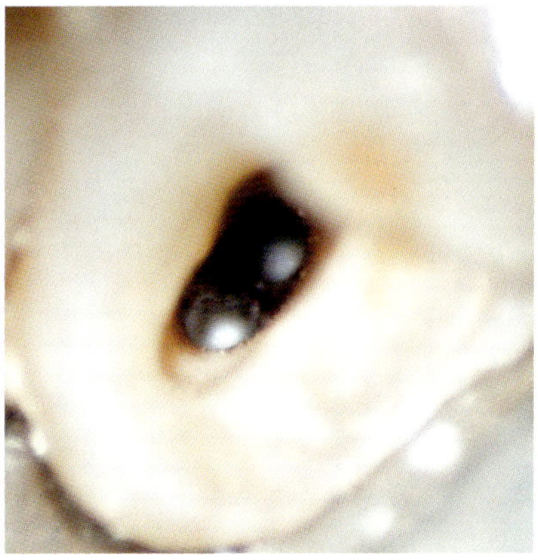

1-4-4b　2根管性の上顎犬歯．
　このような症例では通常の照明下で根管口そのものの確認が困難である．

に髄床底に存在し開拡の障害となる場合や，根管内で通過障害を惹起する可能性のある石灰化物である．

前者は超音波スケーラーユニットに装着したチップを用いて注意深く取り除くことができる．根管内深部における石灰化物の除去は，破折機器と同様に困難であることが多い．

根管口

歯内療法の失敗の多くは，根管の失探および根管充填の不備に起因する．エックス線写真上で何ら問題がない症例においても，重なりあった画像のなかに未治療あるいは不備な根管治療の結果が隠されている．

各歯種ごとの歯根や根管数を正しく認識することはもとより，統計解剖学上のアノマリーについても注意を払う必要がある．たとえば上顎第一大臼歯の近心頬側根は通常単根管として考えられているが，実は50％近くの確率で第2根管（MB2）が存在する（1-4-4a）．

この第2根管の発現位置は，変化に富んでいる．第1根管のすぐ脇に開口するものから，近心辺縁隆線の直下近くや近心根と口蓋根とのrelated groove中央に開口するものまでさまざまである．とくに天蓋が髄室中央に張り出し，辺縁隆線直下に開口するものは，オーバーハングした歯質の陰になって発見

が困難なことが多い．また石灰化物，ことに壁着性や介在性の象牙質瘤も根管口の確認を困難なものにしている．

ルートトランクが短く天蓋までの距離が大きい症例，2根管性の切歯（1-4-4b）や3根管性の小臼歯では，通常の照明下で根管口そのものの確認が困難である．髄室深部まで照明可能な顕微鏡が威力を発揮する．

根管形態

根管口以下の根管の変異については従来，全くお手上げの状態であった．無影灯あるいはヘッドルーペに取り付けたランプの照明は，わずかに根管口から数mmを照らすことしかできない．とくに根管口以下の位置で分岐する根管はそのいずれかが未処置となる可能性もある（1-4-5）．

根管壁の汚染・清掃状態

器械的あるいは化学的な清掃法を併用して行った当該根管の清掃程度を顕微鏡を用いて確認できる．清掃はEDTA→10％次亜塩素酸ナトリウム→3％過酸化水素水による反復洗浄と器械的な拡大である．

清掃途中の根管内には切削粉が泥状となって塗り固められているが（1-4-6），洗浄・拡大が進捗するにしたがって，根管壁は滑沢となり根尖孔と思われ

[根管形態]

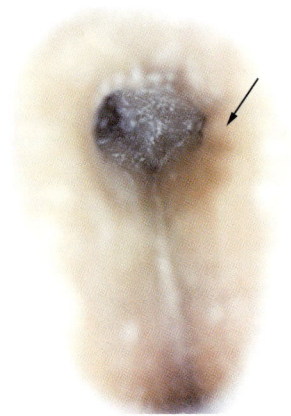

[根管壁の汚染・清掃状態]

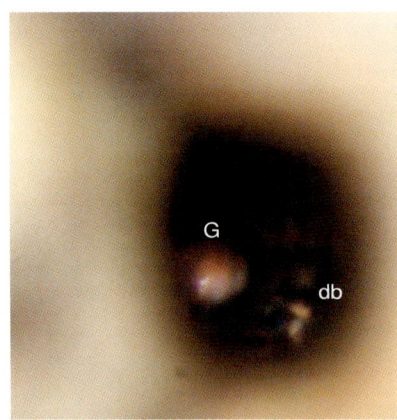

| 1-4-5 | 1-4-6 |

1-4-5　3根管性の上顎小臼歯の遠心頰側根管口（矢印）．

　小臼歯における分岐部は開拡窩洞から深い位置に存在するため従来失探することが多かった．髄室深部まで照明可能な顕微鏡によって，髄床底のrelated grooveおよびそれに連なる根管口を確認する．

1-4-6　清掃途中の根管内に存在する根管切削粉（db）とガッタパーチャの残渣（G），単純な根管清掃手順では根管内の清掃が十分に行われない

[根尖孔と大きさ]

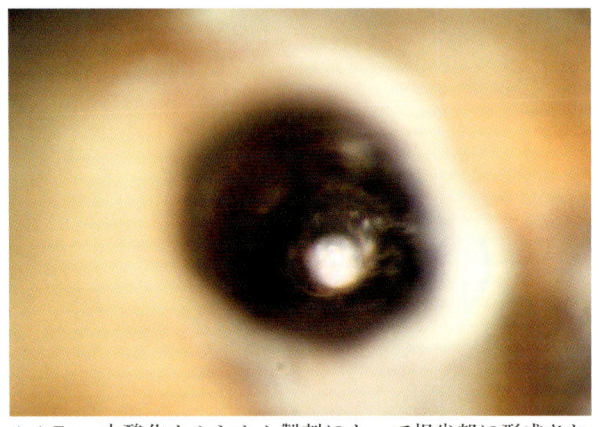

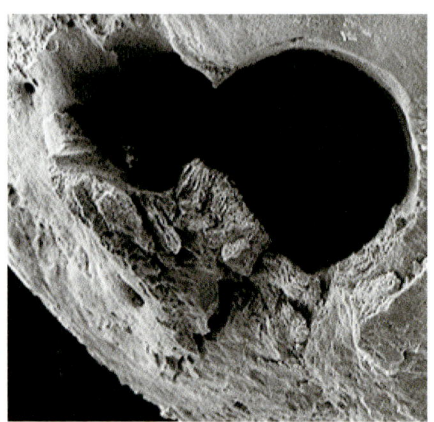

1-4-7a　水酸化カルシウム製剤によって根尖部に形成された硬組織のバリヤー．根尖が未完成な症例においては根尖孔が大きく開存しているが，根管が大きく湾曲していない限り，高倍率観察で根尖孔や治癒の進捗状況を確認することができる．

1-4-7b　根尖部における根管形成の不整形態．根尖孔の移動が認められる．

る水面が観察されるようになる．

根尖孔と大きさ

　根尖孔は通常20〜30μmの大きさで開口している．解剖学的根尖孔あるいは生理学的根尖孔，そのいずれにしても根管が大きく湾曲していない限り，ある程度の高倍率観察で根尖孔を確認することができる．とくに根尖が未完成な症例においては，根尖孔が大きく開存し根管壁の汚染の程度，清掃の状態とともに治癒の進捗状況を確認できる（1-4-7a）．

　水酸化カルシウム製剤によって根尖部に硬組織が形成されている場合にも，根尖閉鎖の状態を確認することは容易である．無意味な根尖孔の拡大，不注意な根管拡大によって根尖孔が破壊されると，その後の治療に対する未処置領域を作る結果（1-4-7b）ともなり，難治性の根尖性歯周炎の原因となることが多い．

髄床底・根管壁の穿孔

　偶発症としての穿孔部の処置にあたって問題となる事項は，穿孔部の大きさ，創面の状態，感染の有無と経過などである．顕微鏡を用いた処置が実施されてから，治癒率が飛躍的に向上したのがこの処置である．それは上記の状態を直視できるようになったことと，それに基づいた術式の改良が実施された結果である（1-4-8a）．

1-4 マイクロスコープ下の根管解剖

［髄床底・根管壁の穿孔］

1-4-8a　穿孔部に増生した肉芽組織の焼灼・蒸散を目的としてCO_2レーザー照射を行う．従来，水酸化カルシウム製剤，次亜塩素酸ナトリウム溶液にて実施してきた肉芽の処理を短時間で行うことができる．

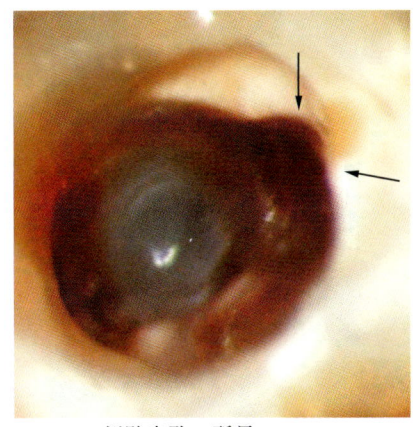

1-4-8b　側壁穿孔の所見．穿孔部より根管内に肉芽組織の進入形成が認められる．

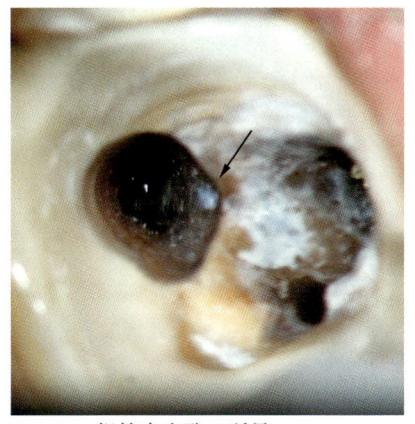

1-4-8c　根管内穿孔の所見．既存の根管口を明確にし，穿孔部（矢印）を判別する必要がある．穿孔部の修復にあたって必要な所見は，穿孔部の歯質辺縁の確認と軟組織（肉芽組織）の増生の有無である．

［根管内破折機器］

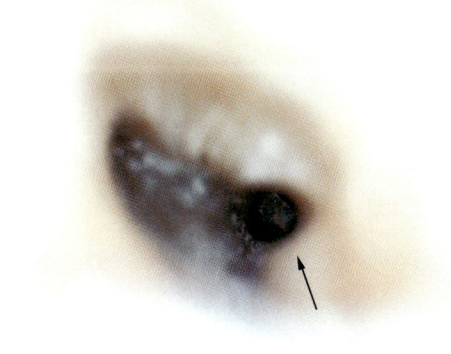

1-4-9　根管内における機器の破折．
除去術式にあたっては，根管内深部における作業が中心となることが多いため，手術用顕微鏡の使用が不可欠で，しかも高倍率で使用される．

穿孔症例では，長期間にわたって不快症状が残存するなど，根管治療の経過が長期化する症例も多い．しかし，このような例において根管以外の部位に対して，無意味な治療が行われていることも少なくない．穿孔部の所見（1-4-8b,c）として重要なことは，穿孔部の歯質辺縁の確認と軟組織（肉芽組織）の増生である．

根管内破折機器

根管内の異物としては，根管充填材，治療用小機器，根管内ポストなどがあり，その存在は時として患歯の保存の可否をも左右しかねない．従来，これらの異物の除去に際しては，治療と同様に手探りの処置を余儀なくされた．また除去に際して新たな偶発事故をも惹起する恐れもあって，その予知性も低く，根管内における器具の破折は歯内療法において最も頭を悩ませる問題の1つであった．

また除去術式についても，根管内深部における作業が中心となることが多いため，手術用顕微鏡の使用が不可欠で，しかも高倍率で使用される（1-4-9）．破折機器を中心とした根管内の異物は，器械的な食い込みやセメントによる合着によって根管内に維持されている場合も多く，機器断端を把持しての引き抜き除去は困難である．

現在，破折断端の確認と超音波チップを用いた破折機器周囲歯質の切削，さらにインスツルメントを振動させ，機器を根管壁から遊離（フローティング）

[髄室・根管内の亀裂]

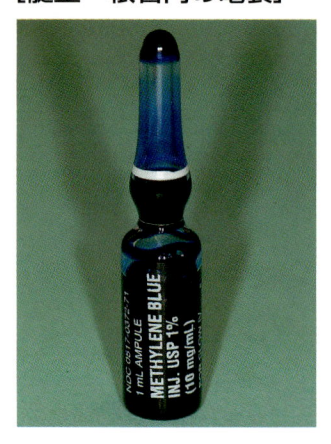

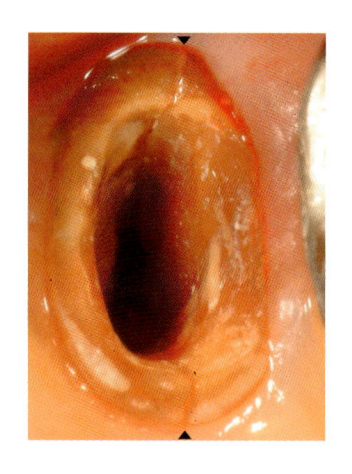

1-4-10a｜1-4-10b

1-4-10a　メチレンブルー溶液．
　破折線を確認するための染色液．歯根切断端における副根管開口部，イスムスなどの確認にも用いられる．
1-4-10b　小臼歯における歯根破折．
　破折線（矢頭）が歯根長軸を縦断している．

させることによって除去をはかっている．根管壁から遊離した破折機器はマイクロサージカルフォーセップスや，さらに特殊なンスツルメントとしてシアノアクリレートを用いた抽出器 キャンセリアーなどにて除去する．

　また最近，根管内深部への高出力レーザーの導入も可能となり，これによる歯質の切削や溶接による摘出も検討されている．除去の難易は，異物の根管壁への食い込みの程度によって左右される．Hファイルでは，リーマーやKファイルに比較して，容易に根管壁にかみこむため除去が困難な症例となる場合が多い．また陳旧性の破折片は，根管内での腐食が進行し除去が困難となる．

髄室・根管内の亀裂

　歯冠部，根部の亀裂はそれらを通じて歯周組織炎を惹起する．とくに感染初期においては原因不明，定位の悪い疼痛が続くことから患歯の特定が困難な場合もある．

　歯周組織炎に伴う歯槽骨の吸収がエックス線写真的に認められるのは，かなり病態が進行した後のことである．亀裂部位の移動・変位がほとんど認められないような症例においては髄室内，根管内の亀裂はメチレンブルーなどの染色液（1-4-10a）を用いて確認する（1-4-10b）．

2　う蝕へのアプローチ

2-1　診断におけるマイクロスコープの利用 ──── 36
　　　宮下裕志

2-2　MI時代の臨床判断 ──── 45
　　　宮下裕志

2-3　マイクロスコープによるう蝕の診断 ──── 52
　　　飯島国好

2-4　処置の記録と画像処理（Microscopic Documentation）── 54
　　　中川寛一

2-5　感染歯質の診断と除去 ──── 57
　　　飯島国好

2-6　直接歯髄覆罩 ──── 60
　　　宮下裕志

マイクロスコープによる歯内療法／MI時代の歯内療法

1 診断における マイクロスコープの利用

東京都開業（宮下歯科）

宮下裕志

マイクロスコープの効果的な利用法

臨床現場にマイクロスコープを利用したくて導入を考えている方も大勢いらっしゃると思う．しかし，ショールームやデンタルショーで覗いてみても，うまく見えなかったり，逆にいらいらして，これは仕事にならないと思い，導入を迷われている方もいるだろう．確かにそのとおりで，買えばすぐさま治療に使用できるものではない．700万もするマイクロスコープをほこりまみれにしている方もいるといううわさを聞いたこともある．そうなってしまえば非常にもったいないことである．したがってここでは，まったくマイクロスコープを使用したことがない人でも，比較的効果的に利用できる方法について述べることとした．

マイクロスコープの用途は非常に幅広く，その使用目的および方法は多彩である．たとえば，診査および診断において利用するとか，根管治療（2-1-1,2）や歯周病治療（2-1-3〜5），修復治療（2-1-6〜8），補綴治療（2-1-9a,b）といった実際の診療の一部で利用することができる．実際，筆者自身は臨床のすべての場面で用いることにしている．しかし初めて導入された場合には，いきなり治療に使用しようと思わない方がよいだろう．使ってみたくてうずうずしている人ほど，その使用方法の難しさに煩わしくなって，使用しなくなる可能性があるからである．

マイクロスコープを使用すると，確かに治療の世界ががらっと変わってしまう．これはいい換えればその変わってしまった世界で治療をしないといけなくなるということで，臨床のスタイルさえも変えてしまうことになりかねない．

マイクロスコープの利用の仕方で最も簡単なことは診査であり，次に根管治療である．根管治療であれば治療を行う歯牙のみに焦点をあてて用いることができるため，あちこちマイクロスコープを移動させたり，角度を変えたり，フォーカスを合わせたりする必要度が少ない．

歯周病治療に用いるとなると，1本のみの歯を治療するのであればまだよいが，通常は複数の歯牙を治療するであろうし，それよりも出血のコントロールができていないと，血の海でオペを行うことと同じ効果となってしまう．補綴治療では歯牙の全周マージンをチェックする必要があるため，マイクロスコープあるいはミラーを頻繁に移動させなくてはならない．

とにかくマイクロスコープは非常に有用なツールであるが，効果的に利用するためには，ある程度慣れが必要となる．したがって，ここではまず口腔内を診るという非常に簡単な診査におけるマイクロスコープの有用性について述べてみたいと思う．

[上顎小臼歯の狭窄根管]

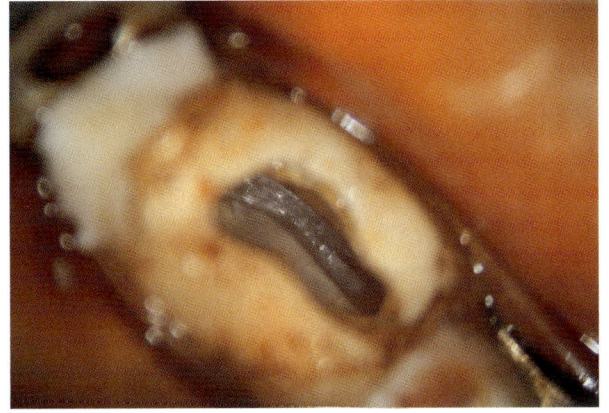

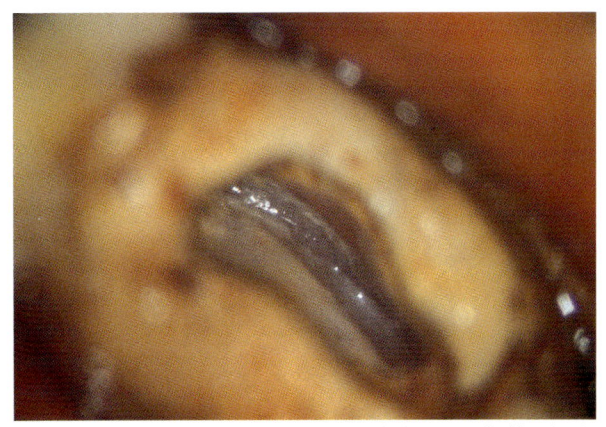

2-1-1a,b　左上小臼歯の狭窄した根管の治療．とくに小臼歯で根管が狭窄している場合，完全に分かれて存在する2根管の場合は注意しないと，なかなか根管口が見つからず，どんどんと削除していくと知らないうちに髄床底をパーフォレーションしてしまうことがある．この症例は1根管で細長く根管がまるで薄い紙切れのように存在していることがわかる．

[根管貼薬剤の除去]

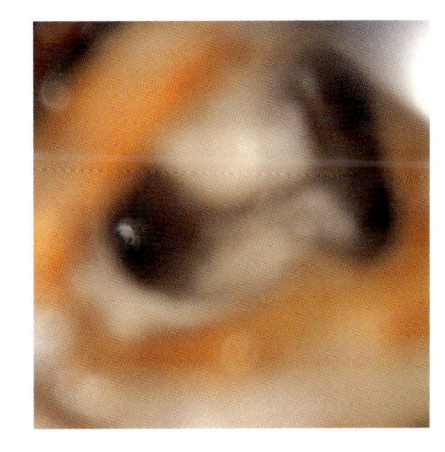

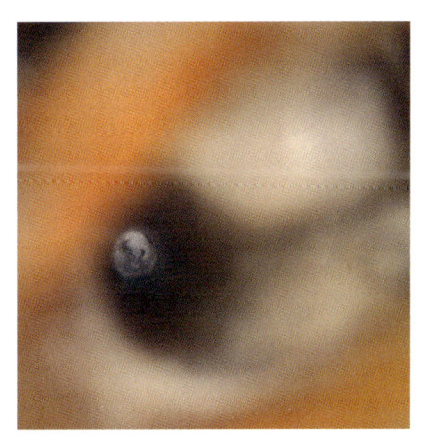

2-1-2a,b　根管内に貼薬を行った2週間後，貼薬剤である水酸化カルシウムを除去している上顎大臼歯口蓋根管．完全に除去できたかどうかを確認したところ，意外と除去されていない場合が多いので驚かされる．

[非外科的歯周治療／歯周ポケットを圧迫させ根面の清掃]

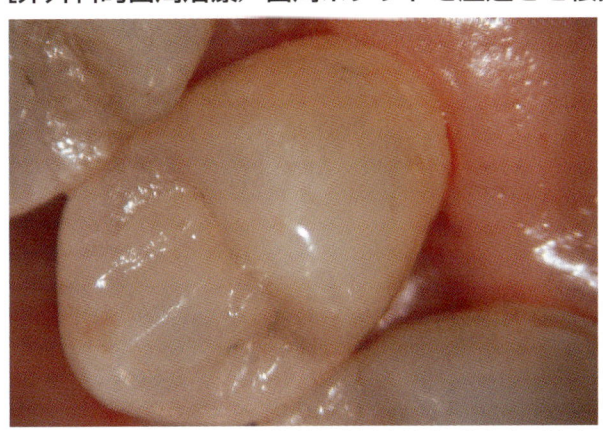

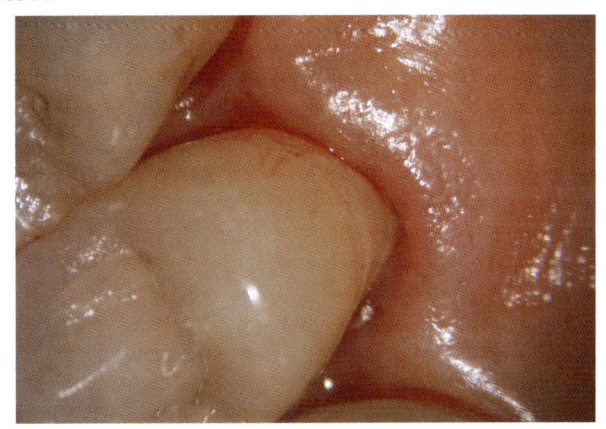

2-1-3a,b　上顎小臼歯の非外科的歯周病治療．歯肉を圧迫することにより歯周ポケットの中まで根面を清潔にすることができる．

診査における
マイクロスコープの有用性

マイクロスコープの使用の第一歩は覗くことである．それ以上は最初は期待できないと思う．したがって，まずは見たいものを直ぐに見ることができるようにすることが第一歩である．そのためには，

[非外科的歯周治療／歯周ポケットの中の確認]

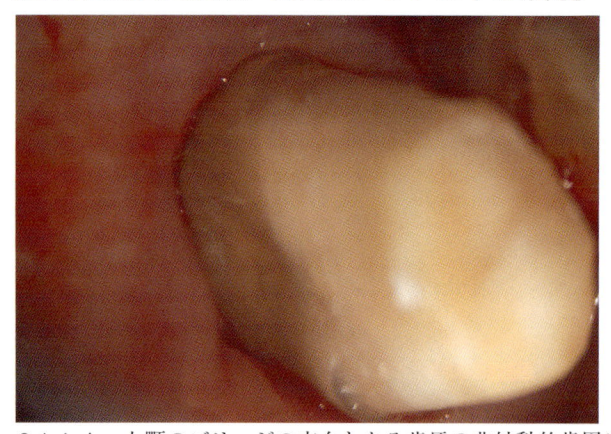

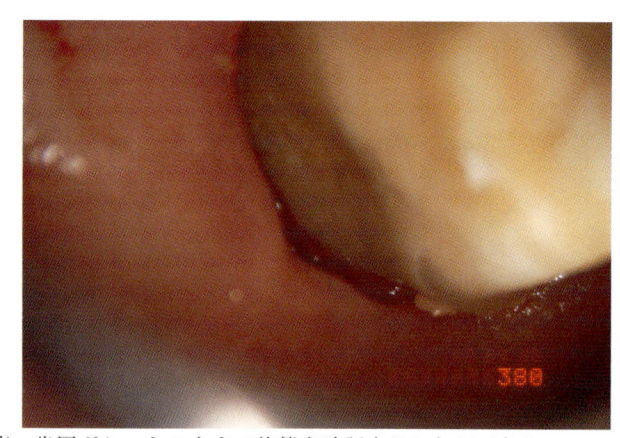

2-1-4a,b　上顎のブリッジの支台となる歯牙の非外科的歯周病治療．歯周ポケットの中まで状態を確認することができる．

[6⏌の遠心根をヘミセクション]

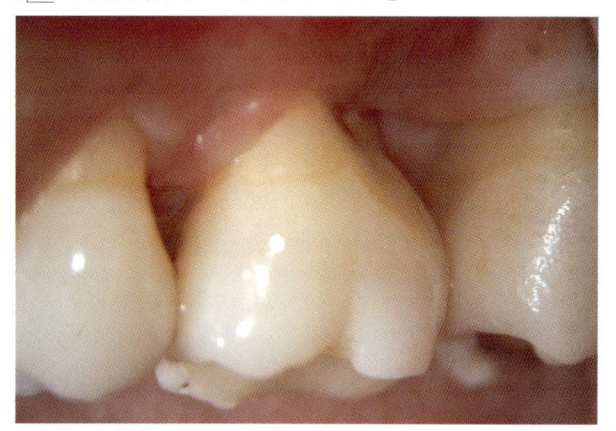

2-1-5　1998年，早期発現型の歯周病の患者さんで，6⏌の遠心根のみをヘミセクションした症例．

[コンポジットレジン修復の適合チェック]

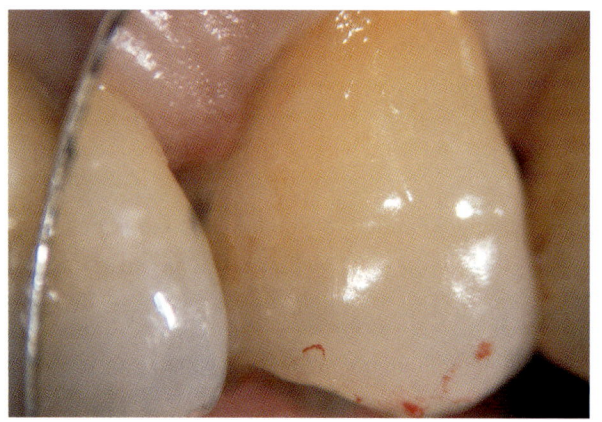

2-1-6　1998年，隣接面へのコンポジットレジン修復が行われた症例の適合をチェックしている場面．

[ゴールドインレー修復の適合チェック]

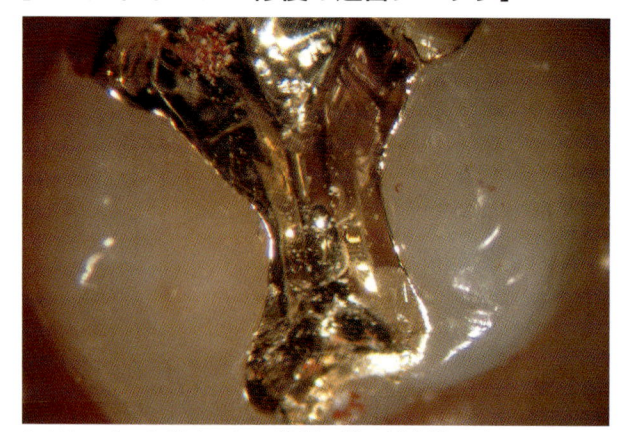

2-1-7　ゴールドインレー修復の際の適合性のチェック．

とにかく覗いてみることをお勧めする．1日1回あるいは患者さん1人に1回は，何でも良いから覗いていくと次第に自分が見たいもののところへマイクロスコープを「さっ」と持ってくることができるようになる．

マイクロスコープによる診査といっても特別なことは何もない．視診と比較すれば，その診断はより確実なものとなる（2-1-10〜13）．マイクロスコープはさまざまな診断の場面で活躍できる優れたツールであるが，ここでは比較的臨床でよく遭遇する補綴

[他院でのゴールドインレー修復の適合チェック]

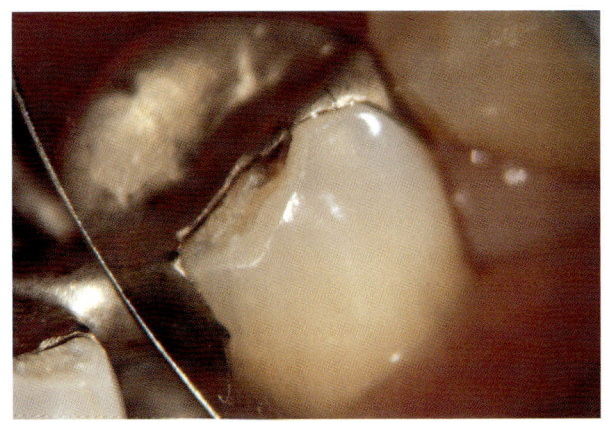

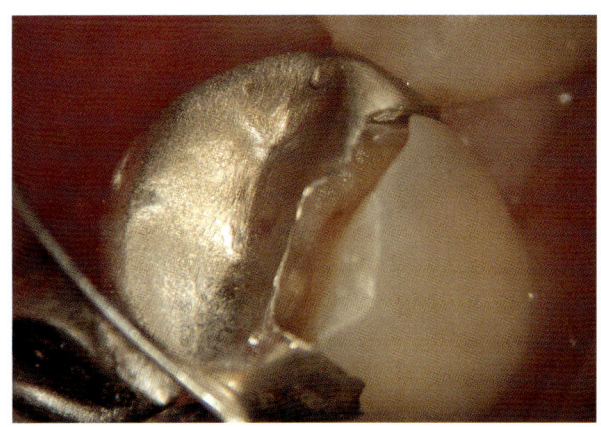

2-1-8a,b 他院にて修復されたゴールドインレーの適合性および二次う蝕のチェック．1999年の写真であるが，部分的にう蝕部分のみを除去し，原則的にMI修復が行われた（ともにミラー像）．

[ポストの印象]

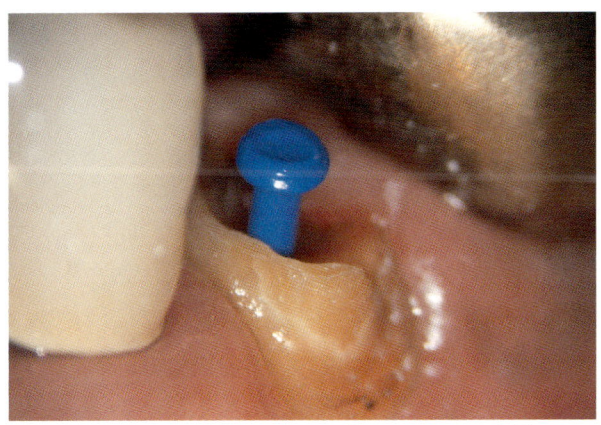

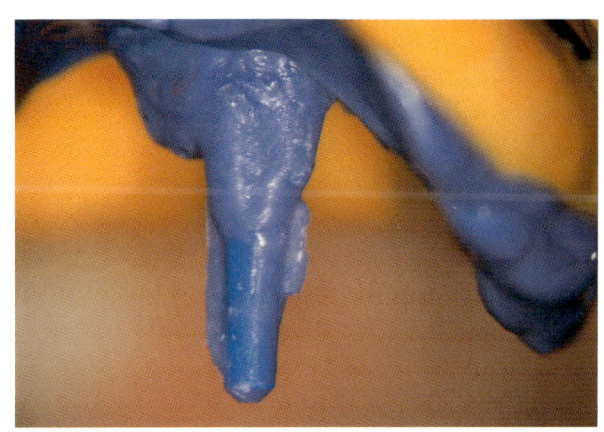

2-1-9a,b パラポストシステムのプラスティックを用いてのポスト印象準備と印象採得後．

[冷水痛を主訴とした上顎大臼歯を診断しよう]

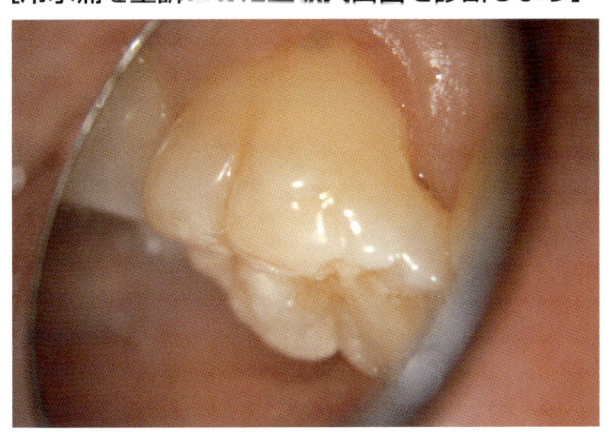

2-1-10 冷水痛を主訴として来院された女性の患者さんの上顎大臼歯部．う蝕はみあたらなかった．

[コンポジットレジン修復のギャップ]

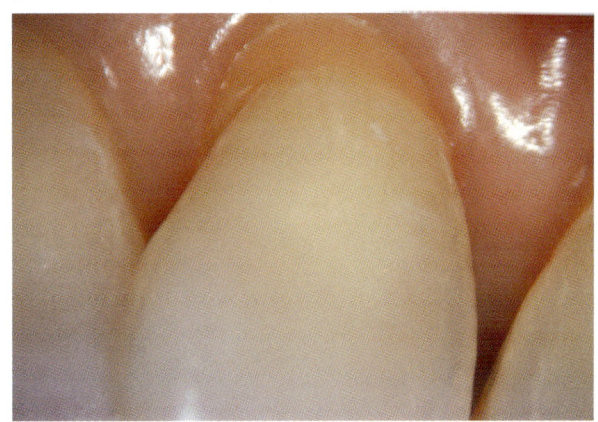

2-1-11 頬側部にコンポジットレジン修復が行われたが，ギャップが存在する．

物脱離と冷水痛という主訴で来院される症例をあげ，有用性と注意点について述べてみたい．

[近心辺縁隆線部のクラック]

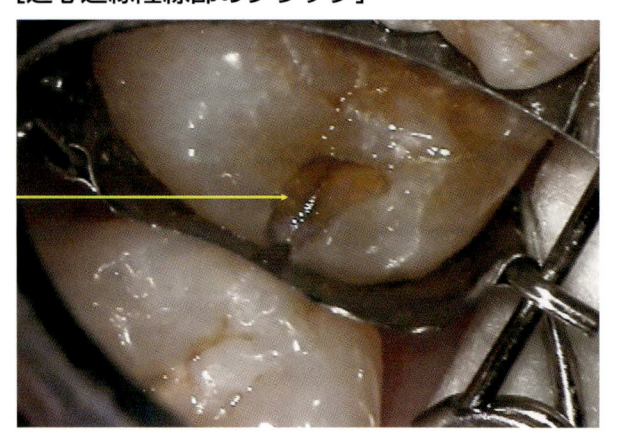

[補綴物マージンのギャップ]

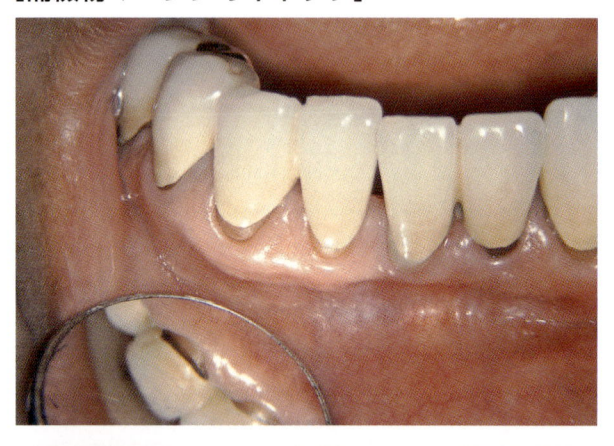

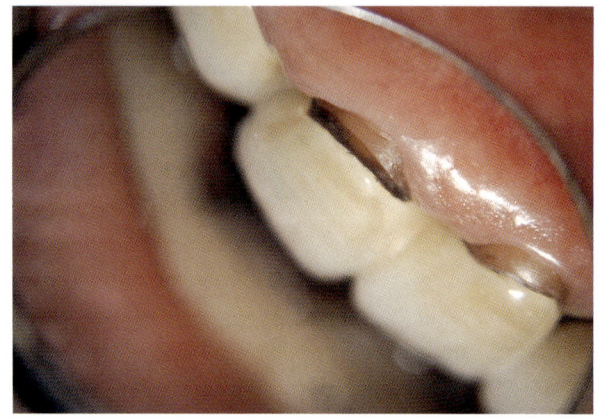

2-1-12 生活歯で冷水痛を訴えて来院．
　当院に来院されるまで3件の一般歯科と1件の矯正歯科を訪れていた．原因がわからず矯正医により当院を紹介された「7．近心辺縁隆線部に近遠心方向に深いクラックが見つかった．
　図はクラックがどこまで進行しているか削除しているところである．表面的にはわずかなクラックも，このように奥深い部分まで延びている場合は，冷水痛や咬合痛を伴うことが多い．

2-1-13a〜c　下顎補綴部に存在するギャップ．細菌の侵入できうる大きな隙間である．

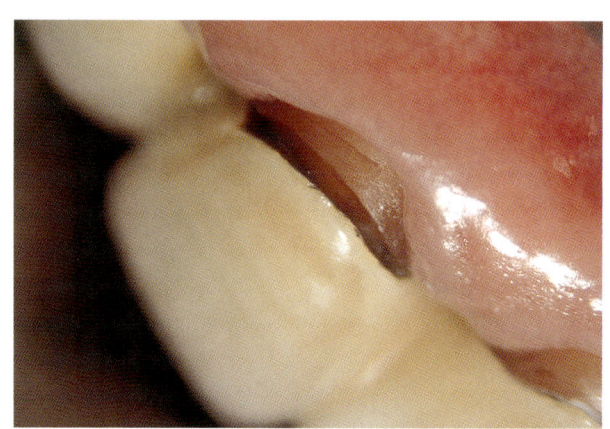

ポストごと補綴物が脱離して来院された症例での対応

　2-1-14aは補綴物が外れてきた患者さんの例である．ポストごとクラウンが取れてきた場合は，歯根破折を伴っている場合が多い．ところが，歯根破折を肉眼で確実に診断することは難しい．また偶然にエックス線像で確認できる場合もあるが，ほとんどの場合に破折線はエックス線に写らない（2-1-14b,c）．
　まず臨床的に，"なぜポストごと外れてきたのか？"を考えることから始めるべきである．
　その原因は多彩で，
・う蝕により軟化象牙質が増し維持が失われた
・ポストの適合が悪くセメントが溶けてしまい維持

2-1　診断におけるマイクロスコープの利用

[補綴物脱離／歯根破折]

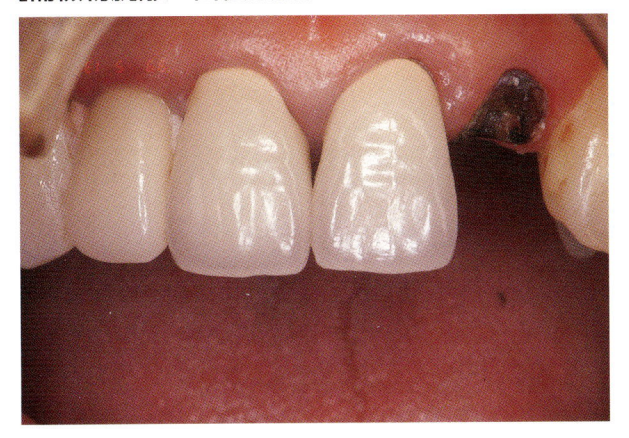

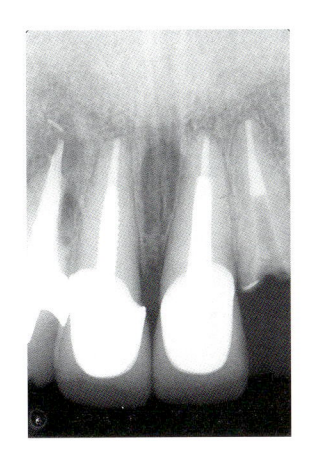

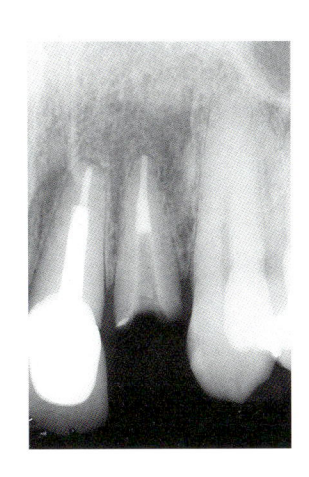

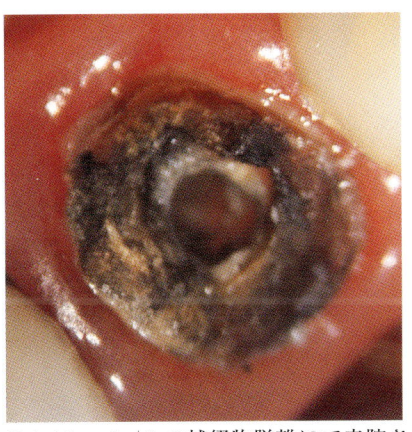

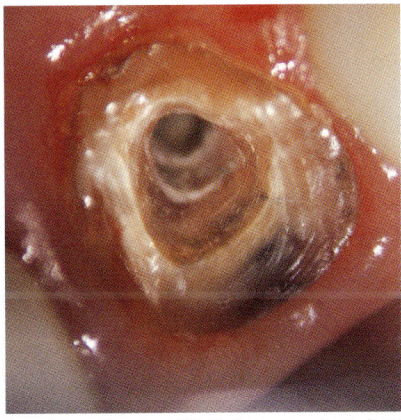

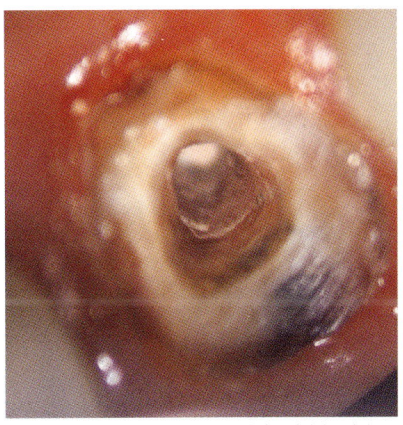

2-1-14a〜f　2|の補綴物脱離にて来院された．深いポストが装着されていたにも関わらず脱離しているため，歯根破折が疑われたがう蝕で隠されているし，エックス線写真では何も確認できない．歯根破折を捜すためには細かなフォーカス調整レバーを動かし，根管のすみずみまで確認する必要がある．下段中央の写真では根管の入口に細いクラックが確認できる（e）．

が失われた
・歯根破折にて維持力が失われた
などが考えられる．

このような症例では，簡単にポストからやり直してクラウンを装着するか，根管治療からやり直して補綴修復するのか迷うかもしれない．しかし歯根破折を起こしていたならば，どちらを選択しても同じ結末を迎えてしまう．このような際にマイクロスコープを利用し，歯根破折のないことを確実に診断できれば，非常に心強く安心して補綴治療に移行できる．

ただし，この確認には根管内に深みがあるため，マイクロスコープのフォーカスを少しずつ合わせながら探索していく必要がある（2-1-14d〜f）．これにより，根管の深い部分には問題がないが（2-1-14d），根管の入口に細いクラックが確認できる（2-1-14e）

こともあるし，また逆に根管の奥深い部分にのみクラックが見つかる場合もある．

2-1-15aは何度も根管治療をやり直してもらって，それでも違和感がとれないために来院された40歳代の女性である．マイクロスコープで覗くとビタペックスのようなものが充填されていたが，これで様子をみましょうといわれたようである．よくみると歯根破折の線がはっきりと確認できたため，理由を説明して抜歯をお勧めした（2-1-15b）．

冷水痛を主訴とする患者さんへの臨床応用例

主訴は臨床医において最も重要なものである．メインテナンス中心の歯科医院でない通常の歯科医院では，痛みや違和感を訴えて来院される患者さんが

[歯根破折]

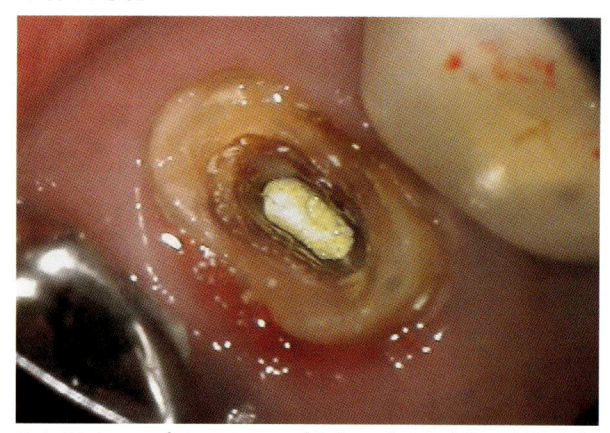

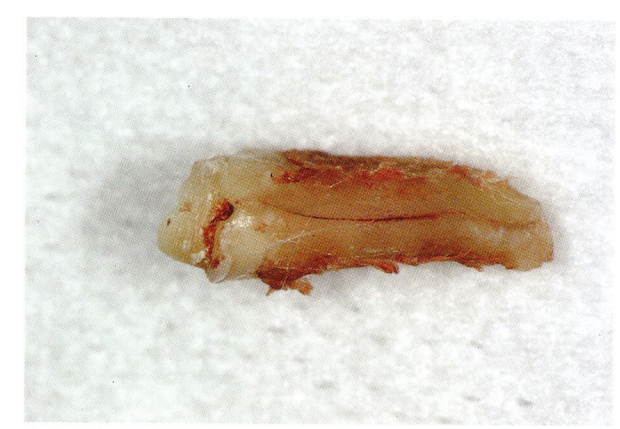

2-1-15a,b　マイクロスコープからのビデオ映像．実際はもっとはっきり見えるが，明らかな歯根破折が確認できる．

数多くを占めている．

2-1-10は若い30歳代の女性である．左上の大臼歯部に冷水痛を訴えて来院された．口腔内を観察しても口腔内全体にう蝕が存在するようでもない．上顎のみならず，下顎も診査をしてみたが，とくに欠損部も見当たらない．エックス線写真を撮影するまでもなくう蝕による冷水痛とは思えなかった．

そこで，その疼痛を誘発してみることにした．エアーをかけても，水をかけても|6 の口蓋側で痛みが誘発された．さて，その原因は何だろうか？　鑑別診断をしてみてください．

冷水痛に対するマイクロスコープの利用

冷水に対する刺激にかなり敏感となっている場合，それには明らかな原因があるはずである．う蝕のように細菌性の原因の場合もあれば，充填後のリーケージの場合もある（2-1-11）．さらにはクラックが原因で冷水に対する反応が強くなっている場合もあるし（2-1-12），う蝕は除去できているが歯髄内にすでにダメージが拡大して発生する場合もある．したがって，どこに問題があるかをはっきりと鑑別診断していく過程にマイクロスコープを応用することは十分価値があることである．

冷水反応の鑑別診断

冷水反応の原因を列挙してみると，次のようになる．したがって，冷水反応を示す症例では以下の鑑別診断を行えばよいことになる．

[知覚過敏]

自発痛はないが，冷水や風，歯ブラシが当たった場合に鋭い疼痛を感じる．必ず誘発痛があるため，誘発される部位を特定することができる．とくにマイクロスコープを覗きながら誘発試験を行うことができれば，確実な診断となる．

[生活歯におけるクラック，歯牙破折の存在]

通常，自発痛はないが，長期間にわたって自発痛が存在する場合は，歯髄炎あるいは歯髄壊死を伴っている場合もある．ここで問題としている冷水痛を伴う場合には歯髄に生活反応があり，多くの場合に咬合痛や打診痛を伴っている．

とくに打診痛が異なる咬頭でその反応が違うときには注意が必要である．ほとんどの場合にマイクロスコープで確認できるが，通常は辺縁隆線部に近遠心的にクラックラインが走っている場合が多い．

[う窩]

咬合面のう窩の場合は，視診で見つけることができる．隣接面う蝕の場合は，バイトウイングで確認

[上顎大臼歯の冷水痛の原因]

2-1-16　2-1-10（39頁）の患者さんの原因は意外にもう蝕であった．
　鋭い誘発痛を訴える場合は，マイクロスコープ下でゆっくりと，その部を刺激することで原因を特定できることが多い．

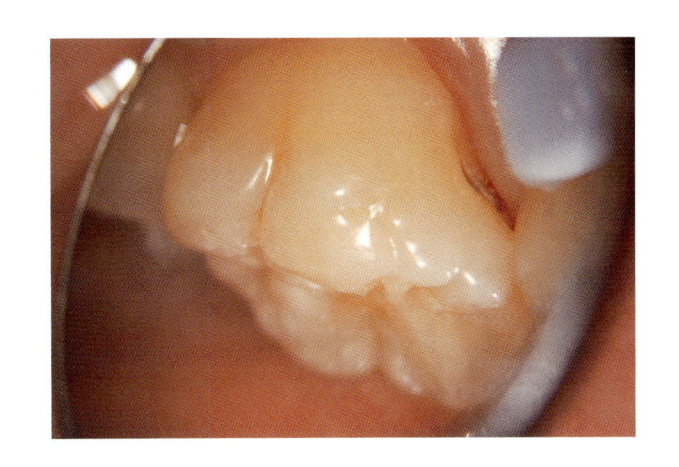

できることもあるであろう．
　冷水痛がどこから引き起こされているか確定できない場合には，まずう蝕のある歯牙と疑ってよいだろう．ただし，通常は象牙質まで広がっているようなう蝕のはずである．また，治療中もマイクロスコープで不顕性の露髄がないかどうかを確認したい．

[歯髄炎]
　通常，臨床においては痛みの診断を行うことで，歯髄炎と他の状態とを区別することができる．特別な歯髄炎状態を別として，通常の慢性歯髄炎であれば疼痛は間欠的な鈍いもので，患者さんは「我慢できる程度なんですが……」と気にしている．
　鑑別には痛みの問診が最も重要になる．いつからどのような状態か，その変化がどうかをよくお聞きすることで口腔内を診るまでもなくわかってくる．歯髄炎は，大きなう蝕を伴うこともあるが，大きな補綴物が存在している場合にはう蝕を伴わないこともあるので注意が必要である．この場合も露髄面が存在していないかどうかマイクロスコープによる確認が必要である．

[生活歯における補綴物の脱離]
　通常，補綴物が脱離してから何日経過しているかにより，患者さんの疼痛の訴え方が異なるため，問診が最も大切である．痛みの訴え方がかなり強くても，脱離して1週間後くらいであれば，単に脱離部をセメントで埋めるだけで痛みはとれるはずである．
　このような症例を間違えて抜髄しているケースが非常に多くみられるので注意が必要である．とくに打診痛がないような症例では，抜髄の必要がまずないと思っていいだろう．

[レジン充填を行った後の冷水痛]
　修復後，数日経ってから冷水痛が始まったような症例は，レジン充填の不良である．肉眼では確認しにくいが，とくに修復が歯肉縁に近い部位や隣接面の場合は，まず間違いなくリーケージが存在しているので，その部分をていねいにマイクロスコープで確認してゆくことが大切である．
　近年のボンディング技術の進歩により，接着力自体は向上していることに間違いないが，それは充填物が取れにくくなっているだけで，リーケージがないことと同じではない．接着性の修復を行う際に，どのような配慮をしているかで，その結果は異なってくると考えられる．
　歯肉溝滲出液がでてくるような部位，出血を伴う部位，唾液などのコントロールが行われていない環境での接着はその強度が保障されていない．すなわち接着力が十分発揮されるような治療環境を整備する配慮（防湿）がほとんどなされていない臨床であれば，リーケージを疑うべきである．
　マイクロスコープでリーケージ部分が確認できたならば，ラバーダム防湿下で確実に封鎖すれば疼痛

は消失するので，このような症例では決して抜髄しないことである．抜髄しなければならないような状態であれば痛みの種類が異なり，鋭い誘発痛があるのみの状態とは鑑別できるはずである．

以上のような情報とマイクロスコープによる所見を合わせて診断すれば，冷水反応がある場合の主訴は間違いなく解消できるであろう．ちなみに2-1-10の患者さんの主訴，冷水痛の原因は知覚過敏のように思われたが，実際はう蝕による露出した象牙細管から歯髄へ刺激が伝わって引き起こされた誘発痛であった（2-1-16）．したがって，治療によりすぐに問題を解決することができた．

ブロック使用による苦痛軽減

飯島国好

東京都開業（飯島歯科医院）

根管治療，とりわけ大臼歯の根管治療は大開咬の持続を患者さんに強いることになる．唾液による汚染を防ぎ，薬液の漏洩や小器具の飲み込みを防止するために，ラバーダム防湿を行っている場合はなおさらである．その上，マイクロスコープを使用した根管治療は，時間が長くなる傾向にある．

そこで患側と反対側にブロックを咬んでいただき，少しでも患者さんの負担を軽減する工夫が大切である．顎関節症があったり，首のこりや肩こりの強い患者さんにとっては，長時間の開咬の持続は苦痛どころか拷問のようなものなので，時間を短くする配慮も必要である．

図1　バイトブロック．左はロジブロック（Commonsense），右はオープンEX（Hager & Werken）．

2 MI時代の臨床判断

東京都開業（宮下歯科）

宮下裕志

う蝕と最小侵襲治療（MI:minimal intervention）

　エナメル質は体のなかで最も硬く石灰化した組織であり，象牙質-歯髄複合体を保護するバリアーとなっている．エナメル質がひとたび破壊されると，歯髄に対して何らかの影響が引き起こされることは，1970年代から明らかとなっている[1]．そして細菌性の侵襲により歯髄に炎症が引き起こされた場合には，それが維持されることが示されてきた[2-4]．したがって，日常臨床の修復治療においては，その侵襲因子を除去することを目的とした対症療法としてのう蝕象牙質の除去がなされる．

　1990年代に入り，最小侵襲治療（MI: minimal intervention）が提唱されるようになってきた（2-2-1a,b）．これは1880年頃からごく普通に行われていた修復時のBlackの窩洞という考え方[5]に相反するコンセプトである．MIの概念を応用した治療法での歯牙切削量は，Blackの窩洞と比較すると，残存する歯髄までの象牙質の厚みがまったく異なる．

　またMIの概念には，その形態および切削量の違いのみならず（2-2-2a～c），修復すべき歯牙に充填がすでに行われている際に，過去の充填物を必ずしもすべて除去するわけではないという判断も含まれる（2-2-3a,b）．さらに，初期う蝕の状態と個人および部位におけるう蝕のなりやすさにより，切削するかどうかの判断も必要となり（2-2-4a～d），Blackの窩洞とは大きな違いが認められる（2-2-3a,b, 1-2-4e）．すなわちMIの姿勢を貫いた臨床を徹底することは，可及的に歯質および歯髄を保護することが可能となる．

　1997年のFDI会議において，最小侵襲治療（MI: minimal intervention）は，

・正確なう蝕診断
・う蝕の重篤度をエックス線にて分類
・個人のう蝕リスクを評価
・活動性の病変を静止させる
・活動性のう窩を再石灰化させモニターする
・う窩を最小窩洞デザインで修復する
・疾患の管理ができているか決められた期間で評価する

と定義されている[6]．

歯髄保存と最小侵襲治療（MI:minimal intervention）

　最近，最小侵襲治療への動きはう蝕あるいは修復に限らず，歯科のすべての分野において適応することができるものとなってきた．すなわちMIにより可及的に歯質の保存が図られ，歯髄の保存が可能となり，ひいては歯牙の生存率が上がることになると考えられる．一般的には，生活歯髄の歯牙の方が失活歯髄の歯牙よりも生存率が高いことが知られてい

[う蝕のMI治療に必要なダイヤモンドバー]

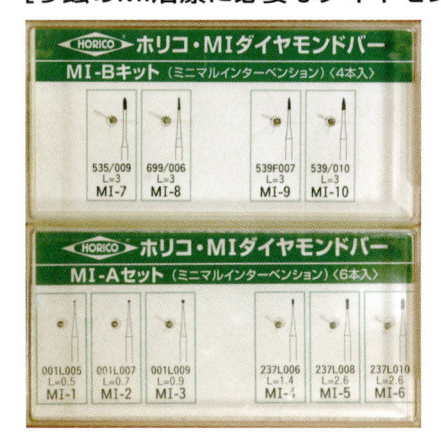

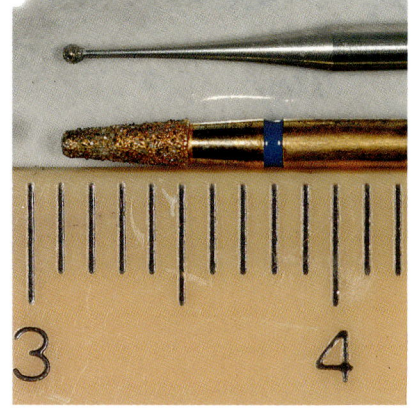

2-2-1a,b　ミニマルインターベンションにおける外科的（修復）治療時に必要となるダイヤモンドバー．非常に小さなヘッドであるため，歯質を無駄に削除しないですむ．主にエナメル質の部分を除去するのに用いられる．

[う蝕のMI治療の切削量]

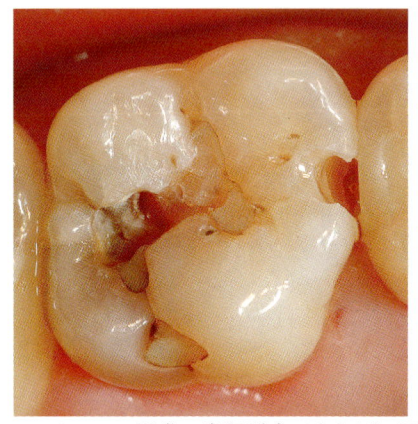

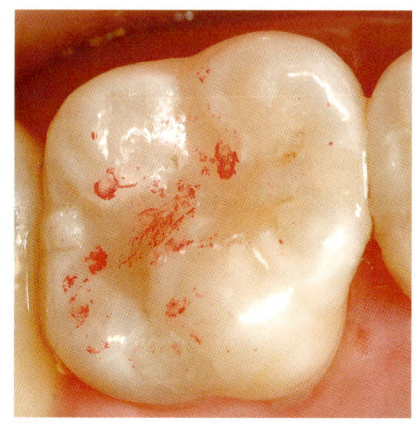

2-2-2a〜c　通常の窩洞形成であれば，両隣接面を大きく削除し拡大するであろうが，問題が発生している部分のみを治療することで，大部分の歯質を保存することが可能となる．

[う蝕のMI治療と修復物]

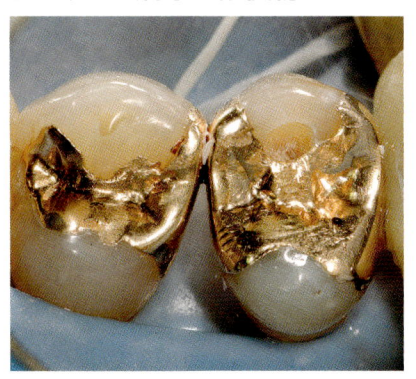

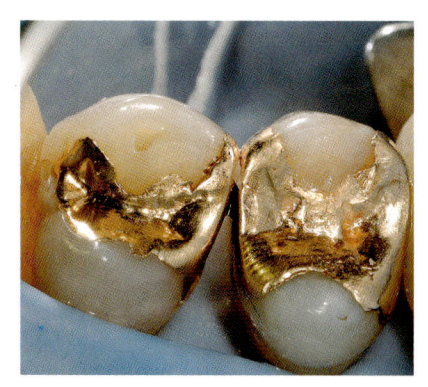

2-2-3a,b　ゴールドインレーで修復されているが，そのマージン部の適合不良が存在していたのであろうか，二次う蝕が発生している症例である．しかし，インレー修復の大部分は問題がなさそうであるため，う蝕部分のみの修復で十分と判断された．

る．臨床経験からも，実際に抜歯を行う歯牙の大部分は失活歯と思われる．したがって例外もあるが，一般的には歯髄を保存した方がよいと考えることが大切である．

　Ödesjoらによるスウェーデンの疫学調査の報告によれば，歯牙の約9％が根管治療されている[7]．こ れは1人平均2本失活している歯がある程度である．日本においては疫学調査がほとんど存在しないため，どのくらいの割合で失活歯が存在し，それらが失われているかは想像の域をでないが，筆者の臨床における勘では失活歯の割合は少なくともスウェーデンと比較してかなり高率と考えられる．

2-2　MI時代の臨床判断

[う蝕ハイリスクの患者]

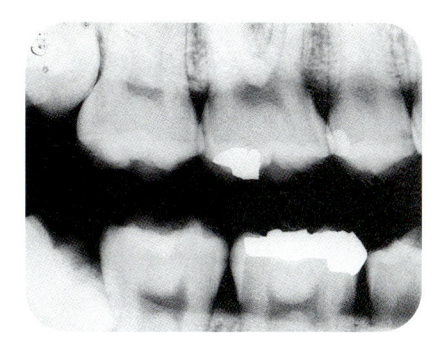

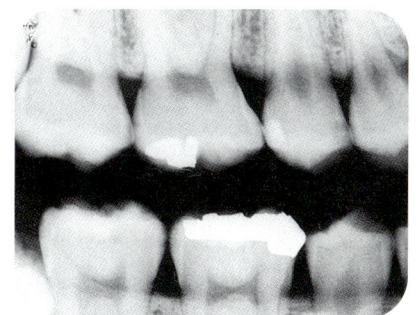

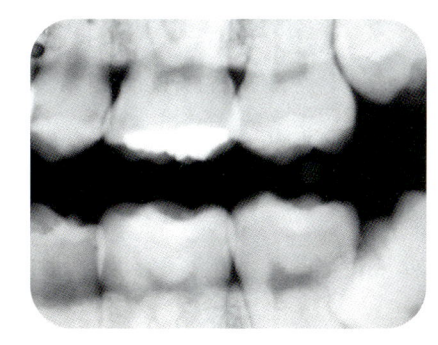

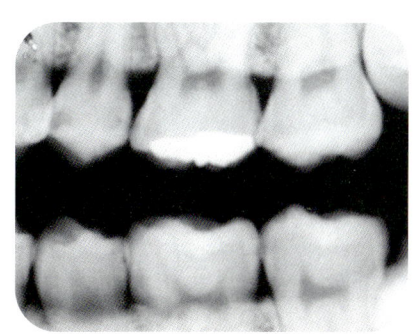

2-2-4a,b　6̲遠心と7̲近心はレントゲン像にてE₂（エナメル質内側1/2），5̲遠心と6̲近心はD₁（象牙質外側1/3），5̲近心はD₂（象牙質中央1/3）のう蝕と診断した．

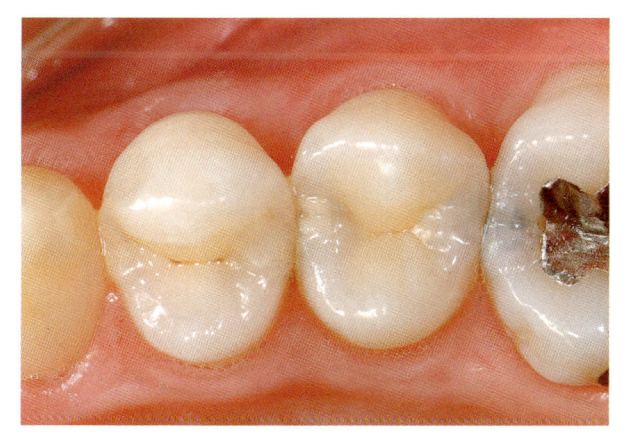

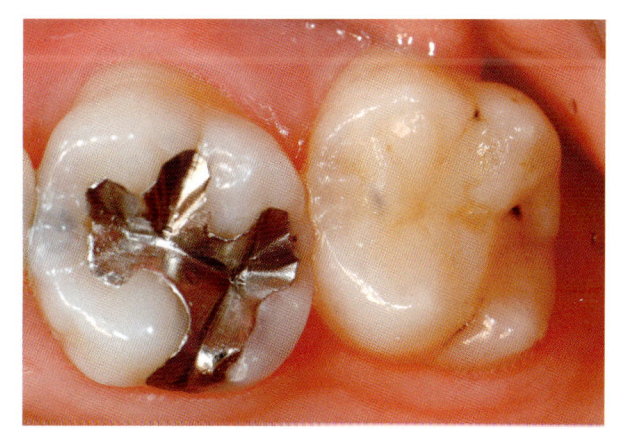

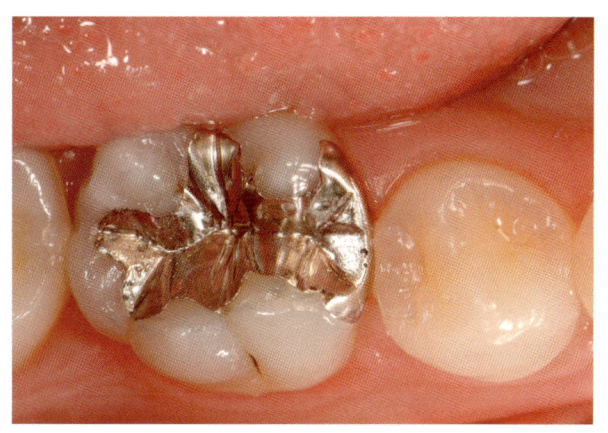

2-2-4c | 2-2-4d
2-2-4e

2-2-4c〜e　う蝕ハイリスクの患者さん．18歳，男性．
口腔自己管理とコントロールを行ってきたが，左上小臼歯部は治療が必要と診断された．
5̲遠心と4̲遠心はミニマルな治療が行われている．

誤って抜髄を行う理由

日本における抜髄の割合が多いという主な理由はいくつか考えられるが，その1つは疼痛の診断ができていないことと考えられる．

2　う蝕へのアプローチ

[疼痛の診断]

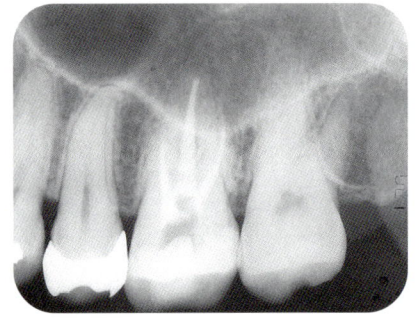

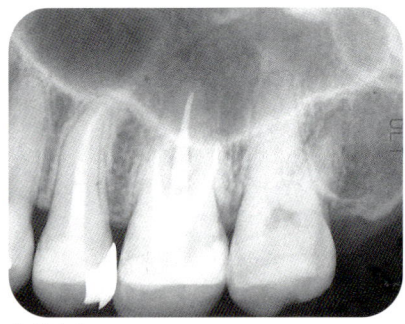

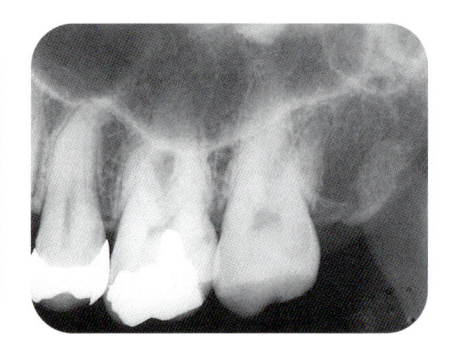

2-2-5a〜c　疼痛を強く訴えていた40歳代，女性（a）．
5┘と6┘が抜髄され，症状は消失した（b）．しかし，術前のレントゲン像（c）で確認したところ，歯髄炎で抜髄されたようではない．誘発された疼痛の強さから考えて，知覚過敏状態であったことが推測される．
　痛みの訴え方は個人差があるため，痛みの程度のみから判断するのではなく，痛みのパターン，歴史（変化）をよく聞きだすことが大切である．

[ラバーダム防湿の重要性]

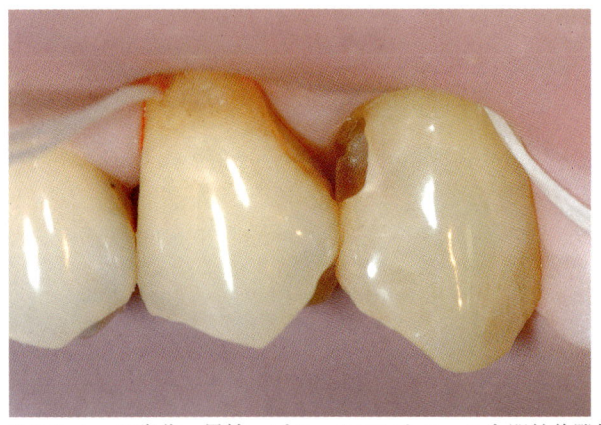

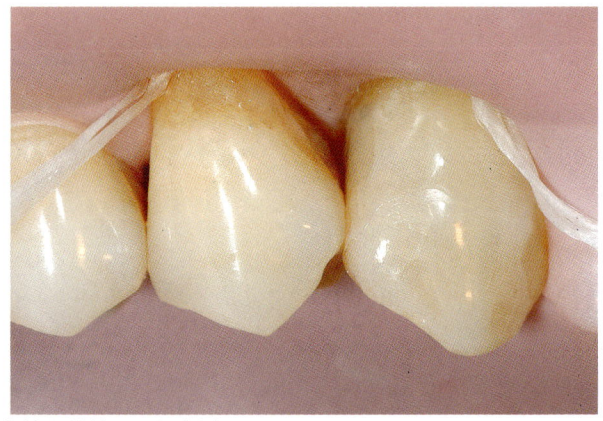

2-2-6a,b　60歳代，男性．プラークコントロールを開始後隣接面にう蝕が発見された症例．
歯肉溝滲出液が適切な充填操作を妨げないように防湿が行われる．余剰のボンディング材はこの後に除去した．

疼痛の鑑別診断と歯髄の保存

[主訴]

6┘付近に疼痛を訴えて歯科医院を訪れた患者さんのレントゲン像（2-2-5a）である．左上が冷水による刺激に対し敏感で疼痛をかなり訴えていた．そしてその痛みに耐えられないことから抜髄に至った症例である．

[検証]

さて，治療後のレントゲン像（2-2-5b）および臨床症状がないことから考えても，治療成功例であるようにみえる．ところが，この患者さんは痛みに対して非常に敏感な患者さんで，ほんのわずかな刺激に対しても痛みを大きく訴えるタイプの患者さんであった．治療前のレントゲン像（2-2-5c）をもう一度見てみると，5┘と6┘の歯髄に明らかに病的な状態を引き起こすほどの充填物や，う蝕およびう窩は認められないため，抜髄を行わなければならないほど歯髄に対して大きな侵襲が加わったようには思えない．またエアーをかけると飛び上がるほどの痛みを訴えたことから，この症例は歯頸部の象牙質知覚過敏であったにも関わらず，抜髄に至った症例であることがわかる．もしかしたら単純な対応により歯髄を保護することが可能であったのではないかと考えさせられる．

ところが，歯科医は患者さんが強く痛みを訴えた場合には，歯髄に問題があるのではないかと思い抜髄を考えてしまうことが多いのである．このように

[ラバーダム防湿と出血]

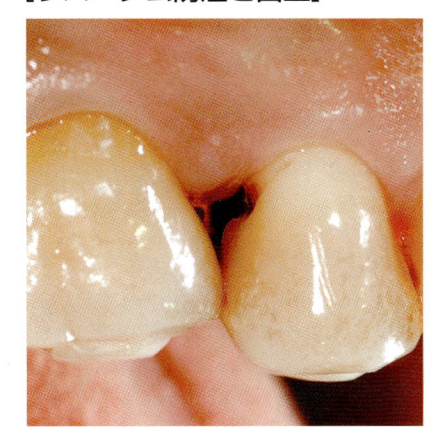

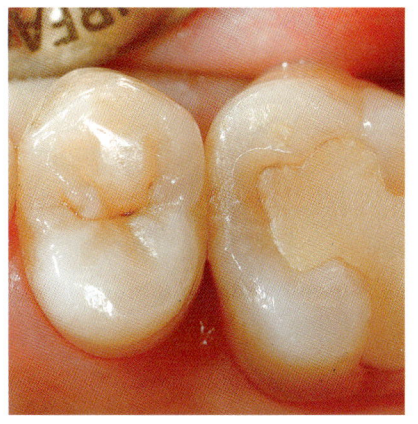

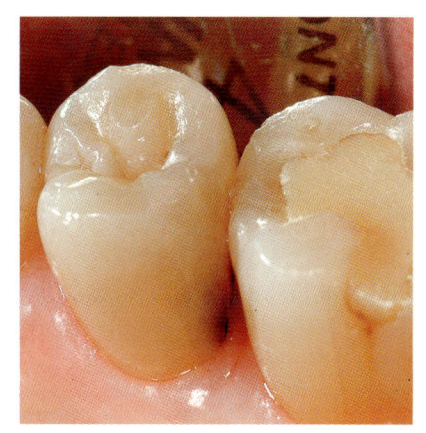

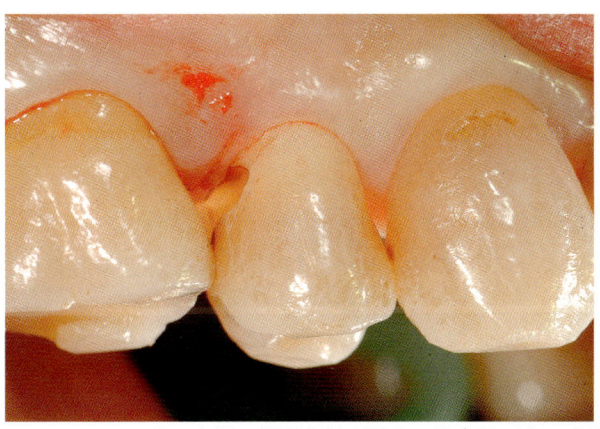

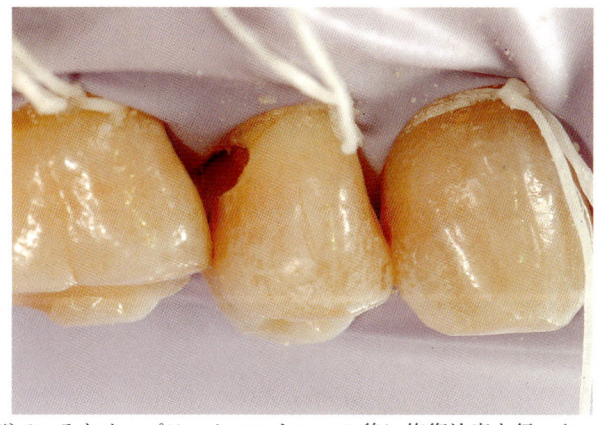

2-2-7a〜e　30歳，女性．根面う蝕が発生．歯肉縁下までう蝕が延びているため，プラークコントロール後に修復治療を行った．出血のコントロールが難しいため，ラバーダム防湿下にて治療を進めた．

　実際に治療自体は適切に行われている症例であっても，その疾患が正しく診断され，治療の必要性が正しく判断され，患者さんにあった治療方法が選択されていない場合が臨床の場では非常に多く見受けられる．

　象牙質知覚過敏の症状を訴える患者さんに抜髄を行った場合，患者さんの疼痛は消失するため，いかにも正しい治療がなされたようなイメージが得られる．そして患者さん自身も満足し，問題に気がつかないであろう．しかし象牙質の露出部を封鎖することで，ほとんどの知覚過敏症状の問題は解消する．そのため，その疼痛が露出した象牙細管由来のものか，歯髄由来のものであるかの鑑別診断をすることが，不必要な抜髄を避けるために最も必要なことである．

　歯髄炎が生じた歯牙では，冷温水による刺激に対し敏感になるという歯髄反応の変化を伴うことがある．これとは逆に象牙質知覚過敏の場合には，同様の症状が認められるが自発痛は認められない．たとえばインレーのような修復物が脱離してしまった場合でも同様な症状が起こるが，とくに脱離後1週間を過ぎると疼痛が強くなってくる．したがって一般的に患者さんが歯科医院を訪れる頃には，水がしみてかなり痛い状態になっている場合が多く，歯科医には「抜髄」の2文字が頭をよぎる．

　また治療前に深在性う蝕ではなく，臨床症状が冷水痛程度の歯牙に対して，レジン充填を行った後に症状が悪化することを経験したことがあるかもしれない．このような場合も，歯髄炎がひどくなったと考えがちで，「抜髄しなければ」と思うかもしれない．しかしながら，これらの原因のほとんどは診断の誤りや治療の不備によるものであり，徹底的に軟化象牙質を除去し緊密に充填し，象牙細管を封鎖すれば深在性う蝕でない場合には臨床症状はすぐに治

まり，必要のない抜髄を避けることができる．

問診の重要性

　治療後の疼痛の訴えを患者さんから良く問診すれば，治療後のリーケージが原因かどうかは判断ができる．すなわち誘発痛が強くなっているのみであれば，どこかに象牙細管に通じる未充填部が存在するはずである．とくに頬側歯頸部の隣接面や歯肉側部にコンポジットレジン充填を行った後に，コントラクションギャップが生じ冷水反応が治まらなくなる症例では，ギャップの存在を確認するためにマイクロスコープを覗き診断することも有用である．さらに，歯肉溝滲出液や出血により切削面が完全に乾燥状態を得られにくいような症例では，上記のような術後の問題を生じやすいため，ラバーダム防湿を行うことが望ましい（2-2-6a,b）．

　以上述べてきたように，

かなり強い（鋭い）痛みを訴えている
自発痛がなく，
打診痛もない，
しかし冷温熱や化学的な刺激による誘発痛がある，
そして治療した際，軟化象牙質の量は少なく歯髄まではかなりの距離があると考えられる（このような症例では，その状態をカルテにしっかりと記載しておくことで，後に症状が強くなった場合にリーケージとの判断の鑑別がしやすくなる）

というような場合には，抜髄を避けることができる．そして，その治療は露出した象牙細管を探しだし封鎖することである．

　誤ってこのような症例を抜髄したとしよう．その際に無菌的治療を行っていなければ，さらなる問題を引き起こしかねないのである．こうなると保存できる歯髄を診断ミスから抜髄し，感染根管にしてしまい，保存できる歯牙を抜歯へと導くことになる．MIの精神とは逆行してしまうといえよう．

参考文献

1. Brännström M, Johnson G: The sensory mechanism in human dentin as revealed by evaporation and mechanical removal of dentin. J Dent Res. 1978；57(1)：49-53.
2. Mjör IA, Tronstad L：Experimentally induced pulpitis. Oral Surg Oral Med Oral Pathol. 1972；34(1)：102-8.
3. Bergenholtz G, Lindhe J：(1975) Effect of soluble plaque factors on inflammatory reactions in the dental pulp. Scand J Dent Res. 1975；83(3)：153-8.
4. Bergenholtz G：Effect of bacterial products on inflammatory reactions in the dental pulp. Scand J Dent Res. 1977；85(2)：122-9.
5. Black GV：A work on operative dentistry；the technical procedures in filling teeth, Medico-dental Publishing Co, Chicago, 1917.
6. Tyas MJ, Anusavice KJ, Frencken JE, Mount GJ：Minimal intervention dentistry, a review. FDI Commission Project 1-97. Int Dent J. 2000；50(1)：1-12.
7. Emilson：A traumatic restorative procedures. Personal communication 2003 in Swedish Postgraduate Dental Academy Course for restorative procedure in Tokyo. 2003.
8. Ödesjo B, Hellden L, Salonen L, Langeland K：(1990) Prevalence of previous endodontic treatment, technical standard and occurrence of periapical lesions in a randomly selected adult, general population. Endod Dent Traumatol. 1990；6(6)：265-72.

付属の光ファイバーとランプの寿命

宮下裕志
東京都開業(宮下歯科)

　マイクロスコープを用いて数年経つと，いくつかの点で問題となってくることがある．マイクロスコープがない状態では，心配で心配で治療にならなくなることは良い意味で悩みになる．それ以外に問題となることは，やはり機械であるので，壊れることである．マイクロスコープ本体は，よほどでない限り壊れることはないが，その部品となっている，光ファイバーやハロゲンランプなどは永久に使用できるものではない．筆者の経験からすれば，光ファイバーは6年くらいで交換した．もちろん乱暴に扱えば，もっと早く交換が必要となるであろう．

　光源であるランプは，その種類によってどのくらい長く使用できるかが，異なるためはっきりとは表現できないが，各メーカーから説明があると思われる．当初筆者の用いていたランプはハロゲンランプであるが，グローバル社製プロテージ日本国内1号機であった．初めはマイクロスコープのランプは壊れないものと想定されていたのか，毎日朝から夜までつけっぱなしにしていたのであるが，5年くらい切れることはなかった．ランプが切れて気がついたが，それはライトボックスに直結されていて，交換できない構造になっていた．現在は，交換ランプが着脱できるモデルに変更されている．

　最近のハロゲンランプは値段的に3,000円程度で購入できるため消耗品としても大した費用はかからないが，数か月から半年（約200～300時間）で次第に劣化し切れることがあるため，早めに交換した方が明るくみえるので良いであろう．メタルハライドランプやキセノンランプはさらに明るいが交換バルブが20,000円から100,000円くらいかかる場合もある．

　大きさや種類によってその耐久性および明るさ，値段が異なるが，少なくとも型番を記録しておいて1つは予備を置いておく方が安心であろう．なおグローバル社製の現行ハロゲンライトではツインランプとなっているため，1つのランプが切れてもスイッチ1つで切り替えができ，直ぐに使用することが可能であり非常に便利である（図1,2）．

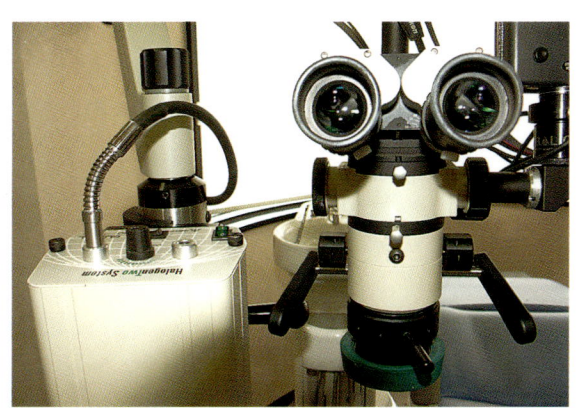

図1　当院の歯科衛生士が使用しているタイプのマイクロスコープ．

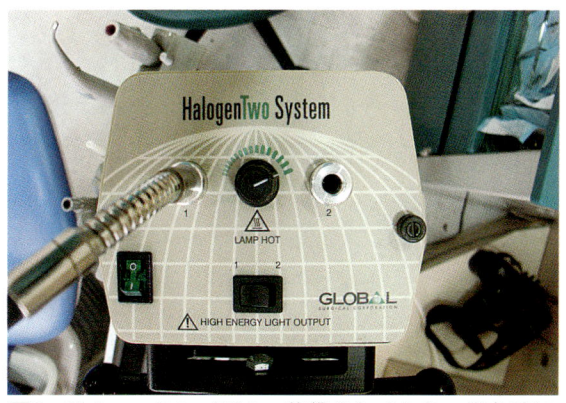

図2　Halogenランプが2つ装備されており，緊急時にはスイッチで切り替えることで治療が続行できる．

3 マイクロスコープによるう蝕の診断

東京都開業(飯島歯科医院)

飯島国好

マイクロスコープの利用の仕方

　う蝕の診断にマイクロスコープを使用するのは，肉眼や拡大鏡やエックス線写真だけでは，う蝕の診断がつきにくい場合である．う蝕の発見や診査にマイクロスコープを最初から使用するのではなく，確認の手段として使用している．

初期う蝕の診断

　咬合面の小窩裂溝や歯頸部あるいは隣接面の初期う蝕で，経過観察にするのか修復が必要であるのか判断に迷うような場合がある．このような場合にマイクロスコープでう窩を観察する．窩底が比較的鈍角か平坦で，脱灰がエナメル質内か象牙質の表層に限局している場合には，刷掃指導やフッ素塗布などを行った上で経過観察を行っている(2-3-1a〜d).
　これに対してエナメル質直下でう蝕が着色などで水平的あるいは垂直的に拡大しつつあるようにみられる場合には，口腔内全体から判断した上で，必要ならば修復処置を行う．

二次う蝕の診断

　二次う蝕の診断は，肉眼による観察や修復物の辺縁の触診，およびエックス線写真や自覚症状などから診断しているが，マイクロスコープを併用することで，これまで以上に診断の精度を上げることができるようになった．
　二次う蝕の診断にあたっては，まず患歯を肉眼で観察し，次にエックス線写真で修復物の周囲や窩底のう蝕の有無を確認する．またエックス線写真では，隣接面など初発のう蝕も観察する．
　エックス線写真上で二次う蝕による明瞭な歯質の欠損は認められないが，修復物と歯質の境界線の一部があたかも歯根膜腔のような透過像として認められる場合がある．このような場合には，う蝕の原因菌の侵入経路となった修復物のマージンの摩耗や破折，マージン周辺のう蝕や歯質の欠損の有無をマイクロスコープで精査する(2-3-2a〜c).
　二次う蝕と確実に診断されれば修復物を除去し再治療となる．罹患部から切削してみて二次う蝕がごく一部に限定されている場合には全体的なやり直しをせず，部分的修復にとどめる場合もある．

2-3 マイクロスコープによるう蝕の診断

[初期う蝕の診断]

2-3-1a | 2-3-1b

2-3-1a 初診時．6」に初期のう蝕が認められる．マイクロスコープでう窩を確認し，切削を見合わせる．
2-3-1b 初診時．|6 7 に初期のう蝕が認められる．マイクロスコープでう窩を確認し，切削を見合わせる．

2-3-1c | 2-3-1d

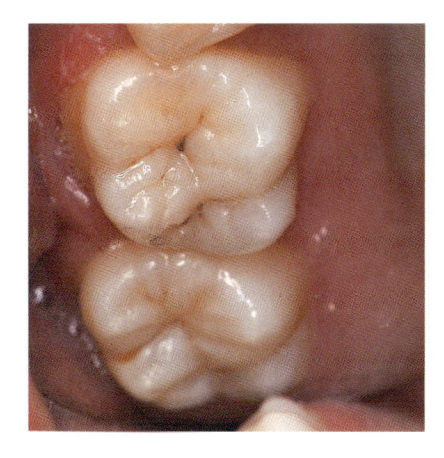

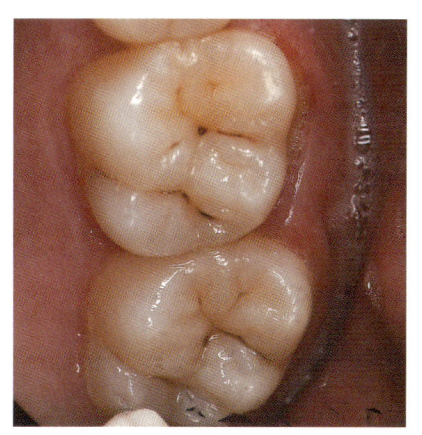

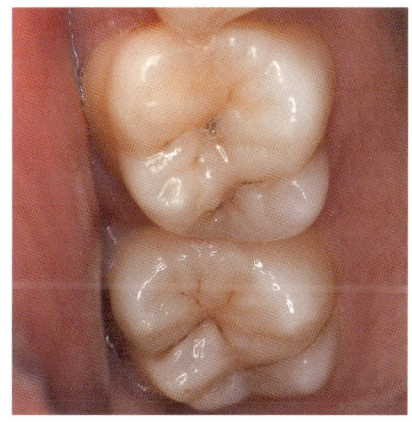

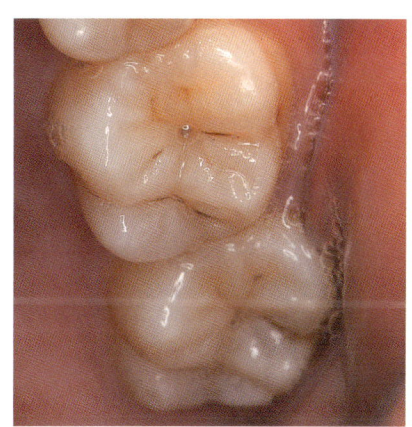

2-3-1c フッ素塗布と刷掃指導で経過観察6か月後のリコール時の6」．
2-3-1d フッ素塗布と刷掃指導で経過観察6か月後のリコール時の|6 7．

[二次う蝕の診断]

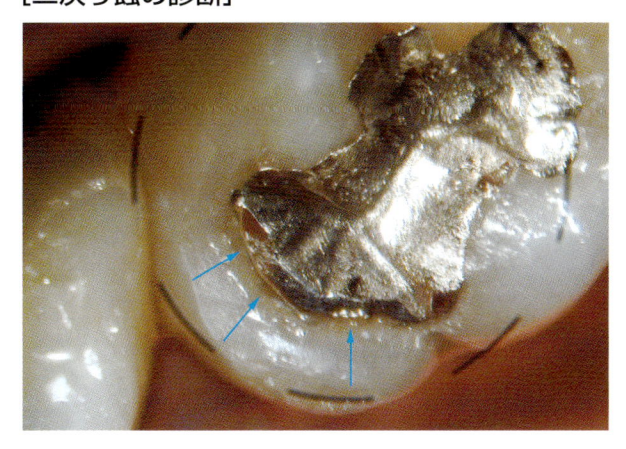

2-3-2a | 2-3-2b
　　　　| 2-3-2c

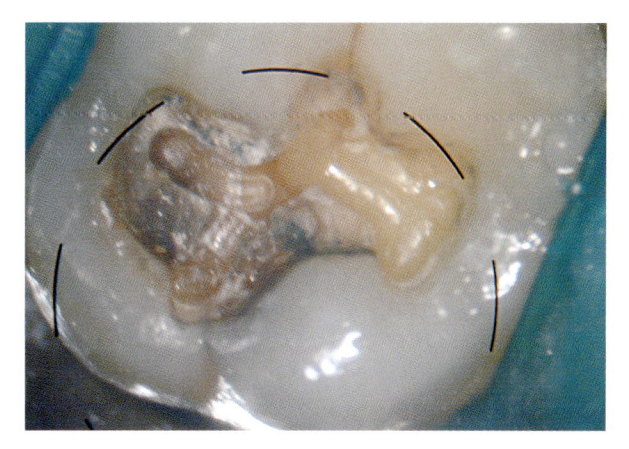

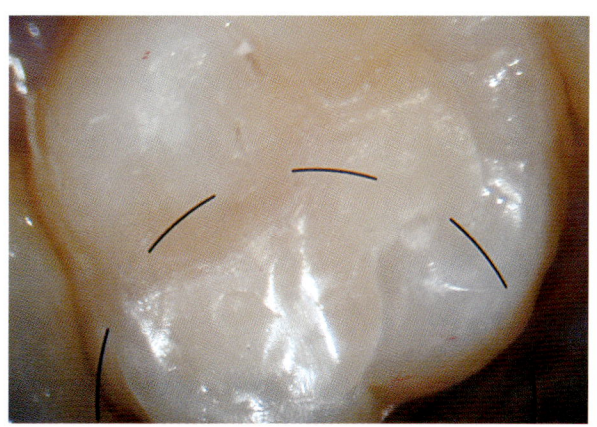

2-3-2a 遠心のマージンの摩耗が著しい．マイクロスコープで二次う蝕を認める．
2-3-2b インレーを除去し，マイクロスコープ下で二次う蝕を確認する．ラバーダム防湿下で感染歯質の除去を行った．
2-3-2c レジン修復後のマイクロスコープ像．

2 う蝕へのアプローチ

マイクロスコープによる歯内療法／MI時代の歯内療法

4 処置の記録と画像処理 (Microscopic Documentation)

東京歯科大学歯科保存学第一講座

中川寛一

マイクロスコープによる処置の記録

　顕微鏡を通過する光は光路分割装置（beam splitter）によって主光路以外に導き，これらに記録用のカメラやビデオカメラを接続し，患者へのドキュメンテーションの提示や教育システムとしてのライブオペを別室で視聴することが可能である（2-4-1,2）．記録は静止画と動画に大別される．静止画の記録には35mmカメラ，CCDカメラ，また簡便な方法として動画記録のためのビデオカメラから静止画像を切り出す方法もある．しかしながら，一般的な方法ではクオリティーの高い画像を得ることは困難である．

　いずれの場合もビームスプリッタを介した被写体の光量は少なく，結果として露出のための十分な光量を得ることができないことが多い．したがって画像記録の収得には，光量不足を感度で補うような配慮が必要である．また，各画像取得用の機器は重量もあり，顕微鏡本体に装着した場合にトップヘビーとなって，鏡筒バランスが崩れるおそれがある．医療安全の観点からもヘッドが患者の顔に落下することがないように，クランプ類の締め付けには十分配慮が必要である．

静止画の記録

　35mmのフィルムカメラおよびデジタルカメラの搭載が可能である（2-4-3）．いずれの場合も，顕微鏡のレンズ系からの画像をフィルムあるいはCCD上に結像させ，記録する．この場合のフィルム（銀塩）とCCD（デジタル）画像との違いを以下に示す．
①画像の記録サイズ
　35mmフルサイズと比較し，CCDカメラでは1/2インチ程度のCCDが使用されるため，同一光学系からの画像も拡大画像として記録される．
②画像構成
　フィルムの場合，画像は銀粒子の集合で構成される．CCDの場合，CCDサイズを分割するピクセルによって構成される．同一サイズのCCDなら，ピクセルサイズの小さなものほど精細な画像が得られる．その反面，暗い被写体に対して被写体感度，S/N比が低下することからコントラストの高い画像が得にくくなる欠点も有する．
③感度
　一般的にフィルムに比較してCCDは感度が高い．
④記録媒体と保存性
　フィルムはリバーサル（スライド）が使用されることが多いが，経年変化による退色，画質低下がある．CCDカメラではデジタル画像であることか

2-4 処置の記録と画像処理(Microscopic Documentation)

[アシスタントスコープ]

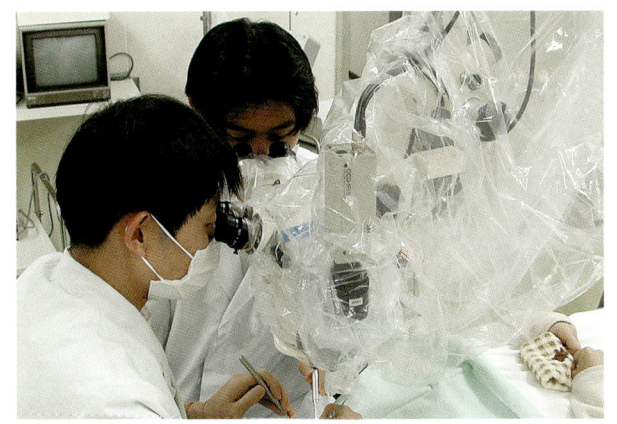

2-4-1 アシスタントスコープによる介助.

[TVモニター]

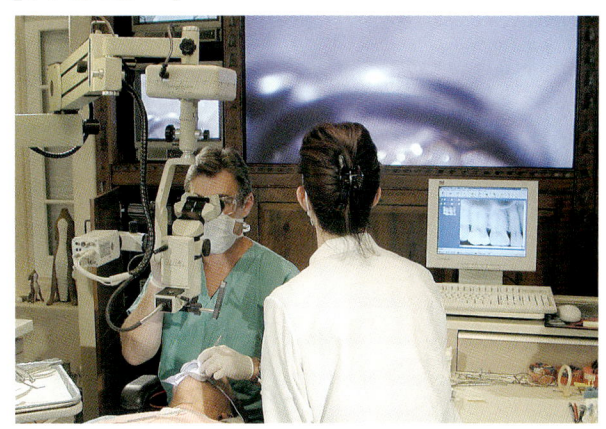

2-4-2 TVモニターによる介助.

[静止画像の記録]

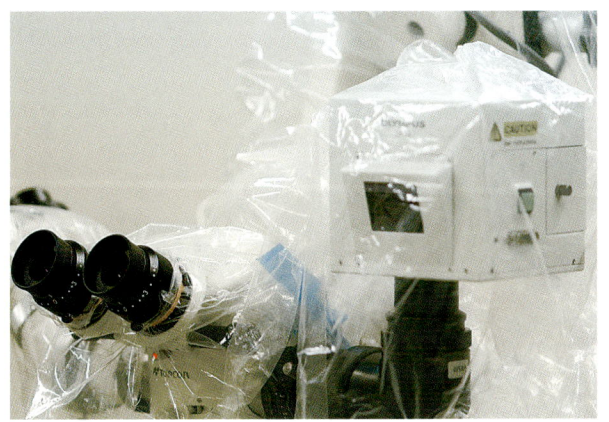

2-4-3 CCDカメラを用いた静止画像の収得.

[動画の記録]

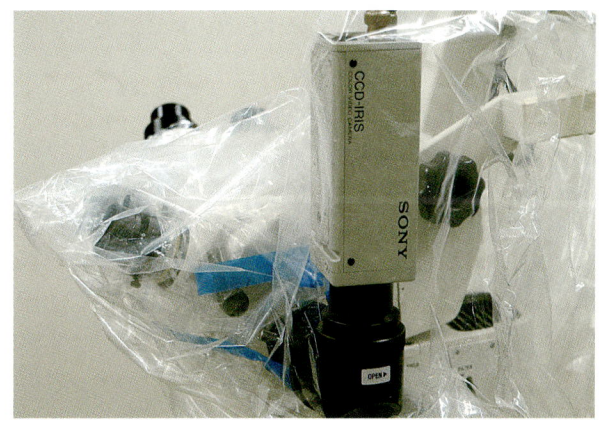

2-4-4 ビデオCCDヘッドによる動画の記録.

ら，データが破壊されない限り半永久的な保存が可能で，画質の変化もない．

⑤画像処理

パソコンを用いて画質の向上などの画像処理やメディアへの保存処理を行う場合，直接的な処理が可能なデジタル画像が便利であり，CCDカメラが優位となる．

動画の記録

ビームスプリッタに装着したCCDカメラヘッドからの画像をビデオデッキにて録画する（2-4-4）．画質の点からは単板のカラーCCDヘッドに比較して，3CCDヘッドが優れている．映像出力はNTSC信号で，動画の記録は後の処理のことを考慮するとデジタル録画が望ましい．

また，最近はテープのみならず，ハードディスクに録画し，これをDVDに保存することも可能である．テープは保存にかさばることも多く，編集を考えるとDVDもしくはCD-ROMへの保存が得策と考えられる．

動画からの静止画記録と画像処理

ビデオカメラによる一般的な動画は毎秒30fpsの静止画像の集合より構成されている．動画をデジタル信号としてパソコンに取り込み，分解し静止画を得ることができる（2-4-5）．ただしこの顕微鏡画像

2 う蝕へのアプローチ 55

[動画から静止画像／Wevelet変換]

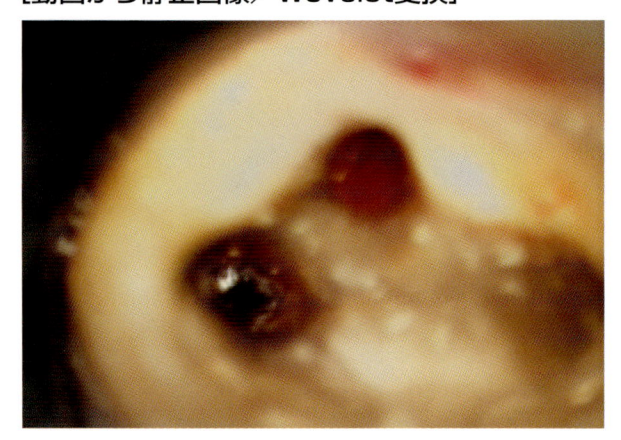

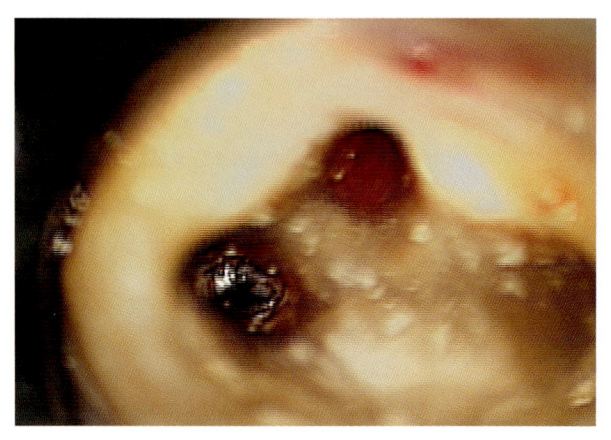

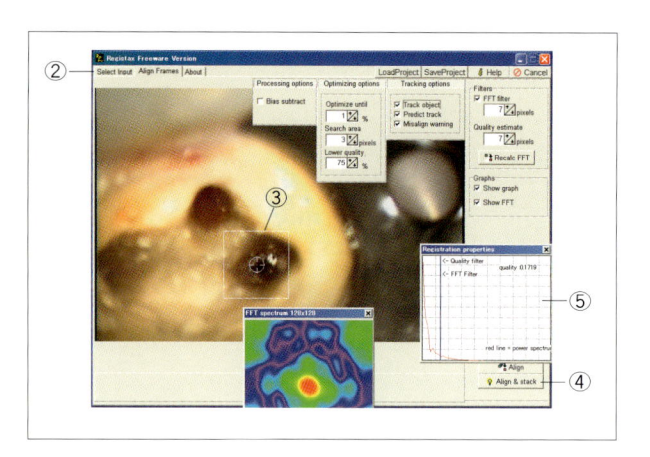

2-4-5 | 2-4-6
2-4-7

2-4-5　ビデオ動画からの静止画像の切り出し．
2-4-6　Registaxによる画像処理では動画5秒（150フレーム）をスタッキングし，画質の改善と精細なイメージを得ることができる．
2-4-7　静止画150フレームのスタッキングと，ウェーブレット変換による画像処理を行って得られた画像．

は一般的な写真と比較して1枚ごとのS/N比が悪く，またファイルサイズが小さいことから鮮明度に欠ける．

　シャープネス，コントラスト調整など一般的な画像処理のみではノイズも多くなり，画質そのものの改善には至らない．そこで，ほぼ静止画状態で記録した数秒間の動画から静止画を切り出し，数十フレーム以上のイメージをビデオコンポジットする手法を用いてS/N比の改善および画像処理としてWevelet変換を行う手法を紹介する（2-4-6）．

　本法では取り込み画像について処理を行うため，デジタル録画，取り込み，スタッキング，画像処理の工程をとる．しかしながら画像そのもののサイズは変化しない（2-4-7）．

①画像をaviファイルとしてパソコンに取り込む（AVI FPSとSecsを任意の値に設定して，取り込み画像数を決定する）
②registaxを起動し，初期画面のselect imputよりファイルを選択
③重ね合わせの位置を□のなかで指定
④右下のAlign & Stackを選択してプログラムを起動
⑤位置合わせ──重ね合わせ（自動進行）
⑥最終的に完成した画像を画像処理──Wevelet変換の各設定画面

5 感染歯質の診断と除去

東京都開業(飯島歯科医院)

飯島国好

マイクロスコープによる感染象牙質の除去

う蝕や歯髄炎は細菌や病原性物質の侵入を防ぐための生体防御反応である[1]．したがって，この細菌や病原性物質の侵入を防いでいる残存象牙質の質(硬さ)と量(厚さ)が歯髄保存の可否を大きく左右している．

しかしながら，う蝕の処置や歯髄診断において最も重要な，この残存象牙質の厚さの測定に関しては，チェアサイドで応用できる測定法が少ないため，レントゲン写真や肉眼的観察あるいは象牙質切削時の感覚などに頼っているのが実情である．そのため，偶発露髄など歯髄にさらなるダメージを与える危険性が常に存在している．

しかし，電気的根管長測定器を使用して残存象牙質の厚さを術前に測定することによって露髄を防止することができる．またマイクロスコープを使用して，超音波と手用切削器具によって感染象牙質の切削すれば，これまで以上に安全にしかも最小の残存象牙質の切削を行うことができる．

窩底象牙質の厚さの診断法

歯髄保存の鍵は，第1に歯髄の生活力，第2に残存象牙質の量，第3にう窩の無菌化が握っているといっても過言ではない．しかしながら肝心の歯髄の生活力は直接測定する方法はなく，年齢やレントゲン写真の歯髄腔の大きさから間接的に推定するしかない．したがって，保存の可能性のある歯髄はまず暫間的に保存して，経過観察によって生活力を確認することが最も確実な診断法となる．

残存象牙質の診断は術前の予測がレントゲン写真によってある程度推測されるが，正確さにやや欠ける．切削時の肉眼的観察は，臨床的には正確ではあるが象牙細管レベルでの露髄は診断不可能である．手用器具による手指の感覚に頼っていると，切削時の偶発的露髄を起こす可能性が大きい．

術前に残存象牙質の厚さが正確に測定できていると，安心して窩底象牙質を切削することができる．またすでに露髄しているか，または切削後に露髄が予測される場合には，初めから暫間的歯髄保存処置を行うことができる．

残存象牙質の厚さの測定は，電気的根管長測定器を応用している(2-5-1a)．探針などに測定器のクリップを挟み，う窩を探索して数値を読み象牙質の厚みを測定する(2-5-1b)．う蝕が歯肉縁や縁下に波及していない場合は，歯肉との通電が防止できるので，ラバーダム防湿を行った後，う窩に次亜塩素酸ナトリウムを満たした後，測定器のクリップを挟んだ探針を挿入して，う蝕の最深部における残存象牙質の厚さを測定する．

[窩底象牙質の厚さの診断法]

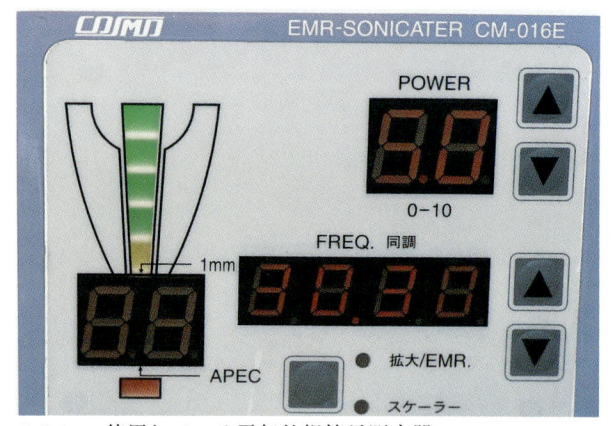

2-5-1a　使用している電気的根管長測定器.

2-5-1b　残存象牙質の厚さを測定.

[う窩の感染歯質の除去]

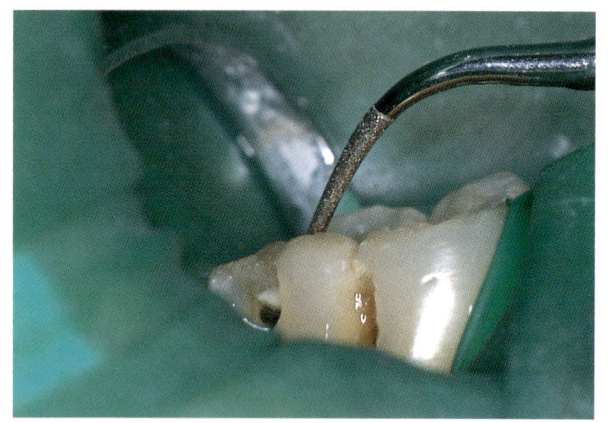

2-5-2a　ダイヤモンドのチップの超音波スケーラー.

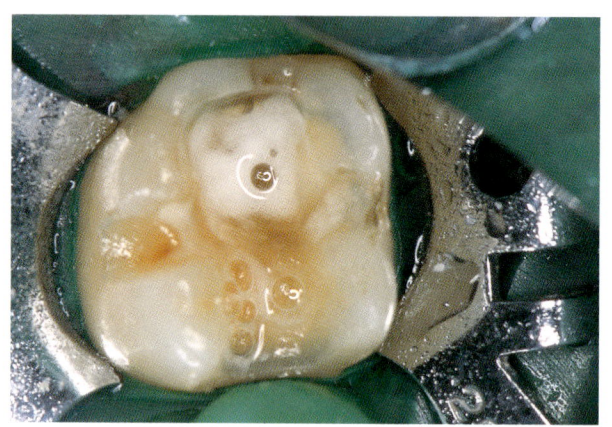

2-5-2b　キャビテーション後.

　この装置の場合には，メーターの数値がマイナスを示した場合には露髄である．数値が露髄を示していても歯髄保存が可能と診断されれば切削せず，超音波と薬液によるう窩の清掃消毒にとどめ，暫間的間接歯髄覆髄法を選択するようにしている．

　数値が0.5mm程度の場合には，手用切削器具で慎重に感染象牙質の除去を行っても，露髄の可能性が大きいので，暫間的間接歯髄覆髄法を選択している．残存象牙質の厚みが1mm以上あれば，歯髄保存の可能性は高く，慎重に行えば切削時の露髄の危険性も小さいので，切削処置に入ることが可能である．

切削法

　マイクロスコープを使用して，ラウンドバーあるいはスプーンエキスカベーターによる切削を行う．その後，ダイヤモンドのチップをつけた超音波スケーラーで，窩底象牙質の表面を清掃する（2-5-2a）．通常のスケーラーよりもダイヤモンドのスケーラーの方が象牙質を切削することができ，ラウンドバーやスプーンエキスカベーターよりも象牙質に加わる圧力も少なくてすみ，象牙質の不用意な切削を防ぐことができる．またバーなどと異なって動きの制約も少ないので自由な角度で清掃することができる．

　この後，次亜塩素酸ナトリウムを窩洞内に満たし，

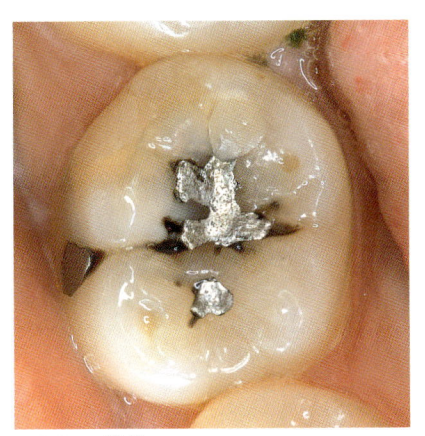

2-5-3a 術前．

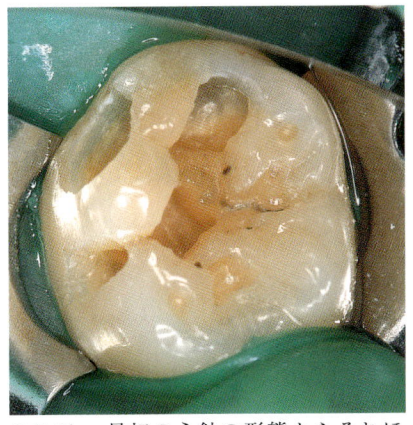

2-5-3b 最初のう蝕の形態からそれほど逸脱していない．

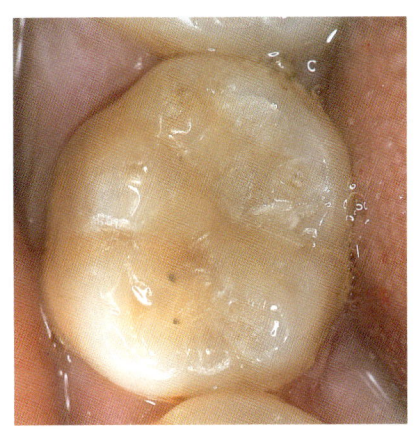

2-5-3c 接着性光重合レジンで修復を行った．

超音波によるキャビテーションを30秒行う．キャビテーションの後では，切削片が白く浮き上がって見えて清掃効果が明らかに認められる（2-5-2b）．

この方法は，う窩の感染歯質の除去をバーやスプーンエキスカベータによる器械的切削のみに依存していないため，窩洞の外形が形成前のう窩の大きさからそれほど逸脱することがない．歯質の切削をこれまでよりもはるかに，必要最小限に止めることが可能である（2-5-3a～c）．

修復法

前歯部は接着性光重合レジンによって修復している．臼歯部は，咬合面や頬舌側のみの窩洞の場合には接着性光重合レジンによる修復を行っている．隣接面の場合でも接着性光重合レジンの修復を行っているが，欠損が大きくて解剖学的形態の回復や適切なコンタクトの回復が困難と思われる場合には，インレーによる修復を行っている．

参考文献

1．興地隆史，須田英明：歯髄炎と根尖性歯周炎の成り立ち，Newエンドドンティックス（歯界展望別冊），1999；5-15.

6 直接歯髄覆罩

マイクロスコープによる歯内療法／MI時代の歯内療法

東京都開業(宮下歯科)

宮下裕志

直接歯髄覆罩の予知性

治療前には歯髄までは問題がないだろうと思われたう窩を治療中、あるいは充塡物除去中や、支台歯形成時に偶然露髄してしまうことがある。とくに、う蝕がかなり進行して歯髄症状が若干でてきたような症例で、そのような事態に陥った場合は、その臨床判断に迷いが生じることがある。すなわち、そのまま直接歯髄覆罩を行うか、抜髄を行った方が良いのかを迷う場合がある。

また、一度は歯髄を保存してみたのだが、わずかな違和感が持続し患者さんをまだ悩ませているような場合も、歯科医は抜髄か経過観察かの臨床判断を行わねばならない。基本的に露髄した場合の治療選択の原則は、抜髄とされている。しかしながら直接歯髄覆罩を行い、臨床的な問題がなく経過している症例の経験もあるであろう。

それでは、どの程度経過良好なケースがあるのか？と問われると返答に困る。日常臨床では、直接歯髄覆罩を行ったとしても、急性症状が発生し偶然他院にかかったり、逆に症状がないため患者さんが来院されなくなったりすることもある。またメインテナンスに通われている患者さんだとしても、生活歯髄検査やエックス線写真を撮影することは頻繁には行われないため、正確な成功率はイメージをつかむことが難しいのが開業医の現状ではないだろうか。

そのような情報を得るため、世界に目を向けてみると、現在までに直接歯髄覆罩に関するさまざまなタイプの研究が行われている。日常臨床に非常に似た環境での成功率、あるいは歯髄生存率に関する研究もいくつか報告されている。

直接歯髄覆罩後の歯髄生存率

[Partial pulpotomy(部分歯髄切断法)]

Cvekは、外傷を受けた歯牙で歯冠破折を起こし露髄したような症例において、直接歯髄覆罩テクニックの変法として Partial pulpotomy(部分歯髄切断法)と名づけて紹介した(2-6-1a〜f)[1]。このテクニックは、次第に外傷以外の露髄においても用いられるようになり、若年者における深在性う蝕に適応された場合では、予後5年の歯髄生存率が90%程度との報告がある[2]。

[直接歯髄覆罩]

一方、通常の直接歯髄覆罩後の歯髄生存率は、1950年代からさまざまな報告がある。それらから最大の効果が現れたとしても平均的には5年で80%、10年では70%程度と推測されている(2-6-2a)[3]。しかしながら多くの研究は後向き研究のため、歯髄生存率の推測値は5年で70〜90%、10年で50〜90%と

[Partial pulpotomy(部分歯髄切断法)] |2 の偶発性露髄を伴った症例

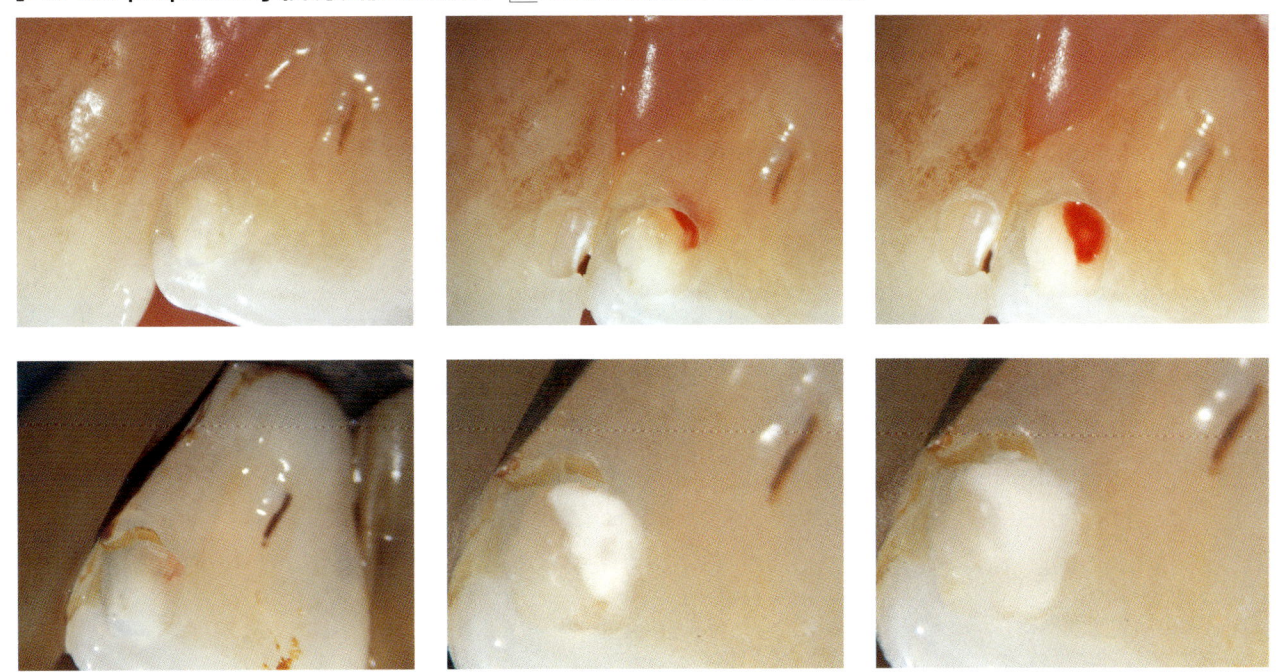

2-6-1a〜f　出血のコントロール，防湿コントロール下でBox形成，水酸化カルシウム製剤，セメント充填を行い，臨床症状の確認を行った後にレジン充填を行った．この症例は外傷のケースではないが，同様のテクニックを用いることは可能である．

[直接歯髄覆罩後の歯髄生存率]

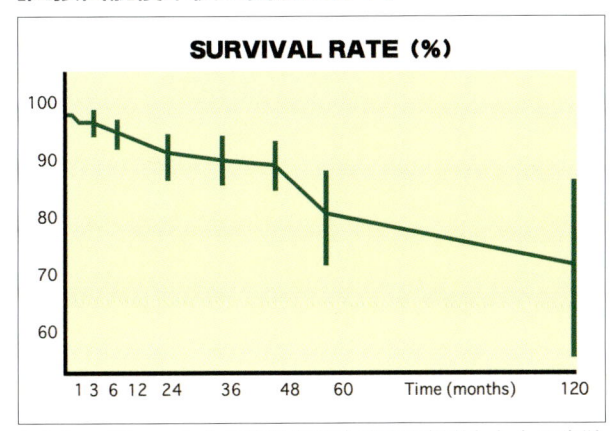

2-6-2a　Hörstedらの研究(1985)時間の経過とともに歯髄の生存率は落ちてきている．縦棒は95％信頼区間をあらわす．

直接歯髄覆罩の予後	Comparative study		
	6m	12m	24m
● Ledermix cement	87%	87%	78%
● Glycerrhetinic acid cement	79%	80%	74%
● Calcium hydroxide	86%	85%	78%
● Zinc oxide eugenol	86%	85%	78%

Shovelton et al. (1971)

2-6-2b　Shoveltonらの前向き研究では，材料の違いによる差は認められていない．時間の経過とともに歯髄生存は低くなってきている．

ばらつきが大きい(2-6-2a)．もう少し信頼性の高い前向き研究の結果を見てみると，2年で80％弱(2-6-2b)[4]，5年で70％程度である[5]．

[EBM的アプローチ]

詳細に文献を吟味してみると，意外に追跡率が高くなく，分析除外も行われているため，真の値はもう少し低いことに気がつく[6]．この情報がもしも正しいとしても，それをどのように受け止めるかは，術者のみならず，患者さんによっても異なるわけで，十分な情報を与え，十分相談し理解された状態で治療の選択を行う必要があるだろう．

まさにEBM的アプローチが必要であり，患者さんの症例に最も適切な判断が要求される．

マイクロスコープによる歯内療法／MI時代の歯内療法

[直接歯髄覆罩の失敗／う蝕が原因の露髄] 5̅の冷水痛を伴って来院された40代の女性

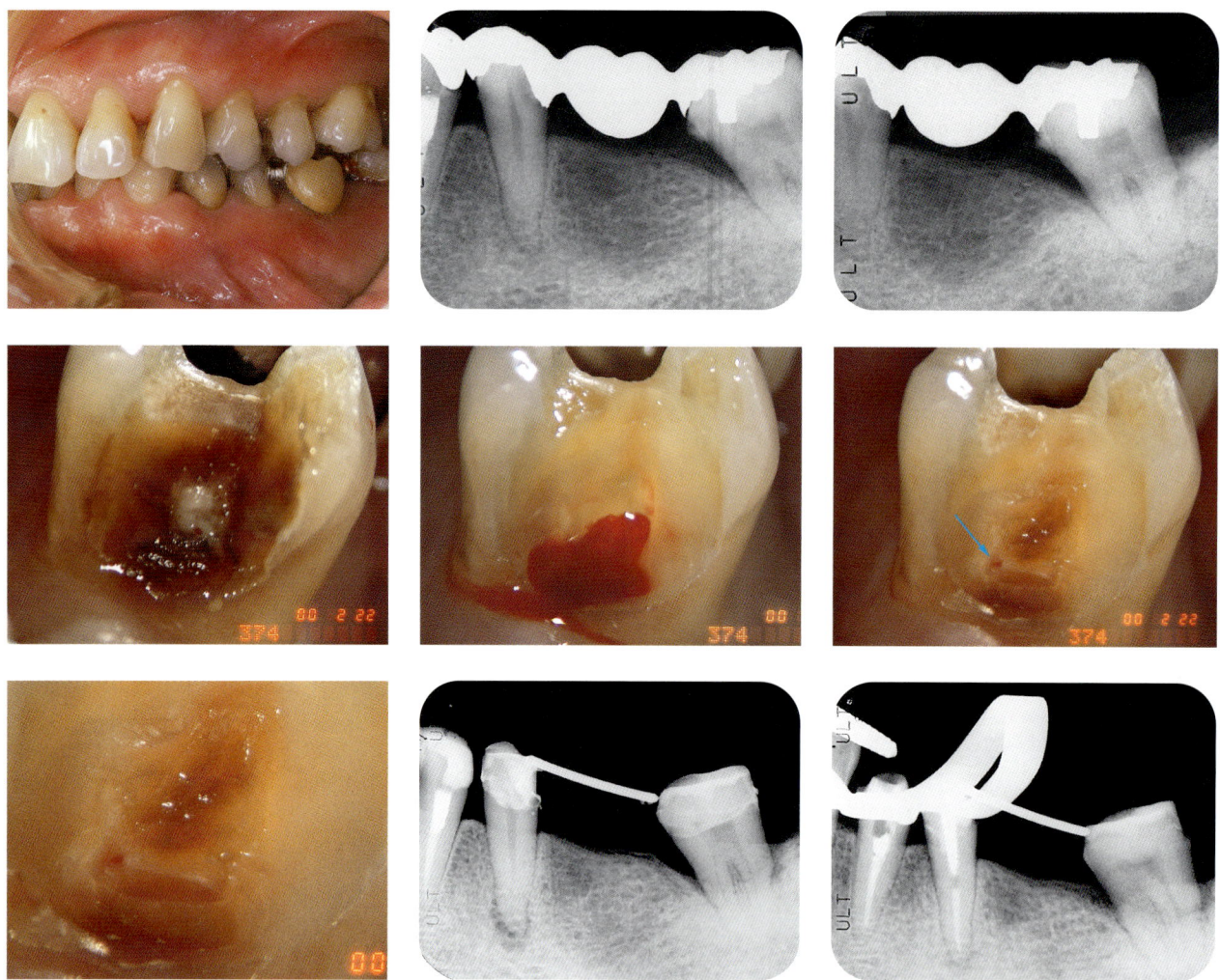

2-6-3a〜i　ブリッジの脱離およびリーケージを伴う．除去してみると完全にう蝕が広がり，壊死層からは排膿が見られる．出血は多く抜髄を示唆した．マイクロスコープでていねいに軟化象牙質を除去していったため，実際の露髄面は小さい．しかしながら，歯周病の程度が重度であるため，歯周病の初期治療を行っている間に感染根管となっている．その後，根管治療を施した．

直接歯髄覆罩の失敗の原因

　現在では直接歯髄覆罩の失敗は，いくつかの因子が関与していると考えられている．明らかな失敗には歯髄炎あるいは感染根管が含まれるが，いずれも細菌の侵入によって発症する疾患である．
それに関わる因子をクロノロジカルな順に簡単にまとめると，術前の歯髄の状態，術中の感染除去，術後の細菌感染に分けて考えることができるだろう．これら3つのステップで何らかの問題が歯髄に対し影響を及ぼしているために，直接歯髄覆罩の失敗が引き起こされると考えられる．

疼痛の鑑別診断と歯髄の保存

　臨床症状と歯髄の組織所見との間には，強い関連性があるとはいえない．患者さんが訴える臨床症状がないからといって，歯髄はすでに壊死し感染している場合もある．また強い疼痛を訴えた場合であっても象牙質の知覚過敏状態で，象牙細管の露出している部分にのみ象牙芽細胞の組織的変化が見られる場合や，見られない場合もある．したがって，術前の歯髄の状態を臨床症状のみから判断し，歯髄の状態を推測することは非常に難しい．

[直接歯髄覆罩の失敗／大きな修復治療後の冷水に対する誘発痛]

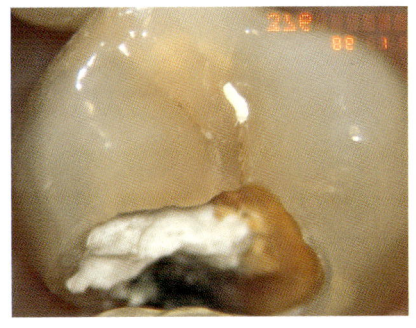

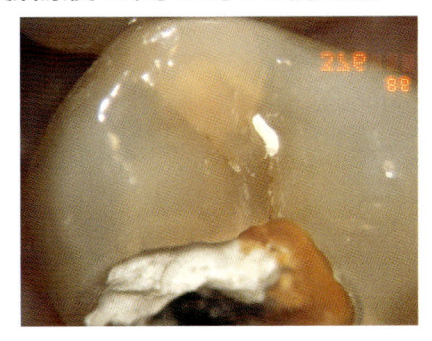

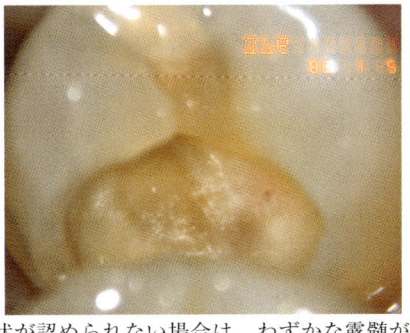

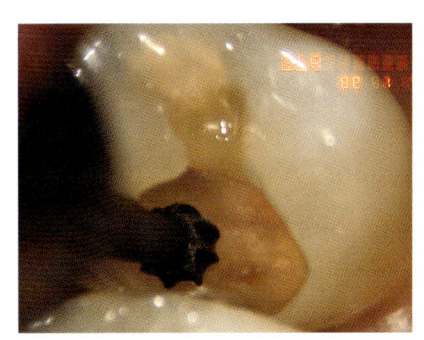

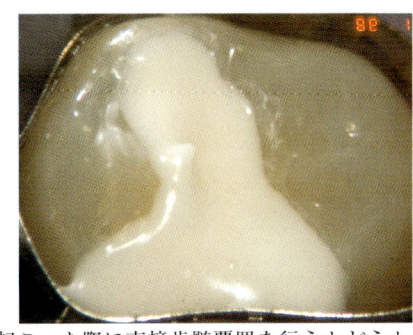

2-6-4a	2-6-4b	2-6-4c
	2-6-4d	2-6-4e

2-6-4a〜e　う蝕の大きな症例で，臨床症状が認められない場合は，わずかな露髄が起こった際に直接歯髄覆罩を行うかどうか迷う場合がある．若年者の根未完成歯の場合は，もともと歯髄腔が大きいため，抜髄を行うことは残存歯質の厚みが薄い歯牙となることを意味する．可及的に歯髄を保存することにより，太い歯髄腔が徐々に狭窄されてゆくことを期待したい．

とくに冷水痛をはじめとする臨床所見はほとんど役に立たず，歯髄炎だろうが知覚過敏だろうがしみる感じを訴えることはありうる．そしてそれは神経線維が反応していることを教えてくれるだけであり，組織学的に影響を受けている程度まではわからない．

[問診の重要性]

しかしながら，ここで最も大切な診査である問診を加味し，疼痛の歴史をお聞きすることで歯髄の状態を判断する助けとなる場合が多い．通常，う蝕が原因で露髄した場合では，歯髄も大きなダメージを受けていることが多く，直接歯髄覆罩が失敗することが多いであろう（2-6-3a〜i）．

とくに，すでに大きな修復治療がなされている歯牙で冷水に対する誘発痛があるような症例に対しては，その予後の評価は非常に難しく臨床では悩まされる（2-6-4a〜e）．

術中の感染除去

当然のことながら，感染象牙質は完全に除去されなければならない．2-6-5a〜cは3Mixという薬剤を用いて治療を受けられた患者さんが疼痛を訴えて来院された症例であるが，ほとんど露髄している状態で軟化象牙質を除去しないで，そのまま充填されているようであった．患者さんは，とにかく歯髄を保存したいという気持ちで前医を訪れたようであるが，功を奏していない．

いうまでもなく，感染象牙質を残すことは決して良いテクニックではなく，AAP（アメリカ歯内療法医学会）のガイドラインでは禁忌とされている．う蝕は組織学的に分類すると，4層に分けることができるが（2-6-6），その壊死層と感染層は完全に除去する必要があるとされている．ここまでは軟化した層であるが，それはすべて除去する必要がある．さらにその下には脱灰層と呼ばれる層がある．

[直接歯髄覆罩の失敗／感染象牙質を除去せずに充填された症例]

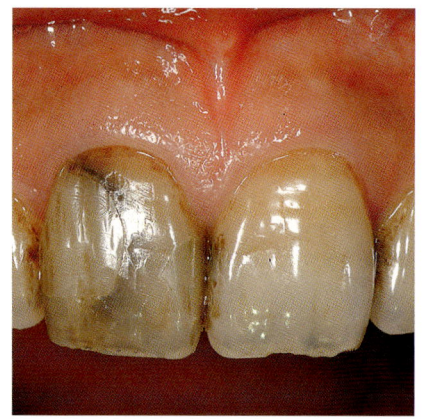

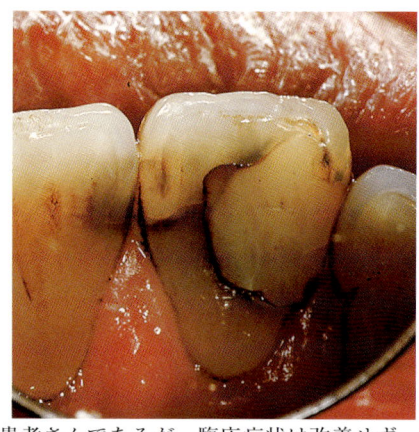

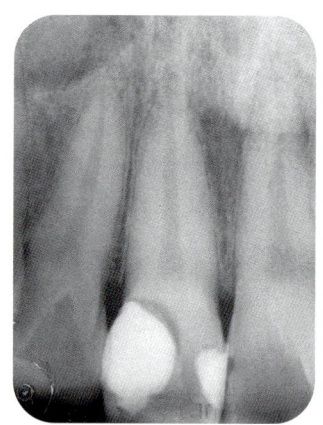

2-6-5a〜c 他院にて3Mixを用いて治療された患者さんであるが，臨床症状は改善せず，来院された．エックス線所見からも，修復物のリーケージがあきらかである．最も重要なマージン部に軟化象牙質を残してはいけない．

[う蝕の組織学的分類]

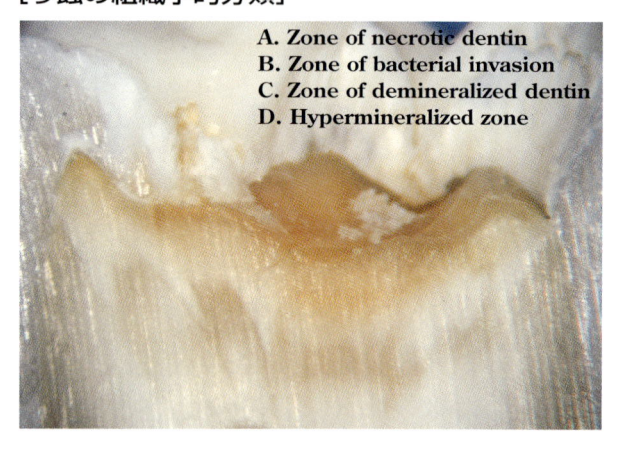

A. Zone of necrotic dentin
B. Zone of bacterial invasion
C. Zone of demineralized dentin
D. Hypermineralized zone

2-6-6 う蝕病変の4層（組織学的分類）．
A：壊死層
B：感染層
C：脱灰層
D：透明層

　ある研究者によれば，すべての感染部を完全に除去しなくても良いと提唱されることを聞くことがあるが，無作為比較臨床試験に基づき，すべて除去した場合と若干残して数か月後に確認するような比較がされたわけではなく，また長期にわたる臨床効果が客観的に報告されているものでもない．なお前述の3Mixに関しても，（臨床で使用されるような環境で実施されたような研究デザインでの）信頼できる臨床研究は2005年の現在まで発表されていない．

[ステップワイズテクニック]

　Bjørndalらが推奨するような若年者の根未完成歯に適応するステップワイズテクニックでは，それ以上形成すると露髄してしまうような症例に限って，とにかく歯髄を保存するという理由から感染歯質を若干残す場合があるが，歯髄に近い部分のみをわずかに残すのみであって，辺縁部の感染象牙質は完全に除去する必要がある[7]．しかも3〜6か月後には，暫間充填をすべて除去し残存させた感染部の完全除去を行う．しかしこの手法は確立されたものではなく，再度感染除去のために充填物をすべて除去するのであるが，残念ながら数例はそれでも露髄してしまう場合がある．後のエキスカベーションで露髄しなかった症例でも，最初から露髄しなかったかもしれないという懸念があるのも，このテクニックの不確かな点である．

　Bjørndalらの研究では，31の深いう蝕病変が治療されているが，自発痛のない症例でエックス線的に

[マージン部のマイクロリーケージによる細菌感染]

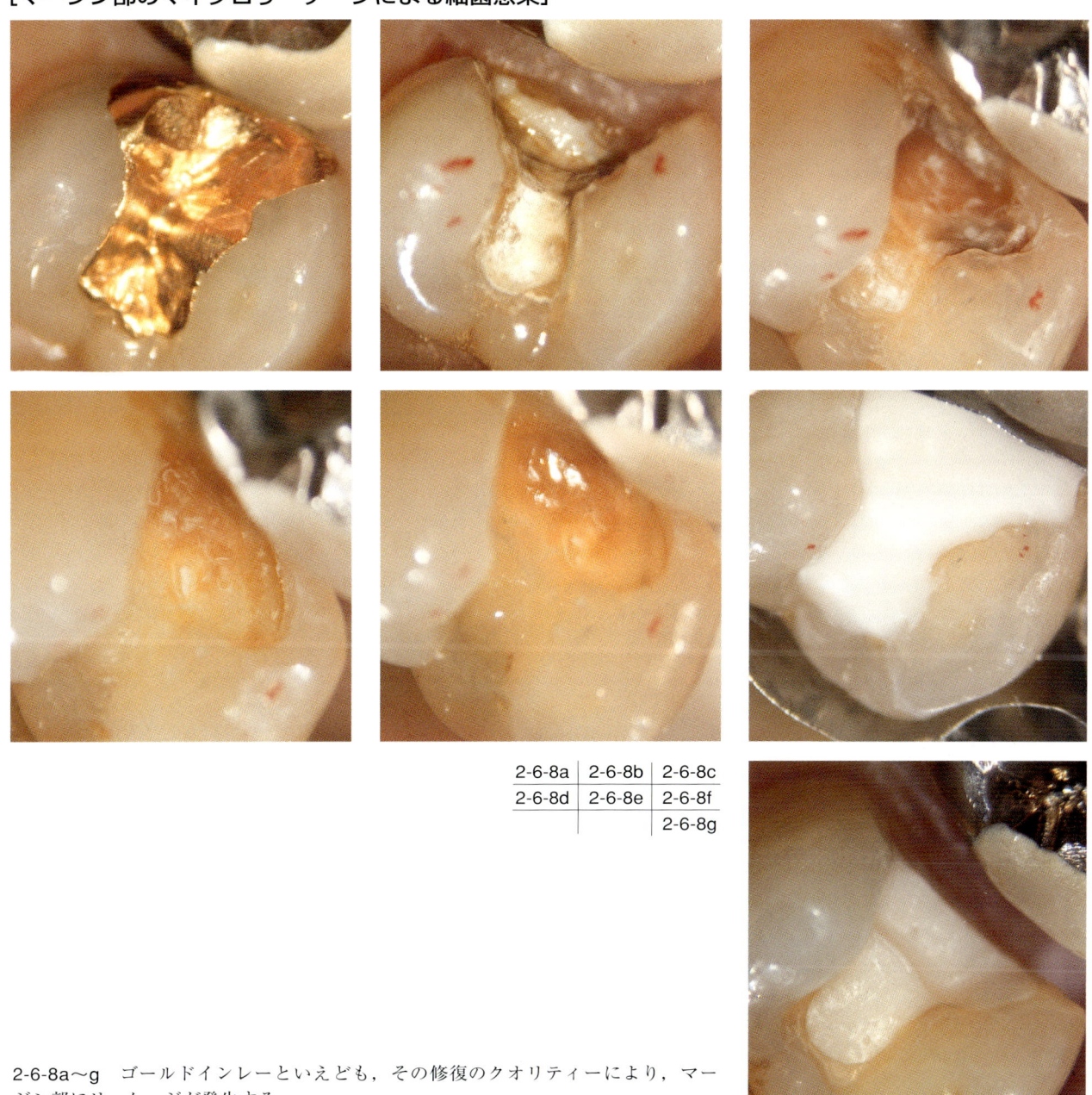

2-6-8a	2-6-8b	2-6-8c
2-6-8d	2-6-8e	2-6-8f
		2-6-8g

2-6-8a〜g　ゴールドインレーといえども，その修復のクオリティーにより，マージン部にリーケージが発生する．

根尖部の透過像は認められないものが選択されている．またう蝕病変の大きさは，エックス線的に歯冠部の1/3の部分まで透過像が広がっているものが13症例，それ以上大きいものが18症例で，いくつかの症例では温度刺激により過敏反応が認められている．文献中には壊死層のみを除去していると書かれてあるが，とにかく数か月後には感染象牙質はていねいに完全除去することが必須であることを忘れてはいけない．

術後の細菌感染

　直接歯髄覆罩後に充填部におけるリーケージから細菌感染を起こしてしまうと，いかに術前の状態が良くても長期の成功を収めることが難しい．これは直接歯髄覆罩に限らず，通常の修復方法でも同様である．いかに注意深く修復がなされている場合であっても，細菌はマージン部に貯留しやすいため

[修復物の辺縁封鎖／マージン部にリテンショングルーブの形成]

2-6-9a,b　Coliらの研究では修復部にわずかなグルーブを形成することで辺縁漏洩を防ぐことが可能であることが示された．左の写真（a）では左側の充填部，右の写真（b）では右側の充填部に辺縁漏洩が多いが，ともにリテンショングルーブが形成されずに充填された場合である．

[修復物の辺縁封鎖／修復材料を酸化亜鉛セメントで封鎖]

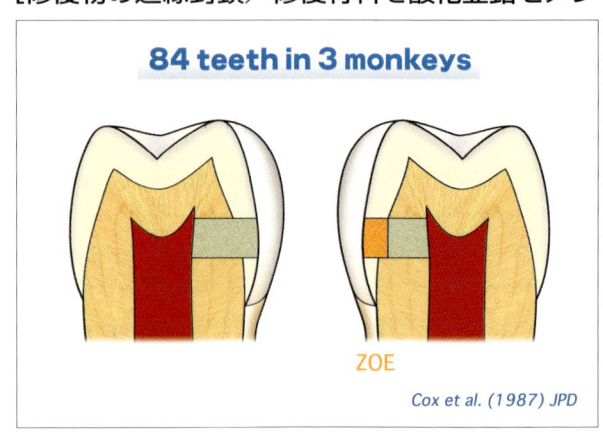

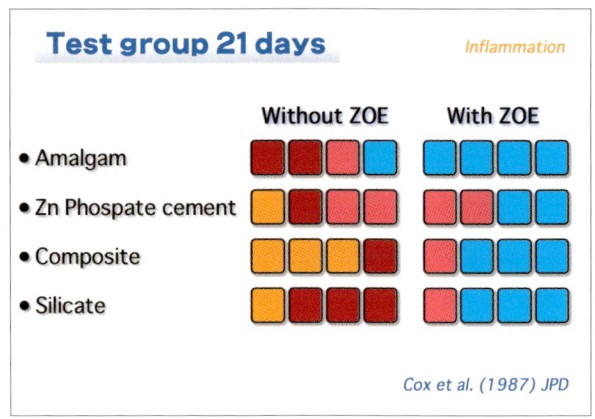

2-6-10a～c　Coxらの研究では，修復物を酸化亜鉛セメントでさらに封鎖することで，辺縁漏洩を防ぎ，歯髄を保護することが可能であることを示した．

2-6-10b
- 歯髄壊死
- 歯髄炎症大
- 歯髄炎症
- 正常

2-6-10c
- 硬組織形成あり
- 硬組織形成なし

（2-6-8a～g），治療後長期の経過観察によりマイクロリーケージがどの程度あるかによって歯髄への影響度合いは変わってくるものと考えられる．

[修復物の辺縁封鎖]

Coliは修復物の辺縁封鎖を得るため，マージン部にリテンショングルーブを形成することをin vitroの研究で示した（2-6-9a,b）[8]．

Coxらは種々の修復材料における細菌性の漏洩程度を比較したが，修復材料を酸化亜鉛セメントでさらに封鎖した場合とをさらに比較することで（2-6-10a～c），リーケージによる歯髄への炎症変化を減

2-6 直接歯髄覆罩

[接着性レジンにおける防湿の重要性]

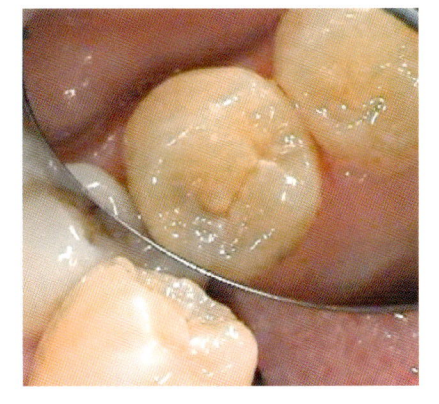

|2-6-11a|2-6-11b|2-6-11c|
|2-6-11d|2-6-11e|

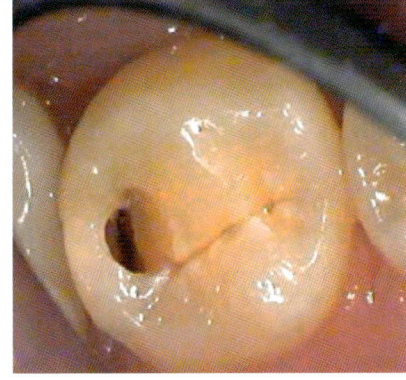

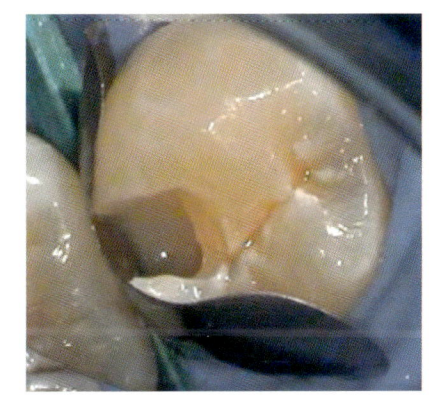

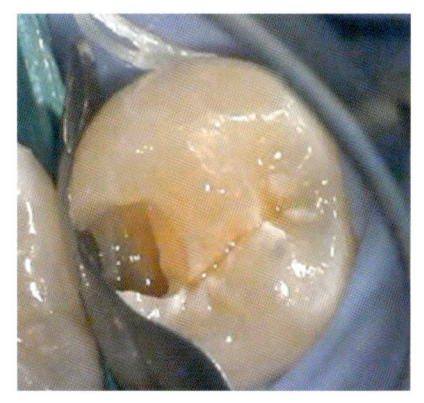

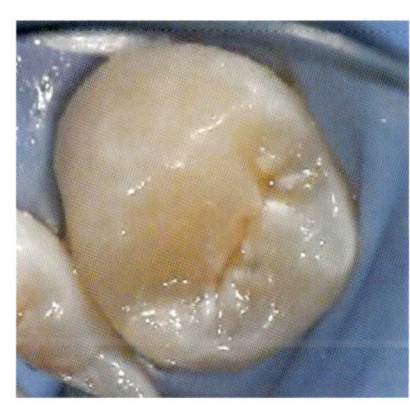

2-6-11a〜e　実際の臨床では，隔壁あるいは防湿を完全に行うことで，辺縁部の漏洩を最小にすることが可能となる．

[直接歯髄覆罩法と水酸化カルシウム]　左上に冷水痛を伴い来院された20代の女性

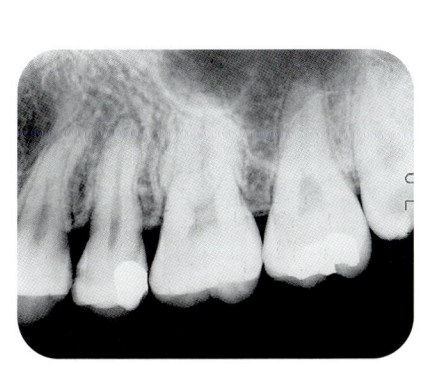

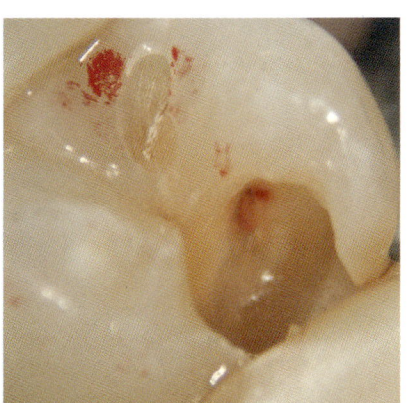

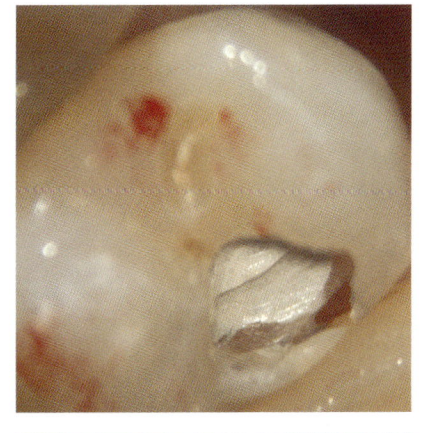

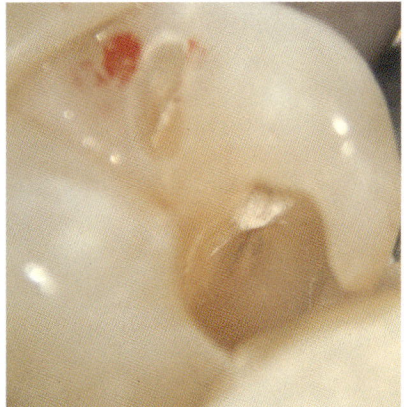

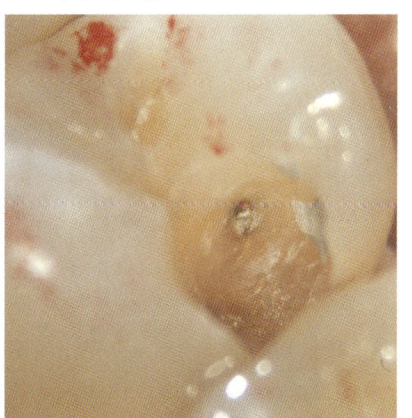

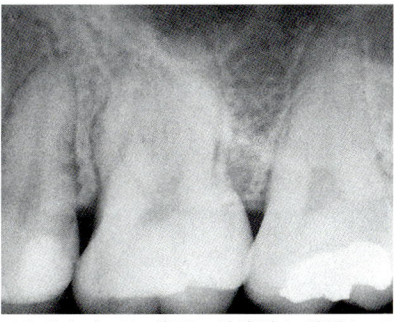

2-6-12a〜f　近心にはう蝕，遠心にはすでに大きな充填物が見られる．充填物を除去してみるとすでに前回の治療時に露髄していることが判明．ラバーダム下にて病変部を消毒し，わずかの水酸化カルシウムを塗布，レジン充填を行い予後経過を観察している．5年経過後，全く問題はない．生活歯髄検査では陽性，エックス線所見に異常は認められない．

2　う蝕へのアプローチ

少させること，およびデンティンブリッジの形成を示した．そして直接歯髄覆罩後の長期予後の悪さは，修復物におけるマイクロリーケージによることを示唆した[9]．

[接着性レジンにおける防湿の重要性]

最近の接着技術の進歩はめざましいものがあり，基本的には乾燥した歯面に対しての接着力は強力である．しかしウェットボンディングといえども，充填の際に出血を伴う，あるいは歯肉溝浸出液が出てくるような環境では，その接着力は劣るため，防湿に対する最大限の配慮をする必要がある（2-6-11a～e）．

直接歯髄覆罩の適応症

直接歯髄覆罩の適応症は，健康な歯髄を持つと考えられる歯牙に治療中偶然露髄してしまったような症例に限られる．とくに若年者においてはこの術式を適応しても良いであろう．

直接歯髄覆罩の適応症は，術式や使用される薬剤による「差」は文献的にはあまり示されてはいない．一般的には，水酸化カルシウムを用いる方法の予後が最も良いことが，信頼できる比較研究において示されている．術中の原則は，細菌を可及的に残存させない状態をつくることである．またそれと同時に，最終的な修復物と歯質間に可及的に微細なリーケージが残存しないよう十分な配慮を行うことで，長期的な予後を良くすることは可能である（2-6-12a～f）．

しかしながら，術前の歯髄の状態をはっきりと診断する方法は現在のところ存在しないため，どのような薬剤あるいは，どのようなテクニックを用いても，ある程度の失敗は必ず引き起こされるであろう．したがって，治療にあたり十分な情報を患者さんに提供し，利益とリスク，また効果と費用をも考慮し，納得された場合に限り応用するべきである．

参考文献

1. Cvek M：A clinical report on partial pulpotomy and capping with calcium hydroxide in permanent incisors with complicated crown fracture. J Endod. 1978 Aug；4（8）：232-7.
2. Mejare I, Cvek M：Partial pulpotomy in young permanent teeth with deep carious lesions. Endod Dent Traumatol. 1993 Dec；9（6）：238-42.
3. Hörsted P, Sandergaard B, Thylstrup A, El Attar K, Fejerskov O：A retrospective study of direct pulp capping with calcium hydroxide compounds. Endod Dent Traumatol. 1985 Feb；1（1）：29-34.
4. Shovelton DS, Friend LA, Kirk EE, Rowe AH：The efficacy of pulp capping materials. A comparative trial. Br Dent J. 1971 May；130（9）：385-91.
5. Nyborg：Healing processes in the pulp on capping. Experiments on surgical lesion of the pulp in dog and man. Acta Odontol Scan. 1955.
6. 宮下裕志：科学に基づく根管治療への方向転換，直接歯髄覆罩（Direct Pulp Capping）．歯界展望．2000；96（4）：803.
7. Bjørndal L, Larsen T, Thylstrup A：A clinical and microbiological study of deep carious lesions during stepwise excavation using long treatment intervals. Caries Res. 1997；31（6）：411-7.
8. Coli P, Blixt M, Brännström M. The effect of cervical grooves on the contraction gap in class 2 composites. Oper Dent. 1993 Jan-Feb；18（1）：33-6.
9. Cox CF, Keall CL, Keall HJ, Ostro E, Bergenholtz G：Biocompatibility of surface-sealed dental materials against exposed pulps. J Prosthet Dent. 1987 Jan；57（1）：1-8.

3 歯内療法へのアプローチ

3-1 アクセスキャビティプレパレーション ─────── 70
飯島国好

3-2 感染の除去 ─────── 75
宮下裕志

3-3 感染の除去（清掃） ─────── 84
澤田則宏

マイクロスコープによる歯内療法／MI時代の歯内療法

1 アクセスキャビティプレパレーション

東京都開業（飯島歯科医院）

飯島国好

アクセスキャビティプレパレーションの重要性

　歯内療法のさまざまなステップのなかで，アクセスキャビティプレパレーションはとりわけ重要な存在であり，歯内療法の成功不成功の鍵を握っているといっても過言ではない．このことは歯内療法の経験を積めば積むほど，適切で洗練されたアクセスキャビティプレパレーションになっていくことからも明らかである．しかし歯内療法の経験が浅いうちは，アクセスキャビティプレパレーションをそれほど重要であるとは考えない傾向にある．根管口や根管内へのアプローチのための途中経過のような存在で，目的地は根管や根尖であり，根管形成や根管充填こそ歯内療法そのものとついつい考えてしまうからである．

　マイクロスコープを使用して歯内療法を行うようになっても，アクセスキャビティプレパレーションの重要性は変わらない．というよりもますます重要性を増すようになってきている．それは過不足なく適切にアクセスキャビティプレパレーションを行うことによって，根管へのアプローチを容易にすること同時に，髄床底の解剖学的形態をできるだけ温存しようとするアクセスキャビティプレパレーションも求められるようになってくるからである．

　いずれにしても，歯内療法のなかでアクセスキャビティプレパレーションほど大量の歯質の切削をともなう治療行為はない．歯内療法の熟練者であっても危険が伴うことには変わりはない．

アクセスキャビティプレパレーションの目的

　マイクロスコープを使用したアクセスキャビティプレパレーションの目的は，
①髄室内の視野の確保
②側壁および髄床底の郭清
③根管口の明示
④根管口の石灰化象牙質の除去
⑤根管内の器具の操作性の確保と向上
⑥根管内の視野の確保（直線形成）
である．

　適切にデザインされたアクセスキャビティプレパレーションが形成されれば，根管治療は半ば終わったようなものであるといっても過言ではない．世間でも「仕事は段取り八分」といわれている．根管充填もアクセスキャビティプレパレーションで決まるのである．

　必要最小限の天蓋および側壁の削除によって，確実な診断を行うための髄床底の解剖学的形態が出現し，遮られることなくすべての根管口が明示されるようになる．適切に形成されたアクセスキャビティは，マイクロスコープの根管内の視認性を高める．

[ガイドホールの形成]　　　[貫通]

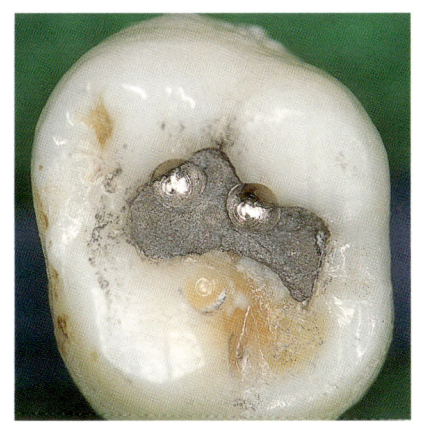

3-1-1a　ガイドホールの形成．

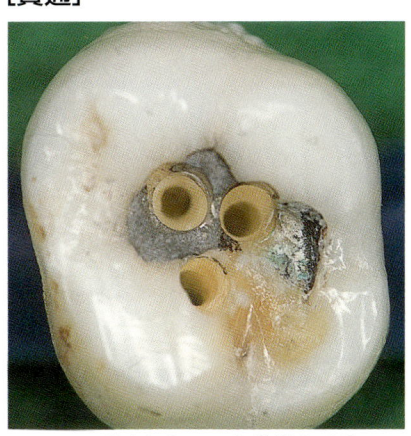

3-1-1b　ガイドホールを貫通させる．

3-1-1c　カーバイドのラウンドバー（＃2，＃4）を使用している．

また継続する根管清掃，根管形成，根管充填における器具の操作性を飛躍的に向上させ，根尖部付近への薬液の浸透性を高めることになる．

アクセスキャビティプレパレーションのステップ

すでに天蓋が除去されている再根管治療の場合と違って，抜髄時のアクセスキャビティプレパレーションは緊張がともなう作業である．若年者であれば歯髄診断に間違いはなかっただろうかと最後まで迷いがある．年齢が高くなると歯髄腔が石灰化していて髄床底の穿孔の危険性が高くなる．歯内療法は広義の外科処置でもあるので一つひとつ手順を追って慎重に進めていきたい．

ガイドホールの形成

髄角が歯冠側の高位にある若年者はともかく，加齢により歯髄腔が石灰化して，天蓋と髄床底が近接している場合には，いきなり天蓋の除去を始めるよりは，カーバイドのラウンドバー（＃2，＃4）の咬合面に浅くガイドホールを形成することを推奨したい．

ガイドホールは根管口の真上と想定される咬合面上に，根管数だけ浅くくぼみをつけるように形成する（3-1-1a）．複数根の場合にはそれぞれのガイドホールを結んだライン内が天蓋のガイドラインになる．ガイドホールを形成した後，再度根管内に真っ直ぐ向かっているか方向を確認して次のステップに進む．

貫通

貫通し髄室に侵入したかどうかは術者の感触によってまず確認する．抜髄ケースであれば出血によって確認することもできる．その後，肉眼あるいはマイクロスコープで髄室の内部をみて，髄床底の存在を確認する．

複根があればすべてのガイドホールを貫通させる（3-1-1b）．このとき使用するバーは手指に伝わる余分な情報をカットする目的で，カーバイドのラウンドバーを使用している（3-1-1c）．刃部はバーの先端のみで，軸面はラウンドバーの直径より細く側面に刃部がないので歯質を切削することがない．貫通以外に手指に伝わってくる余分な情報を少しでも減らして先端のみに集中したいと考えているからである．

天蓋の除去

今度は軸面も切削可能なダイヤモンドバーに変えて行う（3-1-1d）．髄床底の切削は極力避けたいので天蓋と側壁の除去のみにとどめ，髄床底はタッチし

[天蓋の除去]　　　　[髄床底の郭清]

3-1-1d テーパーのついたダイヤモンドバーを使用.

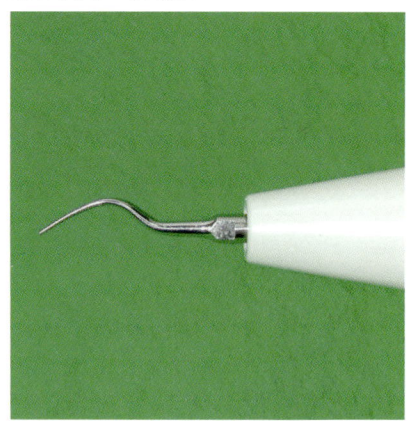

3-1-1e ダイヤモンドの超音波スケーラー.

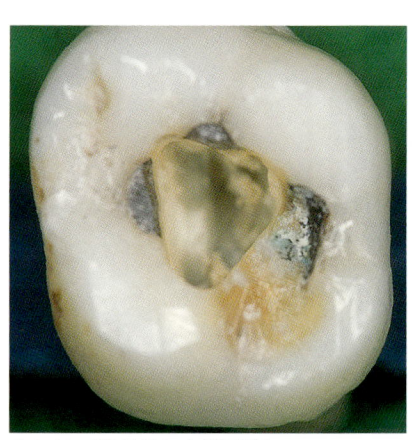

3-1-1f 温存された髄床底.

[根管口の拡大]

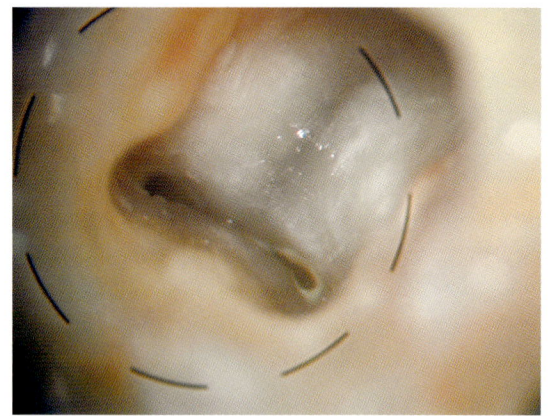

3-1-1g 術前の近心根の根管口. 周囲が石灰化している.

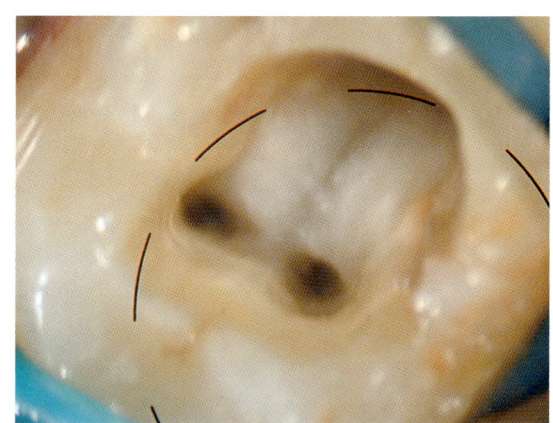

3-1-1h 拡大後の近心根の根管口.

ないようにする. 先端に刃がないエンド用のバーの使用もよい.

髄床底の郭清

髄床底をダイヤモンドバーやエンジン用のラウンドバーでは切削しないようにしたい. この部分は超音波スケーラーなどで切削を最小にし, 清掃のみにとどめる (3-1-1e). 髄床底の解剖学的形態は何としても温存する. 実はこの部分がマイクロスコープを使用したアクセスキャビティプレパレーションの肝心要の部分である.

Saundersら[1]は,「髄床底は根管の入口に関するたくさんの情報を供給してくれ, しかもそれはマイクロスコープを使用することによっていっそう向上する. それ故この髄床底は聖域であり, 初期の段階では決して傷つけてはいけない」と述べている (3-1-1f, 図1).

根管口の探索

根管口がう蝕などでわかりにくくなってしまっている場合や, 石灰化した象牙質で根管口が塞がってしまっている場合もある. バーなど切削器具やリーマー類で根管口を探索すると, 本来の根管口から逸れて髄腔壁の穿孔の恐れもある. 超音波スケーラーなどで清掃を重ねながら, 複根管の場合には根管口と根管口の間の溝などを目印に, マイクロスコープを使用して慎重に探索する.

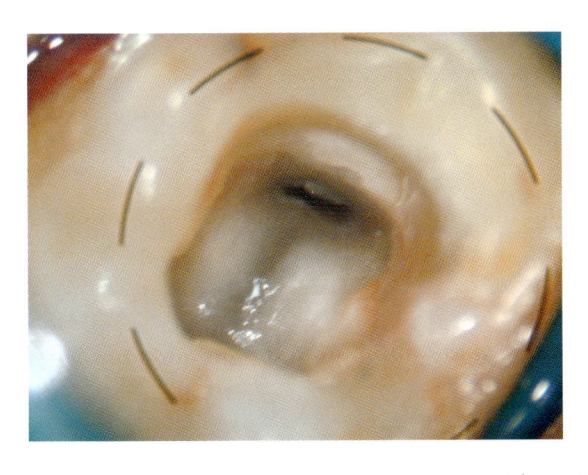

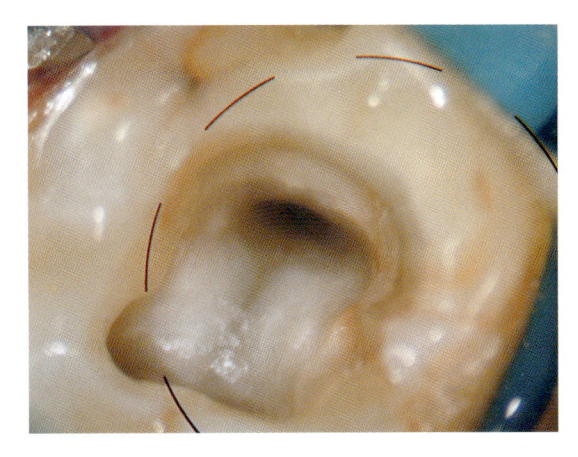

3-1 アクセスキャビティプレパレーション

3-1-1i	3-1-1j
3-1-1k	

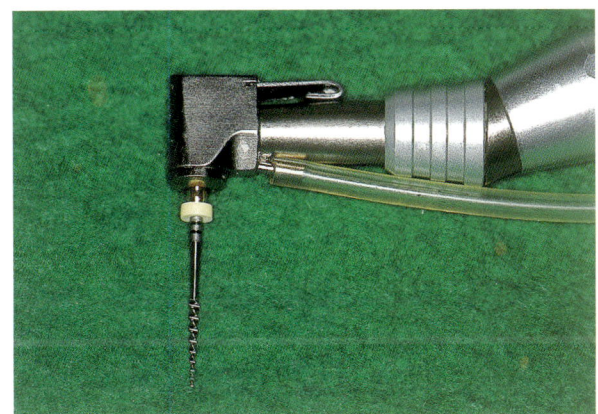

3-1-1i 術前の遠心根の根管口．周囲が石灰化している．
3-1-1j 拡大後の遠心根の根管口．
3-1-1k エンジン用ファイル（GT Rotary file）を減速して使用している．

[湾曲部分に達するまでの直線的形成]

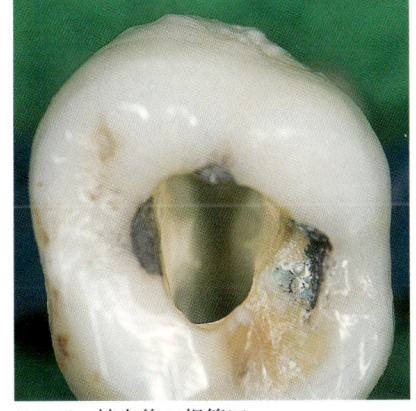

3-1-1l 拡大後の根管口． 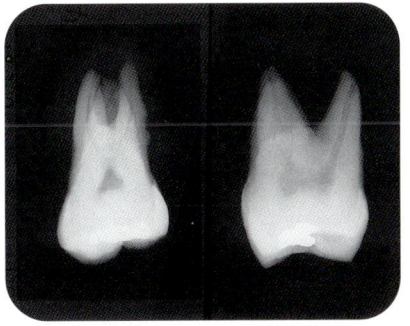　　3-1-1m 術前のエックス線写真． 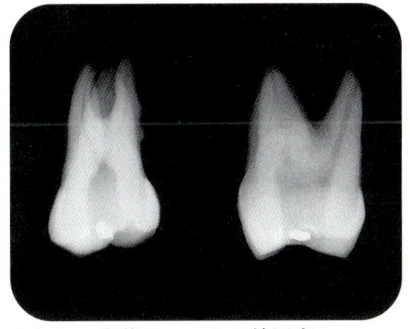　　3-1-1n 術後のエックス線写真．

根管口の拡大

　髄床底の歯質は切削せず保存するのが大原則であるが，根管口周囲の石灰化象牙質は削除しておいた方がリーマーやファイルが根尖まで到達しやすい．石灰化して細くなった根管でしばしば器具の根尖までの到達が妨げられるが，そのほとんどは根尖部の狭小な部位ではなく，根管口付近で器具の途中がつかえてしまっていることによる．

　根管口周囲の石灰化は髄床底の象牙質よりも白色なのでマイクロスコープを使用することによって明瞭に認識できる（3-1-1g～j）．根管口の拡大には，エンジン用ファイル（GT Rotary file）を減速して使用している（3-1-1k）．

3 歯内療法へのアプローチ

[髄床底は聖域]

図1 髄床底は診断の宝庫．できるだけ削らないようにしたい．

直線的形成

根管内の最初の湾曲した部分に到達するまでは器具が直線的に到達できるように，根管を真っ直ぐに形成する．

直線的形成の利点として，
①マイクロスコープの根管内の見える範囲が拡大する
②器具の操作がしやすくなる
③根管充填がしやすくなる
④穿孔や器具の破折などを防ぐ
⑤根管内容物の除去がしやすくなる
などである（3-1-1l～n）．

その他

補綴物の除去

支台築造されていて再根管治療ができない場合は，支台築造や補綴物を除去してから根管治療を開始する．支台築造がなく補綴物を除去しなくても再治療が可能な場合には，う蝕による口腔内との交通の可能性をチェックする．

補綴物装着後の歯髄壊死や歯髄炎などで補綴物を再使用可能な場合には，補綴物を除去せず舌側や咬合面から，アクセスキャビティプレパレーションを行うことになる．注意したいのは，補綴物が装着されていると方向を間違えやすく，根管口に向かっているつもりで側壁に穿孔してしまったりする．マイクロスコープで方向を確認しながら行う．石灰化した根管などで，切削感を頼りにラウンドバーなどで根管口を探っていると思わぬ方向に根管口を発見し焦ることがある．

テンポラリークラウンの装着

補綴物や修復物を除去し，レジンセメントによってテンポラリーのレジンインレーやレジンクラウンを装着する．テンポラリーを装着した方が補綴物の上から根管治療するよりもはるかに治療しやすくなる．その上，ラバーダム防湿時のクランプの装着を容易にし，仮封中の歯冠破折を防止する効果もある．

縁上歯質の確保

縁上歯質が存在しない場合は，根管治療を行う前に，適切な方法を選択して縁上歯質を確保してから，テンポラリーを装着し根管治療を行う．どのみち支台築造や形成や印象の際に1～2mmの縁上歯質は必要な存在になるので，はじめに作っておいた方が根管治療の際にラバーダム防湿も可能になり効果的である．

参考文献

1. Saunders WP, Saunders EM: Conventional endodontics and the operating Microscope, Dent Clin North Am. 1997；41：415-428.

マイクロスコープによる歯内療法／MI時代の歯内療法

2 感染の除去

東京都開業（宮下歯科）

宮下裕志

感染除去へのファーストステップ 感染予防

無菌治療

　根管治療の目的は，根管内への細菌感染の除去および予防である．ほとんどの感染根管治療は，以前に抜髄を行った際に感染させたことが原因で発症する医原性疾患に対する治療である．このことは疫学調査により明らかで，未治療のう蝕が放置され感染が歯髄にまで達し，さらに感染根管となる割合は非常に少ないが，根管治療がすでに行われている歯牙の半数程度に根尖部の透過像が認められているという事実があるからである．

　いい換えれば，無菌状態の生活歯髄を伴う根管を治療する際に，口腔内の細菌を混入し新たな疾患を発生させていることになる．われわれは根管内への細菌感染予防を徹底しなければならない．とくに抜髄時の歯髄内には細菌が存在しないため，徹底的な無菌治療を行えば，予後はほぼ100％近く成功することがHessionらの臨床研究で報告されている[1]．

　このようなエビデンスは，古くはラットを用いた動物実験[2]からもサルを用いた動物実験[3]からも確認されている．Kakehashiら[2]の研究では，無菌状態でタービンを用いて乱暴に天蓋除去を行った場合，Möllerら[3]の研究ではラバーダムを用い徹底的な無菌環境で太いHファイルでファイリングを行ったのみで予後を観察したにもかかわらず，ともに根尖部に病変は発生していない．このような研究から，根管充填が良いとか悪いとかよりも，根管内に細菌が侵入しないように治療する重要性が古くから示唆されてきた．

　Hessionら[1]の臨床研究とは対照的に，Jokinenら[4]の研究では，対象となった歯牙の半数はラバーダムをかけることができなかった歯牙をロールワッテで簡易防湿したのみの治療での結果を報告しており，抜髄治療といえどもその成功率は50％程度となっている．したがって根管治療の成功の鍵は，"いかに厳密な無菌治療が行えるか"ということにかかっているのである．

　歯科医のなかには，前医による根管治療のクオリティーの貧弱さを患者さんに説明して再治療を勧めるものがいるが，当の本人が無菌治療をしない場合は，何の意味もない再根管治療となってしまうことを認識すべきである．このように何度も何度も再根管治療を行うにしたがって，次第に歯質は薄くなり弱くなっていく．そうして最終的には抜歯に近づいていくことになる（3-2-1a〜c）．

MI時代の根管治療

　MI時代の根管治療では，歯牙，歯質をできるだ

マイクロスコープによる歯内療法／MI時代の歯内療法

[破折歯を探そう]

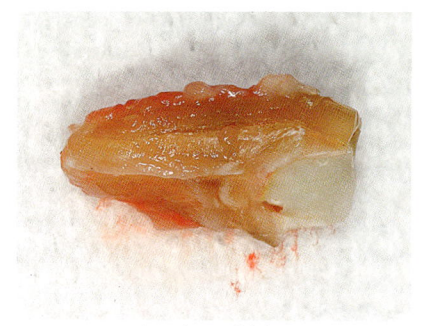

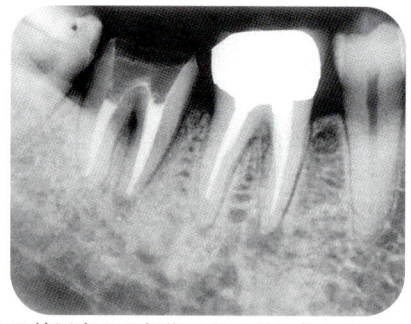

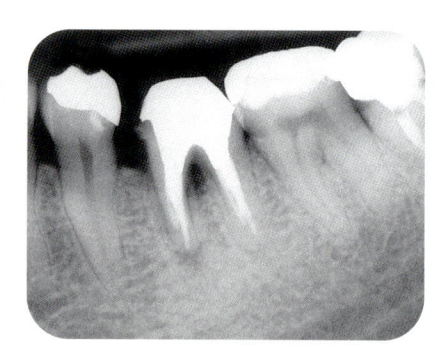

3-2-1a〜c　どの根が破折していたかエックス線写真から想像できるだろうか？
　大臼歯における垂直性歯根破折．根管内の状態をマイクロスコープで確認すると歯根破折が示唆されたため抜歯した．6｜の近心根，6｜の近心根，7｜の近心根のすべてが歯根破折であった．

[無菌治療を行うための工夫]

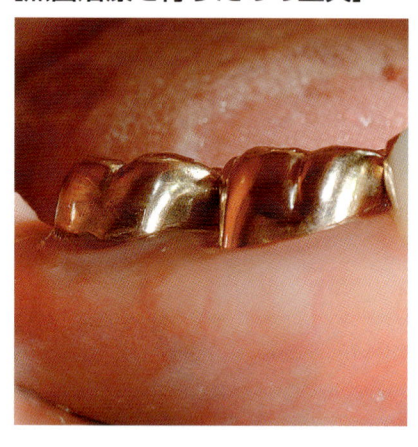

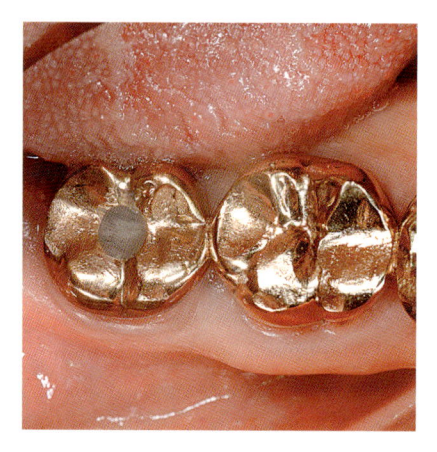

3-2-2a,b　7｜の遠心舌側に腫脹を伴った違和感を訴えた患者さんの症例．
　咬合面から小さな穴を開けて根管治療を行うことで主訴の解決が図れた．

[無菌治療とブリッジ咬合面からのアプローチ]

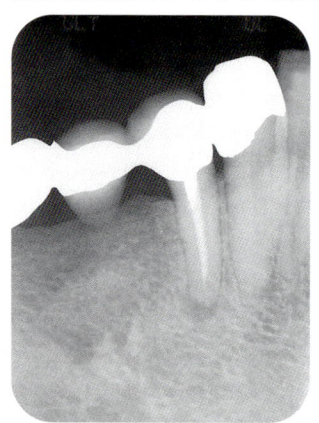

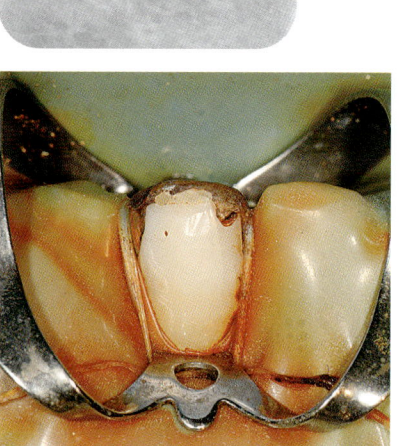

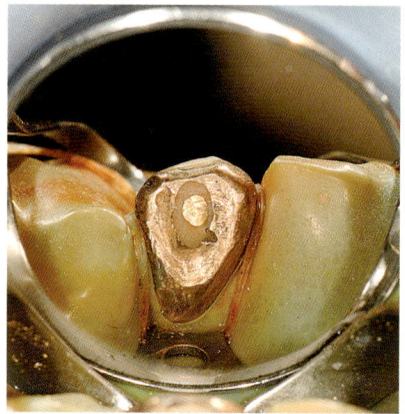

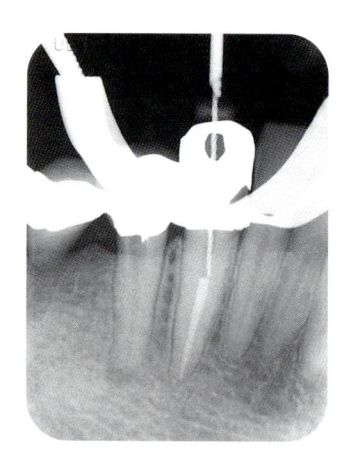

3-2-3a〜e　歯髄炎症状を伴い紹介されてきた症例．
　右下は⑦65④③のブリッジが入っているため，咬合面から小さな穴を開けて治療を行った．作業長はファイルを挿入してエックス線写真を撮影し確認している．治療開始から根管充填，ポストまで無菌的な治療がなされたことで，治療中，治療後の疼痛はない．ブリッジが入っている状態でもラバーダムを装着することは可能である．

[無菌治療のための治療順序]

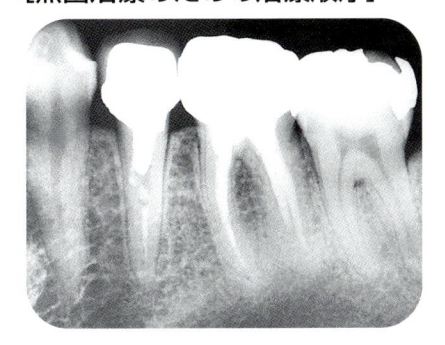

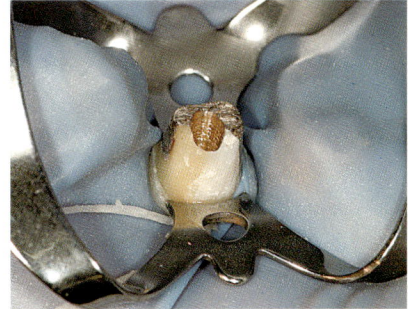

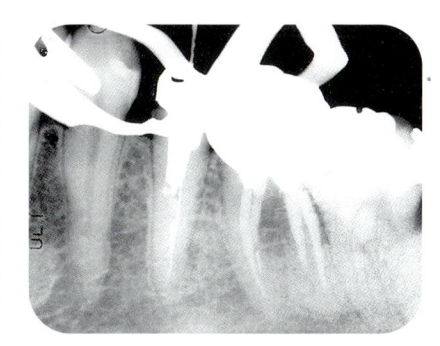

3-2-4a〜e ⌞5⌟のレントゲン像. ポストが穿孔している疑いがあるため, 必要な部分以外のところは削除しないで根管治療を行っている. ポストを残存しているため, ラバーダムを用いた無菌治療は非常に行いやすい状態である. 頬側はう蝕部分を除去した後に築造している.

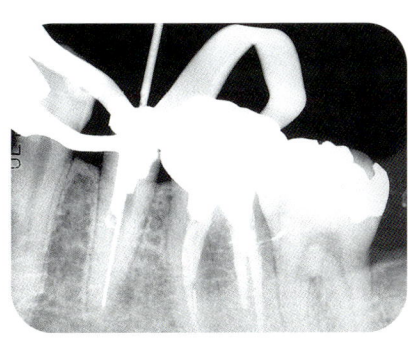

[築造や隔壁を前もって作ってから根管治療]

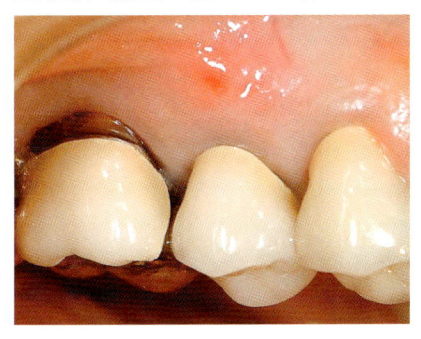

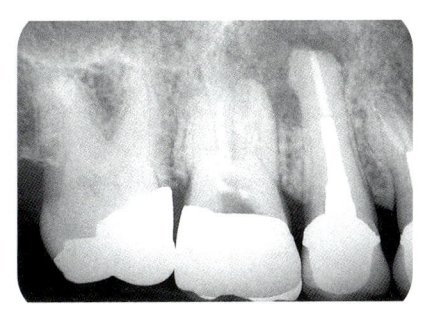

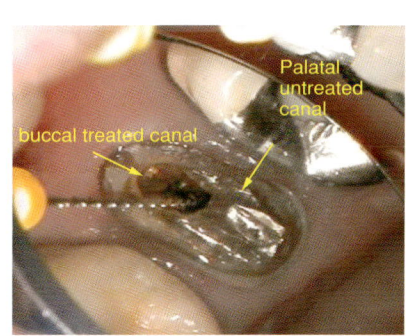

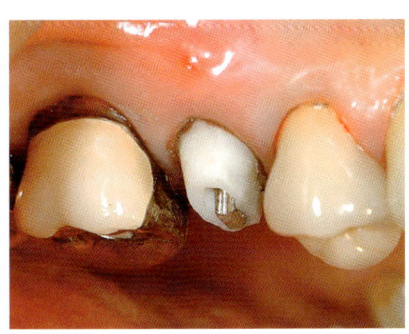

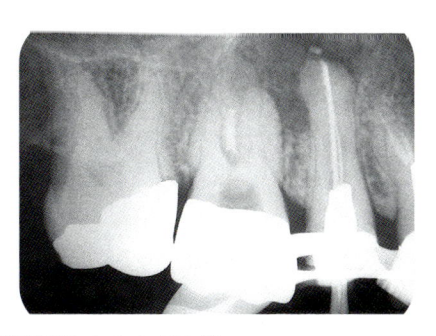

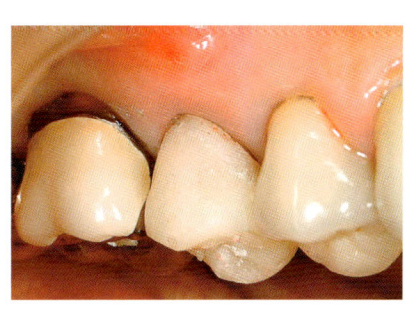

3-2-5a〜f ⌞5⌟の腫脹を伴った症例の口腔内写真とレントゲン像.
ポストを残し築造の助けにしているため, 治療中に無菌治療が損なわれない. 意外と根管の見逃しがあるものである. この症例では口蓋根が未治療であった.

け保存できるような配慮が必要になる. 通常, 感染歯質を完全に除去するために歯質を削除し, 根管口を探し根管治療を開始するが, 場合によってはその操作により大部分の歯質を失うために, ラバーダムがかけられずにその後の無菌治療が困難になる症例は非常に多い(3-2-2a,b). そのため無菌治療のための工夫が必要になる.

しかし, もしもそれが生活歯髄を治療しないといけない症例であるとか(3-2-3a〜e), 根尖部にレントゲン透過像が認められない症例(3-2-4a〜e)であ

[ポストを残存させ無菌治療]

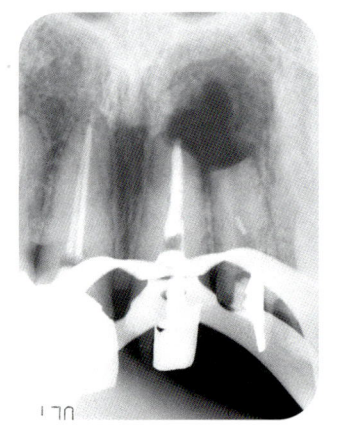

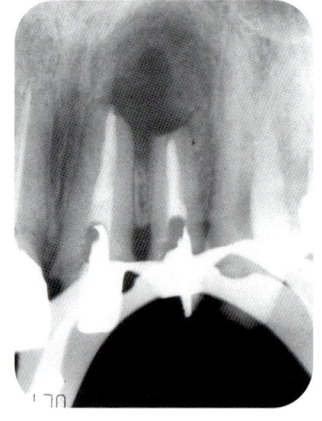

3-2-6a,b　大学病院で外科治療を行った後，臨床症状がまったく取れないということで開業医の先生から紹介されてきた症例．1|2の根管充填時のエックス線写真．
　ポストを残存させることで治療中の暫間クラウンが脱離せず，審美性が損なわれなかった．根管の感染が取れなければ，外科治療は成功せず，根尖切除術は何の意味も持たない．このような症例に外科を行うこと自体症例選択の誤りである．しかも原因菌の特定がなされていない．

[ラバーダムと歯牙の隙間の封鎖工夫]

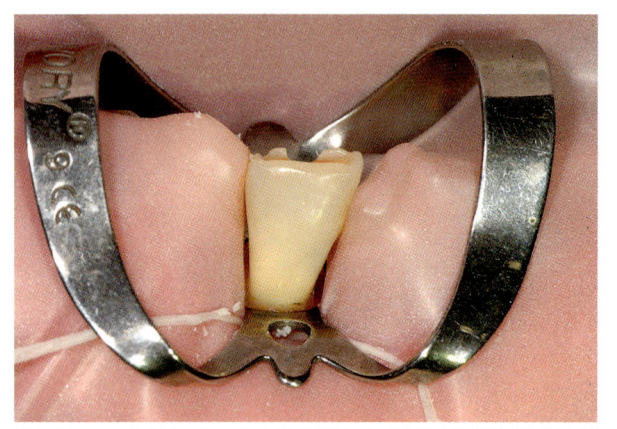

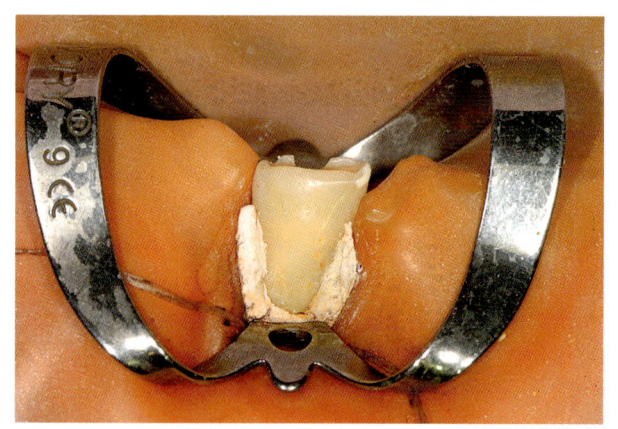

3-2-7a,b　ただラバーダムを装着しただけでは無菌治療とはいえない．ファイルの滅菌をはじめ総合的にいろいろな面から無菌的に治療を行うことが必要である．
　歯周病が進行している患者さんの症例で，ラバーダム装着は行われているが，歯牙との間に隙間が生じている．セメントにて封鎖することで，唾液，消毒剤の漏洩を防ぐ．

れば，根管治療のクオリティーも大切ではあるが，それよりも感染させないことが優先されるべきである．したがって，歯質の量が少なくなりしっかりと細菌の侵入を防ぐことができそうにない症例では，築造や隔壁を前もって作ってから，根管治療を開始することが重要である（3-2-5a〜f）．

　また，すでに歯冠修復が行われた後に問題が発生し，外科的治療もなされたにもかかわらず，さらに問題が発生してきたような症例でも，再度非外科的に従来型の根管治療が選択される場合もある（3-2-6a,b）．場合によっては，築造されたメタルコアを一部残すことで隔壁の代用とし，無菌治療を行いやすくする場合もある．

　もちろん以上のような治療操作はマイクロスコープがあって初めて機能する手法であるため，一般的にすぐさま臨床に応用することは難しい場合が多い．しかも補綴物の不適合が認められる場合には，辺縁部からのマイクロリーケージにより，根管内が感染してしまう恐れがある．筆者の臨床ではそのような失敗を防ぐために，根管治療中に細菌検査を行い，リーケージが疑われる場合は，補綴物を除去し築造あるいは隔壁を作成してから治療を続行する．

感染除去へのセカンドステップ 術野の滅菌

[ラバーダムと歯牙の隙間の封鎖工夫]

　ラバーダムをかけただけでは，無菌治療とは到底いえない．たとえばラバーダムと歯牙との間に隙間が存在する場合には，唾液が侵入してくる．し

［ブリッジを保存しながら根管治療］

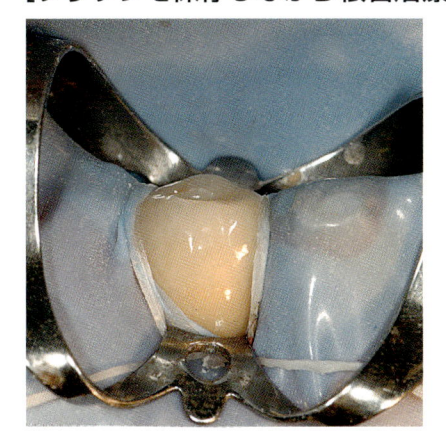

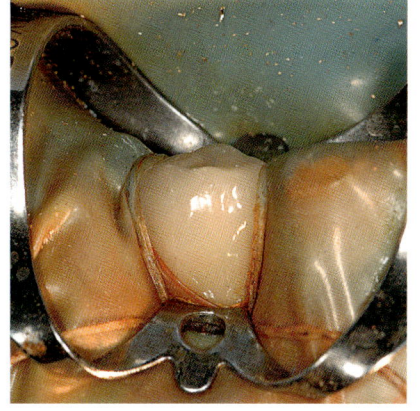

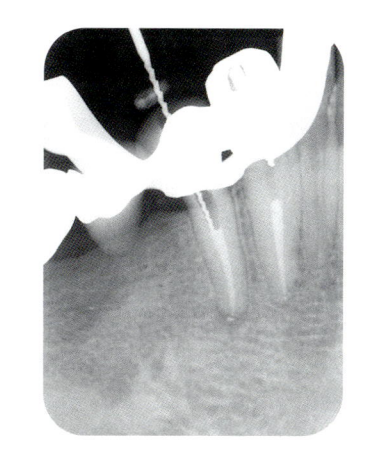

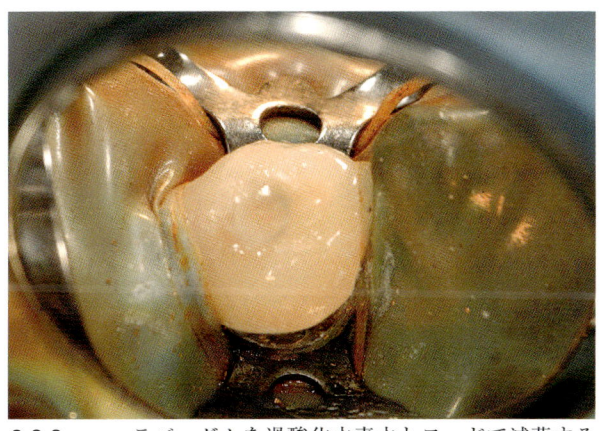

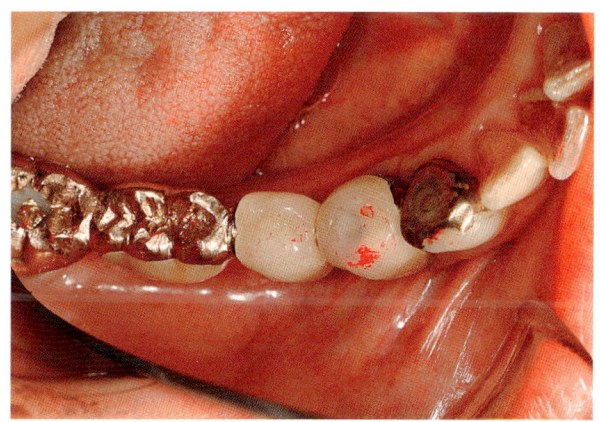

3-2-8a〜e　ラバーダムを過酸化水素水とヨードで滅菌する．大きなブリッジが装着されている症例で，ブリッジをはずさずに治療を依頼された症例．
⑦６５④③すべて根管治療を行うことになったが，10年以上経過しているブリッジも保存することができ，患者さんも開業医の先生も満足された．

がって，そのリーケージを封鎖（セメントなどで封鎖）する工夫が必要である（3-2-7a,b）．

［術野の消毒］

術野の細菌検査を行ってみると，ラバーダムのかかっている歯牙の周りには必ず無数の細菌が存在する．

したがって，ラバーダムをかけた後に術野の消毒（過酸化水素水とヨード）を行うことが重要で，これで初めて根管内を感染をさせないことが可能となる（3-2-8a〜e）．

感染除去（根管内へのアプローチ）

根管口の明示

マイクロスコープを導入する理由の1つとして，根管口の明示が容易になることが挙げられる（3-2-9a,b）．とくにライトを利用できる装置のため，非常にはっきりと術野を確認できることが最大の利点である．場合によっては根管の根尖まで確認することができるが（3-2-10a〜c），それはオーバーインスツルメンテーションされている場合や，パーフォレーションされている場合を除いて稀である．通常

マイクロスコープによる歯内療法／MI時代の歯内療法

[根管口の確認が容易]

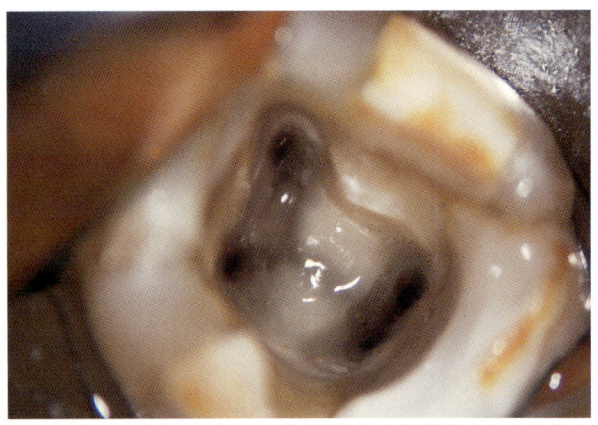

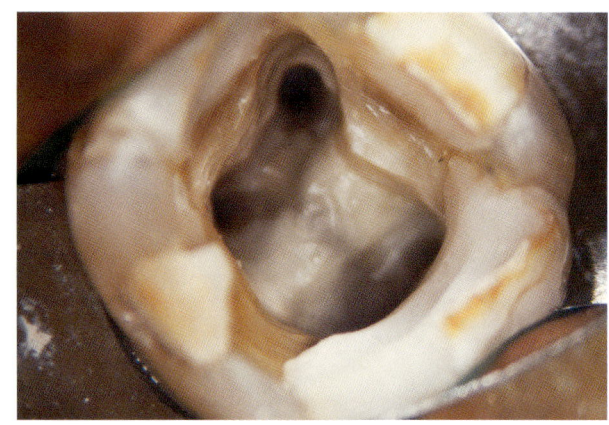

3-2-9a,b　マイクロスコープは拡大した像が得られるのみならず，明るいので根管口の確認が容易である．

[根尖まで見ることができることもある]

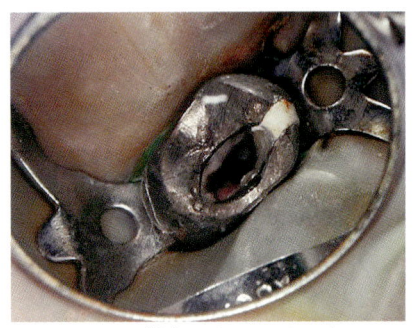

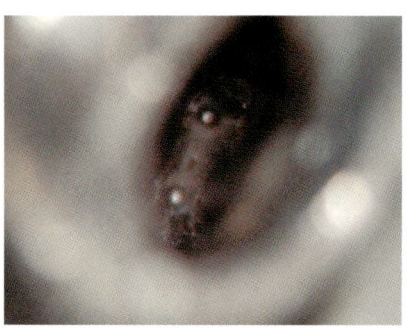

3-2-10a〜c　場合によってはマイクロスコープで根尖まで見えることがある．しかし，これは本質ではない．

[1̄の感染根管で見逃された舌側根管]

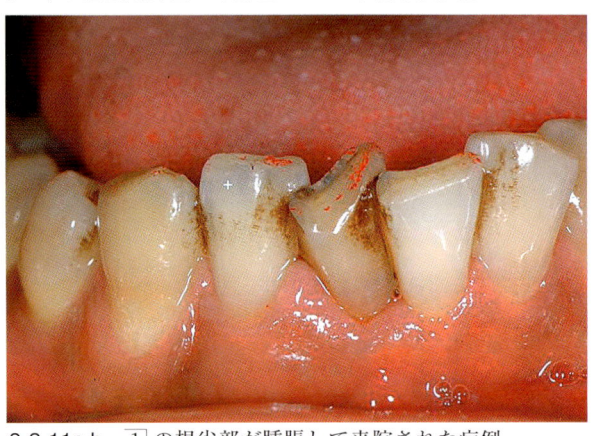

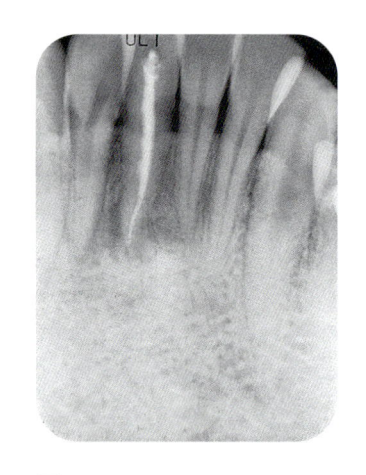

3-2-11a,b　1̄の根尖部が腫脹して来院された症例．
　緊急治療のため夜間治療の診療室に来院されたため，残念ながら2̄の生活歯が根管開放された状態で来院された．診断のみならず，治療方法も間違えている．

は根尖まで見えるわけではない．

見逃し根管の探索

　しかしながら筆者の経験によれば，臨床にて困っているような症例では，見逃されている根管が感染している場合が多い．すでに治療されている根管を再根管治療することも大切だが，それ以上に未治療の根管を探すことが重要であり，これでほぼ問題は解決することが多い（3-2-11a〜j）．

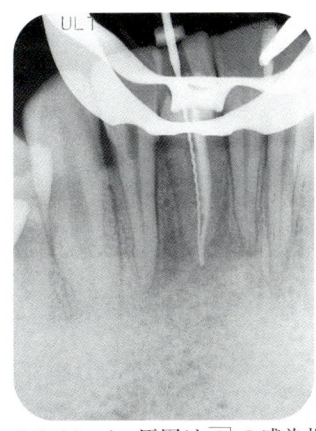

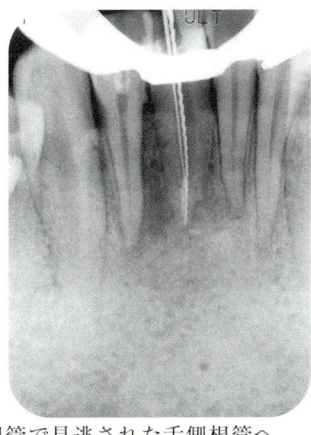

3-2-11c,d 原因は|1|の感染根管で見逃された舌側根管への感染である．もちろん頬側根管も治療は行うが，まずは舌側根管のみを治療したのみで腫脹は解消した．

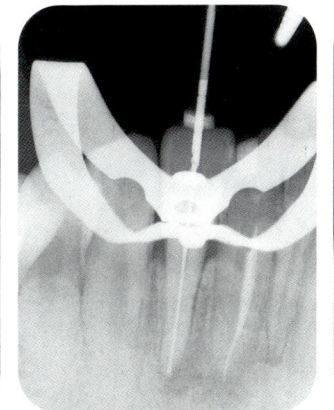

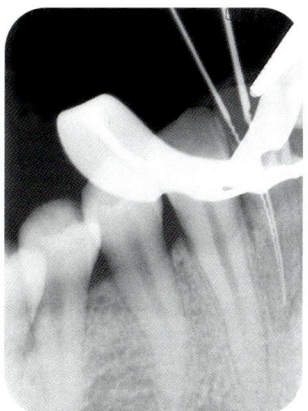

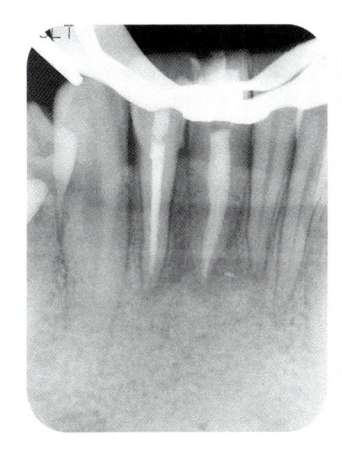

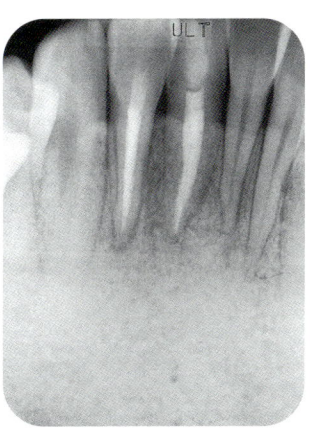

3-2-11e,f |2|も開放された状態であったが，抜髄をし封鎖を行った．この根管も2根管であった．

3-2-11g	3-2-11h	3-2-11i
		3-2-11j

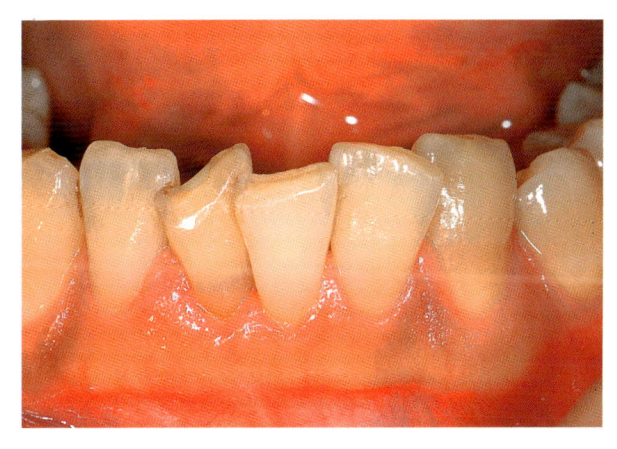

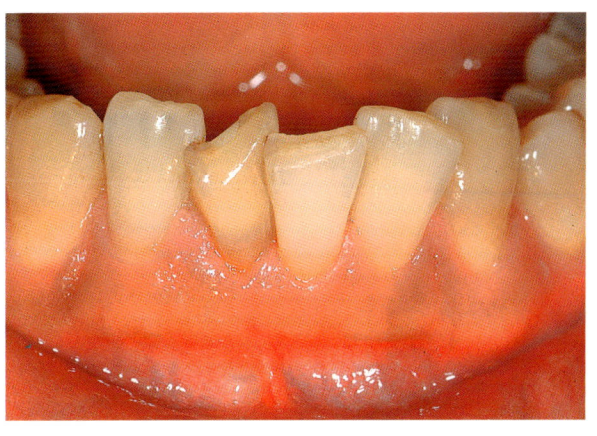

3-2-11g〜j 根管充填は2根管の場合は非常に難しいが，マイクロスコープ下でていねいに行うことで確実な効果が得られる．臨床症状，エックス線ともに問題は解決され成功症例となった．

　このようにマイクロスコープの最も効果的な利用方法は，いま治療している歯牙が何根管あって，根管が適切な位置に存在し治療されているかを確認することであり（3-2-12），そこに疑問を感じたら別の根管がないかどうかを探すことに用いることである（3-2-13a〜c）．したがって正常な根管の解剖をしっかりと把握しておくことが大切で，このステップが抜かされているならば，どのようなテクニック，どのような薬剤，どのような根管充填がなされても成功するとは限らないのである．

ラバーダムを含めた包括的な無菌治療の勧め

　診療システムや時間の制約がある一般開業医にとって，マイクロスコープを用いて根管を正確に見

マイクロスコープによる歯内療法／MI時代の歯内療法

[根管の数]

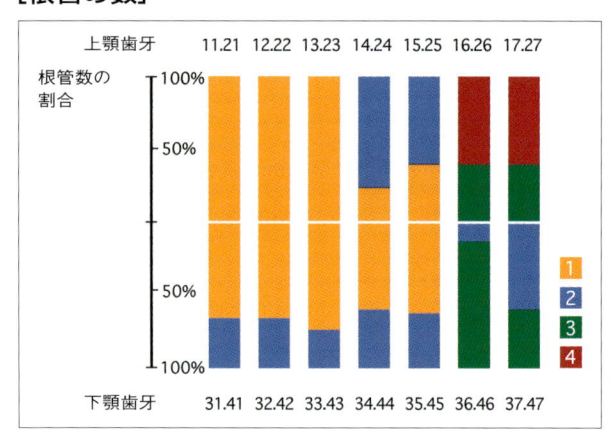

3-2-12 研究により若干の違いは認められるが，Reit & Miltonの研究によれば，上顎の前歯部以外の大部分の歯牙は2根管以上複数の根管を持っている．

[3̲ の見逃し根管]

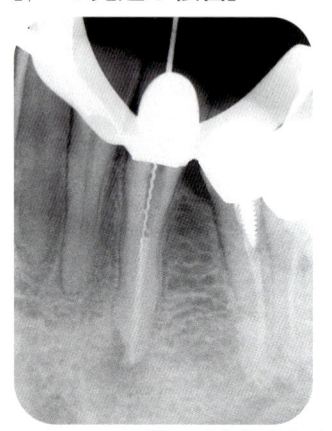

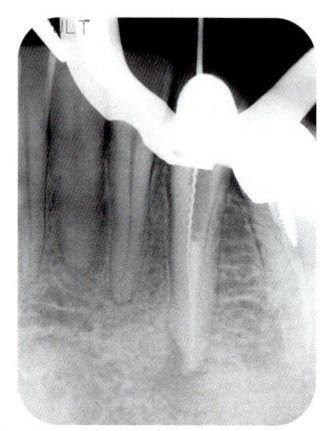

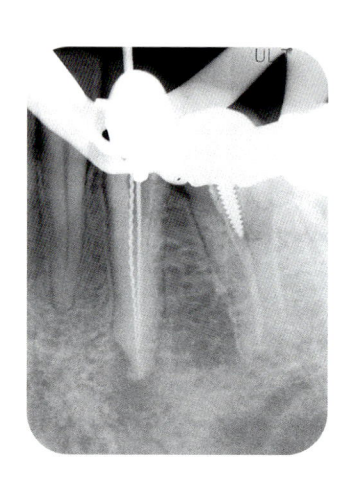

3-2-13a〜c 3̲ の感染根管を示唆するレントゲン像．
　見逃し根管が示唆されたため，探索してみると発見することができた．根尖部で融合している場合もあるため，もちろん頬側根管も治療を行う．

[根管が見逃された場合の無菌治療と無菌治療でない場合の結末]

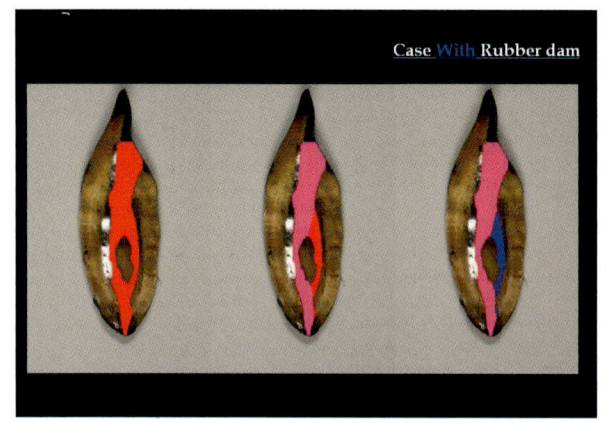

3-2-14a 無菌治療ができていて根管が見逃された場合の結末．
　エックス線的には根管治療の質自体は悪そうな場合でも，根管は感染していない．

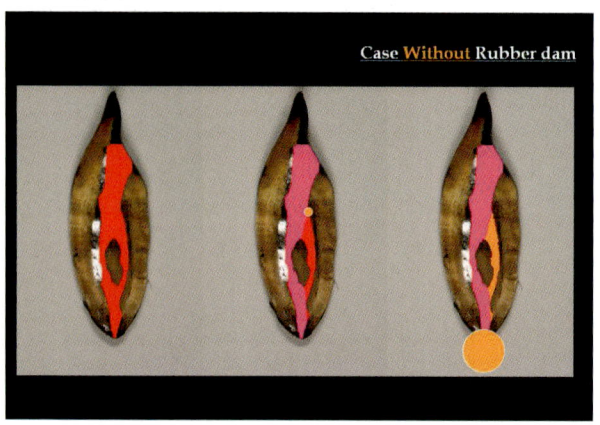

3-2-14b 無菌治療がなされなくて治療中に根管が感染し見逃された場合の結末．
　エックス線的には根管治療はよさそうであるが，エックス線透過像が発現してくる．

つけて治療することは難しいかもしれない．100歩譲って，マイクロスコープを導入できない開業医にアドバイスするとすれば，少なくとも根管を感染させない努力が必要だということである．ラバーダムを含めた包括的な無菌的な治療を行えば，技術的な面から根管が未治療のまま存在していたとしても，将来その根管が感染根管となることは決してない（3-2-14a）．

これに対し根管充填が適切に行われているように見える根管に，なぜ根尖部に透過像が現れるのかというと，無菌治療をしないために未治療の根管が感染し，時間とともにエックス線写真に透過像として現れてくるのである（3-2-14b）．だからこそ，根管充填のクオリティーが重要なわけではなく，治療する際に無菌状態が維持できるかどうかが最も大切なことなのである．

ラバーダムを含めた包括的な無菌治療を行っていなくても，成功している症例もあるだろう．しかしそれは偶然の産物である．自分自身の歯牙を抜髄しなければならないと仮定した場合に，果たしてどのような選択をするだろうか？ もう一度，臨床を見直して欲しい．

参考文献

1. Hession：Long-term evaluation of endodontic treatment：anatomy, instrumentation, obturation- the endodontic practice triad. Int Endod J：1981; 14, 179-84.
2. Kakehashi et al.：The effect of surgical exposures of dental pulp in germ free and conventional laboratory rats. Oral Surg Oral Med. Oral Pathol. 1965 Sep；20：340-9.
3. Möller ÅR et al.：Infuence on periapical tissue of indigenous oral bacteria and necrotic pulp tissue in monkeys. Second J Dent Res. 1981；89：475-484.
4. Jokinen et al.：Clinical and radiographic study of pulpectomy and root canal therapy. Scand J Dent Res. 1978：86；366-373.

顕微鏡酔い

中川寛一

東京歯科大学歯科保存学第一講座

経験の浅い術者と介補者にとって，顕微鏡を覗きながらの長時間の処置は苦痛を伴うかもしれない．トレーニングの間は，まず頭痛や軽いめまいを経験するからだ．また，左右の像が一致せず2重に見えたりすることもある．これは視度補正の問題や，顕微鏡を通して見る処置領域と機器の動きが逆行すること，ほとんどの場合でミラーを通じた鏡像をたよりに処置を進めることによる．

これらの症状は慣れによって緩解するが，当面処置にあたって時間がかかったりすることはさけられない．とくに，左右の視度補正を正しく行うことやアシスタントスコープがある場合は，術者との間で同焦点をしっかり得ておく必要がある．

図1 顕微鏡の接眼部．
左右の視度補正ならびに瞳間距離を正しく調整しないと顕微鏡酔いの原因となる．

マイクロスコープによる歯内療法／MI時代の歯内療法

3 感染の除去（清掃）

東京都開業（澤田デンタルオフィス）

澤田則宏

根管治療の3つのステップ

　根管治療の目的は，感染源の除去である．無菌動物では根管充填をしなくても，根尖部は硬組織で封鎖され，炎症所見は認められない．われわれ歯科医師は「根尖まで穿通し根管拡大を行う」が，この過程は感染源を除去するための手段であって目的ではない．根尖まで穿通し，ある程度の号数まで根管拡大したとしても，根管内に感染源を残した状態では治癒しないのである．

　根管拡大は"cleaning and shaping"といわれている．感染を取り除き，根管内を無菌的にすること（cleaning）が目的であり，ある程度以上にまで拡大号数を上げることや根管にテーパーを付与することは根管充填のための器作り（shaping）である．

　根管治療を便宜的に3つのステップに分けて考える（図1）．最初のStep1は髄腔開拡（Access Cavity Preparation），Step2は根管上部の形成（Coronal Flare），そして最も重要なのはStep3の根尖部の根管形成（Apical Preparation）である．この3つのステップを確実に行い，感染源を除去することが根管治療成功への秘訣である．

　ここでは，実際の根管内から感染源を取り除くという点に着目し，マイクロスコープ下において行うことができる処置をステップごとに解説する．

Step1
髄腔開拡
(Access Cavity Preparation)

[髄腔内の軟化象牙質の除去]

　3-3-1aは術前の髄腔内である．他院で根管治療のため24回通院したが治癒せず，専門医の意見を聞こうと訪れた大学病院の外来から，歯内療法専門医である筆者に紹介されてきた．このままの状態では，あと24回根管治療を行っても治癒は望めないであろう．

　筆者が最初に行った処置は，徹底的な軟化象牙質の除去である（3-3-1b）．髄腔内や根管口周囲に感染

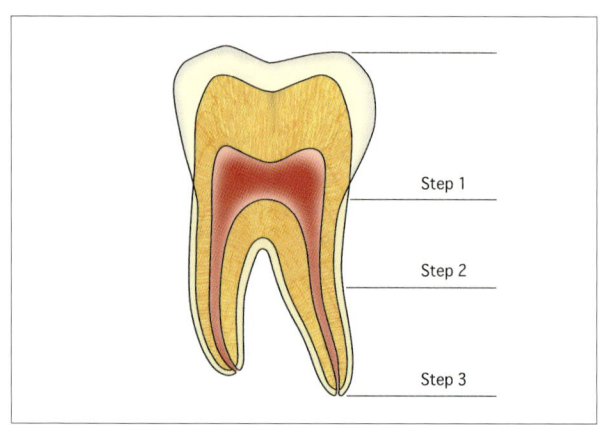

図1　根管治療を3つのステップに分類する．
Step1は髄腔開拡（Access Cavity Preparation）．
Step2は根管上部の形成（Coronal Flare）．
Step3は根尖部の根管形成（Apical Preparation）である．

3-3 感染の除去(清掃)

[Step1　髄腔開拡／髄腔内の軟化象牙質の除去]

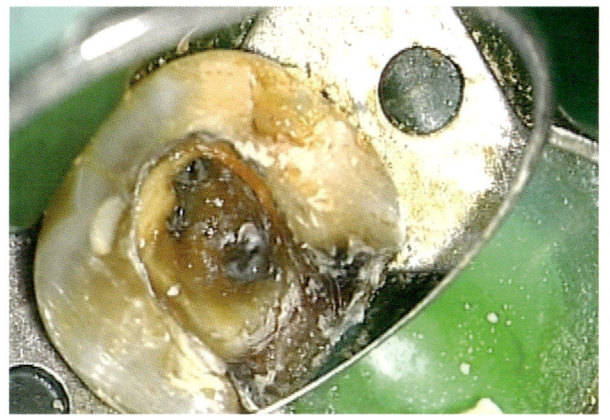

3-3-1a　当院初診時の髄腔内．根管口付近や遠心隣接面などに軟化象牙質が認められる．

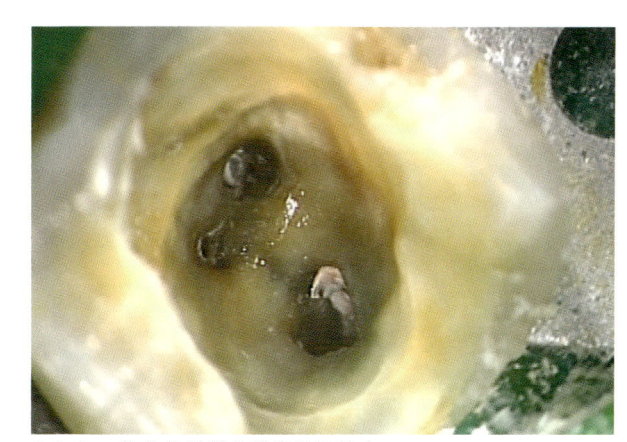

3-3-1b　軟化象牙質を徹底的に除去．

[Step1　髄腔開拡／根管口の探索]

	3-3-2a
3-3-2b	3-3-2c	3-3-2d

3-3-2a　髄床底に見られる黒い線状構造（矢印）．
3-3-2b　初診時の髄腔内．近心頬側第一根管の口蓋側に象牙質の張り出しが認められる（矢印）．
3-3-2c　象牙質をていねいに除去すると，その下に近心頬側第2根管が認められた．
3-3-2d　根管拡大終了時の近心頬側第二根管．

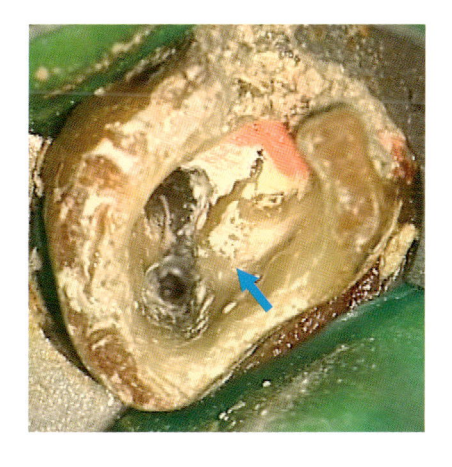

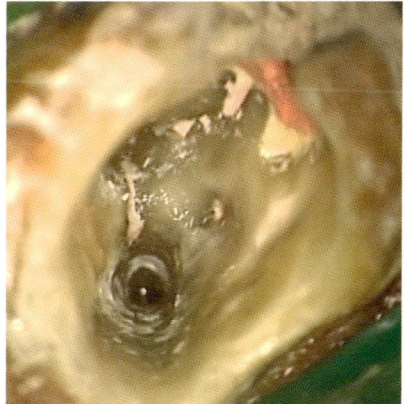

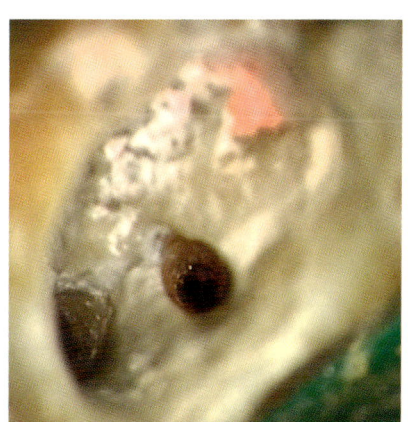

歯質を残したまま治療を行うということは，根尖に向かってファイルに感染源を付けて，押し込むようなものである．またマージン部分の軟化象牙質は，仮封の状態を甘くし次回の予約までの間に根管内を再感染する手助けをしているようなものである．根管治療の目的が感染源の除去ということを考えると，髄腔内の軟化象牙質の除去は成功への第一歩である．

根管口の探索

[ロードマップの黒い線状構造]

　髄腔内の感染源を除去したら，次に根管口の探索を行う．上顎第一大臼歯の根管数は50％以上が4根

3　歯内療法へのアプローチ　85

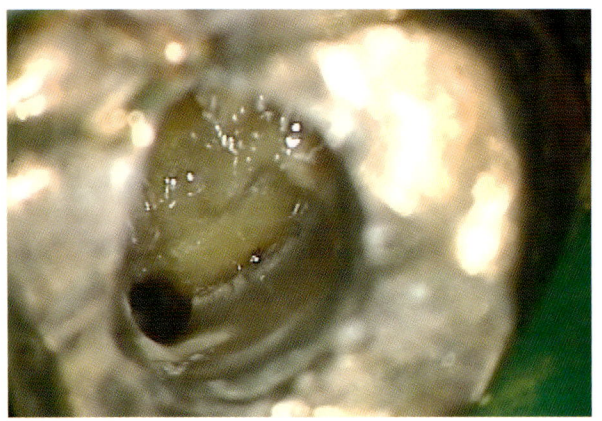

マイクロスコープによる歯内療法／MI時代の歯内療法

3-3-3a 近心頬側第1根管の口蓋側に第2根管がありそうである．

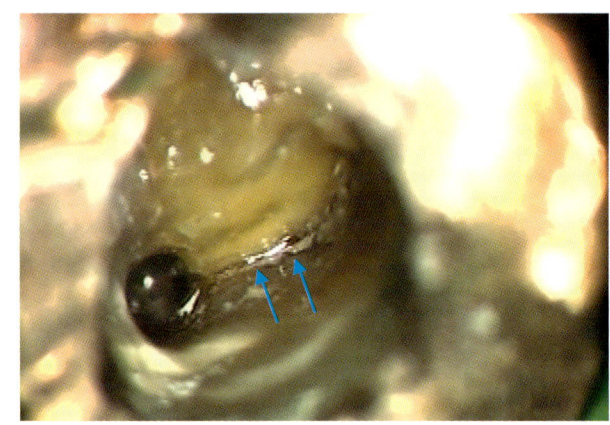

3-3-3b 次亜塩素酸ナトリウムで洗浄すると，白い線（White line）が見えてくる（矢印）．

3-3-3c #10Kファイルを近心頬側第2根管に挿入．

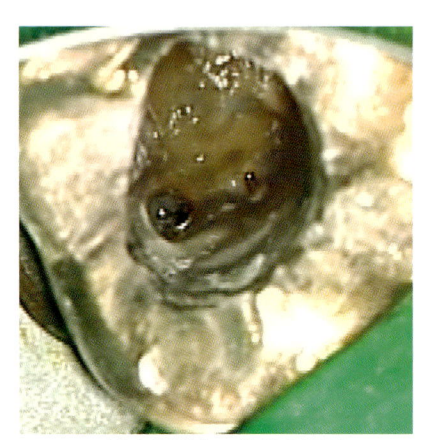

3-3-3d 近心頬側第2根管を明示．

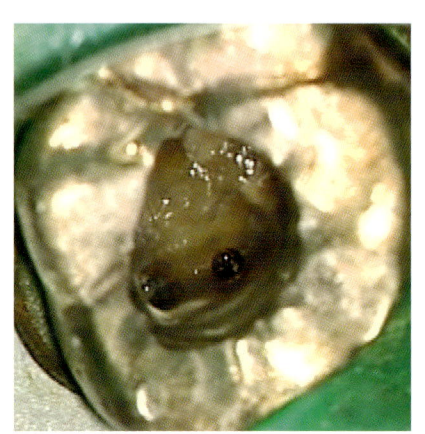

3-3-3e 近心頬側第2根管のCoronal Flare終了．

管性であるが，歯科医師が探さなければ見つけることはできない．髄床底を観察するとわれわれがロードマップと呼んでいる黒い線状構造が認められる（3-3-2a）．これを追っていくと見落とされている根管口を見つけることが可能である．

上顎大臼歯の近心頬側第2根管は，張り出した象牙質の下に隠れていることもある．この下に隠れている根管がある可能性を知り，根管を探さなければならない（3-3-2b〜d）．

[白い線]

見落とされている根管を見つける際に，次亜塩素酸ナトリウムの洗浄が有効である．髄腔内の軟化象牙質を除去し，次亜塩素酸ナトリウムにて洗浄すると，感染歯質が残っている見落とされた根管から発泡が認められることがある．この白い線（White line）を目印として，根管を探し出すことができる（3-3-3a〜3e）．

上顎第一大臼歯の近心頬側根に根管が複数存在する可能性があることは，歯根の形態を考えると明らかである．3根管で根管充填した場合には「ほんとにもう1根管なかったのだろうな」と心配になってしまうことがある．見落とされている根管がないかどうか，マイクロスコープ下で観察すると，今までとれなかった痛みや腫脹の原因が見えてくる．

根管治療の目的は感染源の除去であるが，根管を見落としていては，そこに存在する感染源を取り除くことは不可能である．

Step2
根管上部の形成（Coronal Flare）

[根管上部の形成]

上行性歯髄炎の場合を除き，歯髄炎の感染は歯冠

[Step2 根管上部の形成]

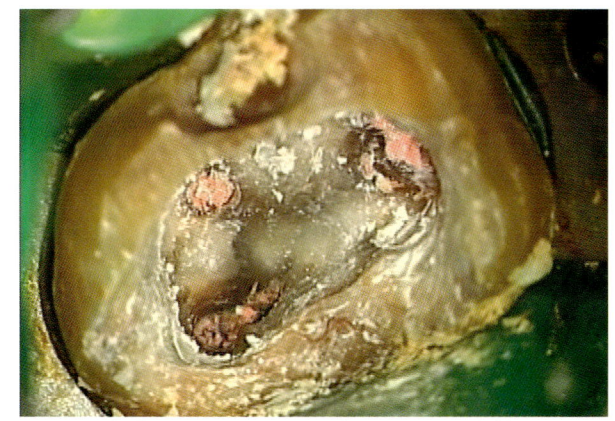

3-3-4a 根管治療開始時の髄腔内．近心頬側根管に充填されているガッタパーチャ周囲に感染が認められる．

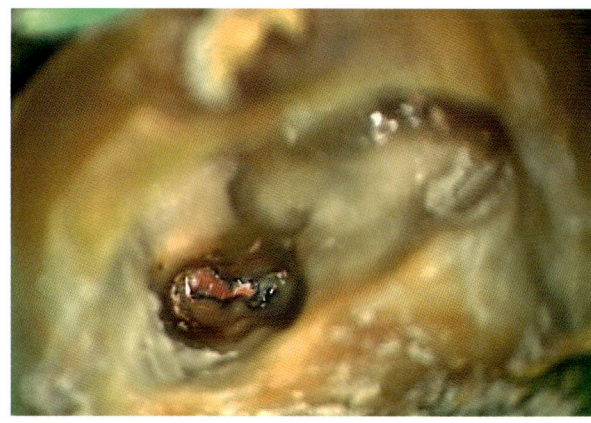

3-3-4b 根管上部の形成（Coronal Flare）をはじめると，未処置の近心頬側第2根管（MB2）の存在が明らかになった．

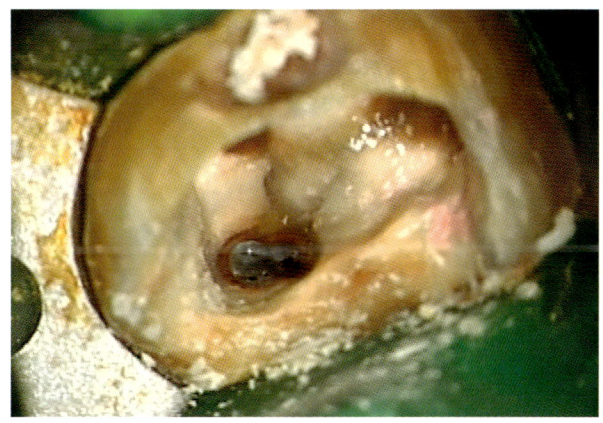

3-3-4c,d 根管上部の形成（Coronal Flare）終了時．

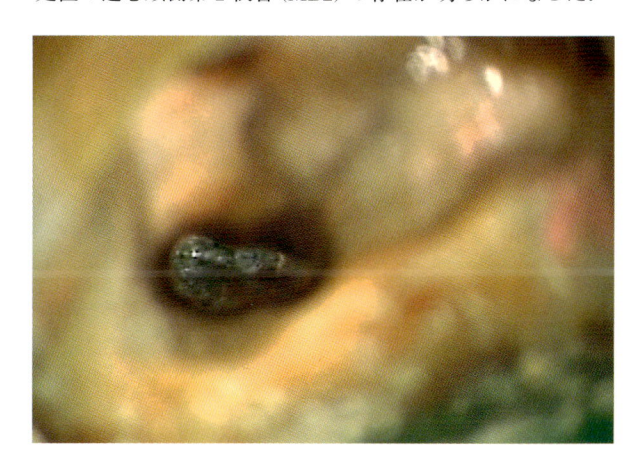

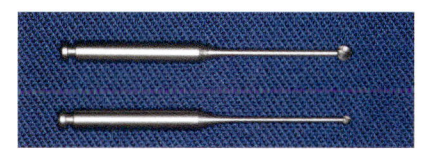

3-3-4e 根管口周囲や根管内の軟化象牙質除去に有効な回転切削器具（ルートキャナルリーマー）．

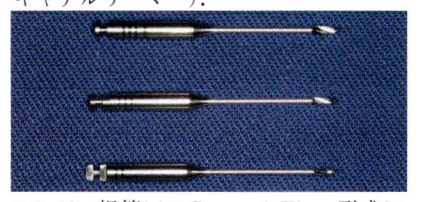

3-3-4f 根管口のCoronal Flare形成に使用するゲーツグリッテンドリル（上から#4，#3，#2）．

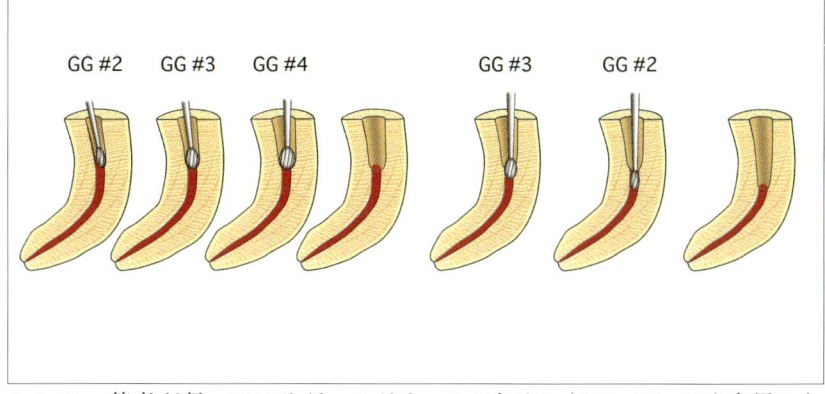

3-3-4g 筆者が行っているゲーツグリッテンドリル（#2，#3，#4）を用いたCoronal Flare形成方法．目的を達成するのであれば，他の回転切削器具を用いても構わない．

側から生じる．当然，根管内も根尖側より歯冠側の方が感染が強いので，根管口付近の感染歯質をしっかり除去しておくことが重要である（3-3-4a～d）．幸いこの部分は回転切削器具が直接届く部分であるから，効率良く除去することが可能である（3-3-4e～g）．

根管治療で最も大事な部分は根尖部の感染源除去である（図2）．そのためには根管に追従する根管拡大が必要であるが，目的はあくまでも感染源の除去であり，穿通し根管拡大することは手段にすぎない

図2 急いで手を伸ばしても，入口が狭くては，宝の山には手が届かない．まず，入口を十分に広げて，確実に宝を手に入れよう．

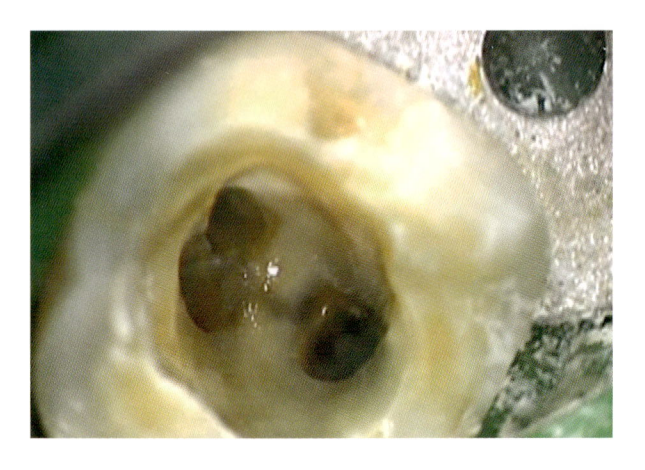

3-3-5 Coronal Flare形成により，根管口周囲の軟化象牙質を除去するとともに，根尖へのアクセスを容易にする．

[Step2 根管上部の形成／築造体の除去]

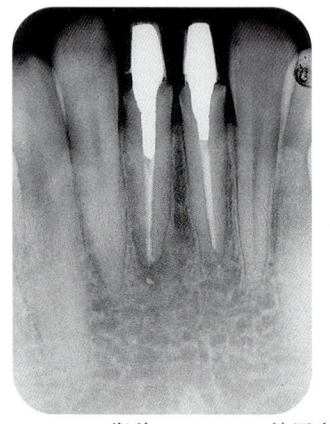

3-3-6a 術前のエックス線写真．下顎中切歯根尖部の違和感を訴えている．

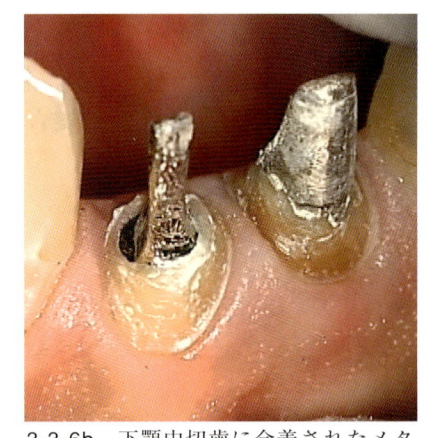

3-3-6b 下顎中切歯に合着されたメタルポスト．マイクロスコープ下でチェックすると適合は良好である．下顎切歯の歯根形態を考えると，少しでもバーが近遠心にぶれた場合，穿孔などの危険があるため，できれば切削による除去は避けたい．

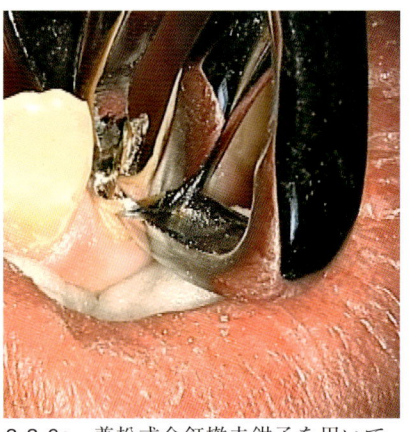

3-3-6c 兼松式合釘撤去鉗子を用いて，メタルポストを把持する．

のである．3-3-5は前述の症例（3-3-1a）にCoronal Flareを行ったところである．この段階までしっかり行えれば，根管治療は80％成功したといっても過言ではないであろう．

3-3 感染の除去（清掃）

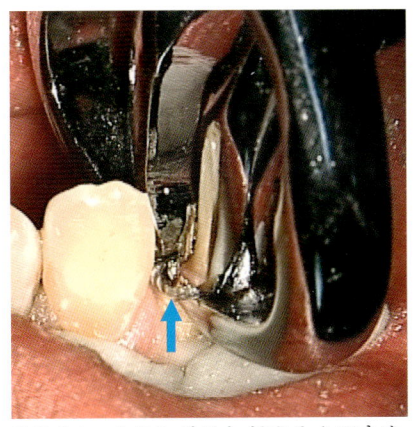

3-3-6d　メタルポストがゆるんできた（矢印）．

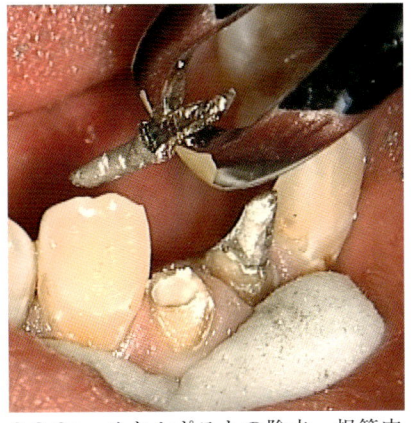

3-3-6e　メタルポストの除去．根管内にバーを入れることなく，除去することができた．

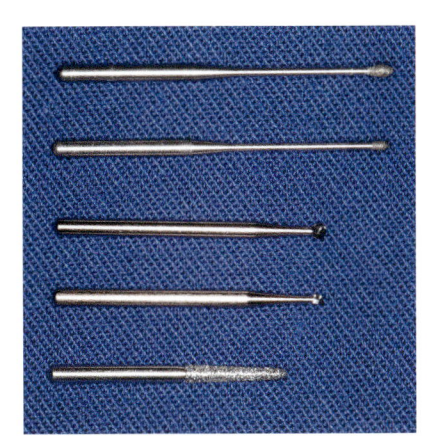

3-3-6f　根管内ポスト除去に使用するバー類．上からロングネックダイヤモンドバー2種（日向和田製作所），サージカルバー2種（茂久田商会）を使用する．最下段が通常のダイヤモンドバー（102R）．

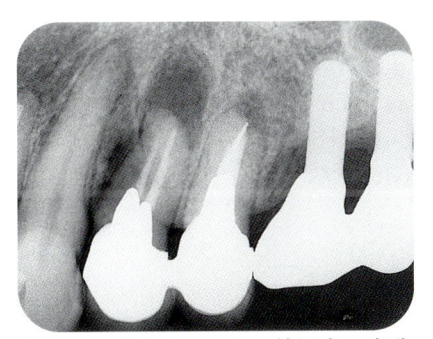

3-3-7a　術前のエックス線写真．穿孔もしくは歯根破折が疑われたため，患者の同意を得たうえで補綴物を除去し，再根管治療を行うことになった．

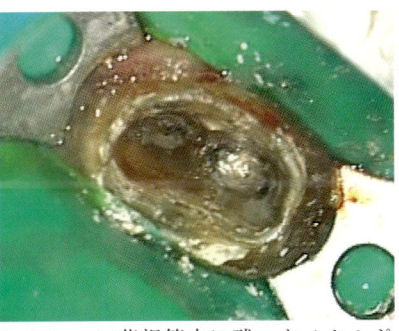

3-3-7b　口蓋根管内に残ったメタルポストの先端部分．

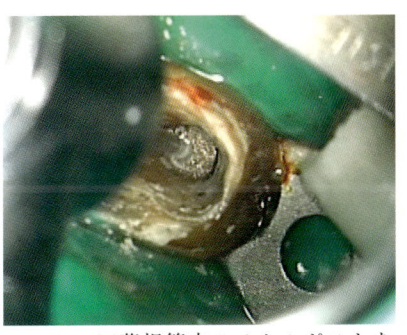

3-3-7c　口蓋根管内のメタルポストをマイクロスコープ下でていねいに切削する．

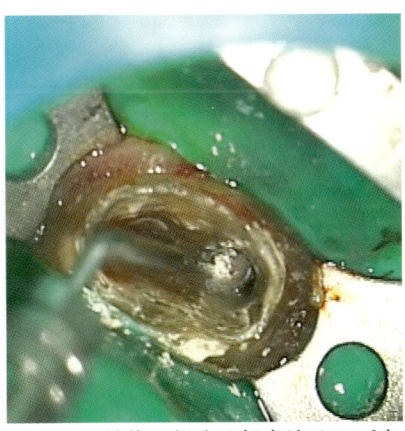

3-3-7d　最後の部分は超音波チップを用いてゆるめて除去する．

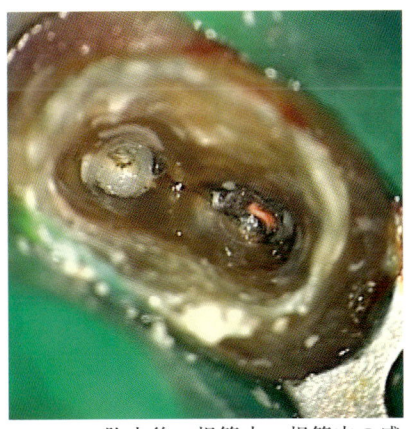

3-3-7e　除去後の根管内．根管内の感染が認められる．

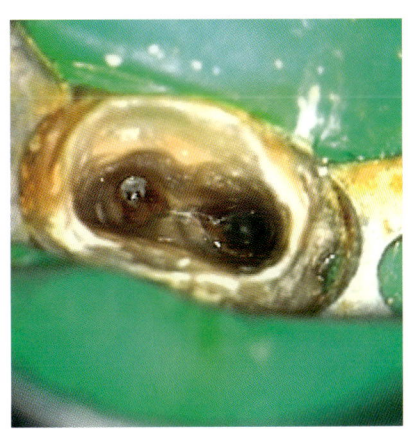

3-3-7f　根管拡大終了時．

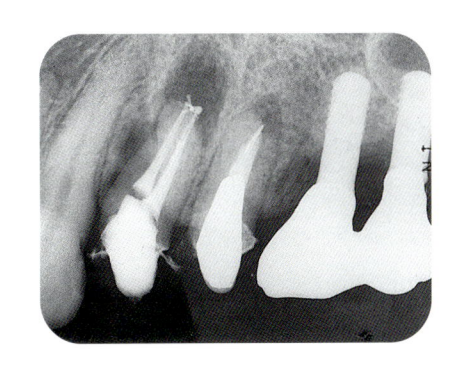

3-3-7g　根管充填時のエックス線写真．

3　歯内療法へのアプローチ

マイクロスコープによる歯内療法／MI時代の歯内療法

[Step2　根尖部の根管形成／根管拡大終了後の感染歯質の残留]

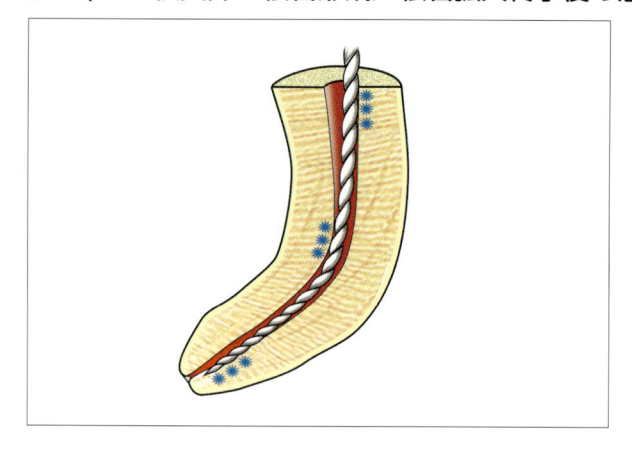

3-3-8　ファイルのあたりやすい部分とあたりにくい部分.

[築造体の除去]

　築造体の除去は，再根管治療で避けて通れない過程であるが，どのような方法が一番よいのであろうか．リトルジャイアントや兼松式合釘除去器などを使ってメタルポストを引き抜くことができれば，歯質の犠牲も最小限ですむ（3-3-6a〜e）.

　しかし接着性レジンセメントが普及している現在では，合着されたセメントをゆるめて，引き抜くことは容易ではない．最後の手段は切削して除去することになる．深いポストなどを切削して除去しようとすると，周囲の健全歯質を切削してしまい，根管壁が薄くなってしまうかもしれない．このようなときにマイクロスコープ下で，特別のバーなど（3-3-6f）を使用することにより，安全に除去することが可能となる（3-3-7a〜g）.

Step3
根尖部の根管形成
（Apical Preparation）

　根管治療で最も重要なのがこのステップである．根管に追従した根管拡大を理想として行うが，われわれが使う器具の柔軟性や再根管治療の際の不規則な根管内を考えると，感染源の除去は容易ではない．ここで紹介する症例では，ステンレススチールファイルやニッケルチタンファイルで通常の根管拡大を行った後で，根管内に残存している感染源をどのようにして見つけるか，そしてどのように除去するか，という観点から解説する.

[根管拡大終了後の感染歯質の残留]

　根管拡大の終了したはずの根管内に感染歯質が認められることがある．一般にファイルのあたりにくい場所にこのような感染源は残ってしまう（3-3-8）.

[根尖部残留ガッタパーチャの除去]

　この症例は根尖部に残ってしまったガッタパーチャの除去を示している．ガッタパーチャ自体には為害性はなく，生体内に埋入実験を行っても為害性は認められない．臨床で問題となるのは細菌感染であるが，この症例のようにガッタパーチャが残ってしまう部分というのは，感染歯質も取りにくい部分であることから，わかりやすいようにガッタパーチャの除去を例に解説を行う.

　根尖まで穿通し，ある程度まで根管拡大されている根管内をマイクロスコープで観察すると，根尖孔の周囲に取り残されているガッタパーチャが認められることがある（3-3-9a,b）．このような症例では，ニッケルチタンファイルではなく，手用ステンレス

[Step3 根尖部の根管形成／根尖部ガッタパーチャの残留除去]

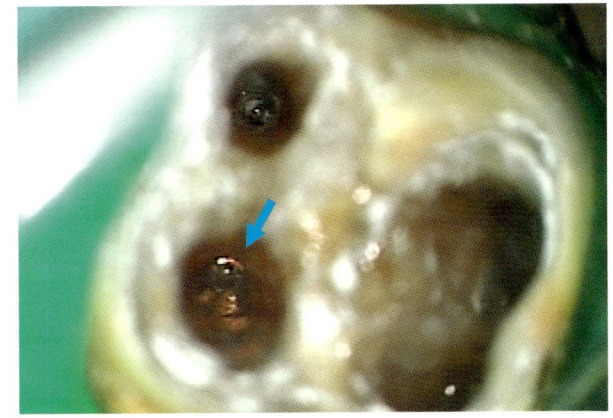

3-3-9a　マイクロスコープで根管内を精査すると，根尖部にガッタパーチャが認められる（矢印）．

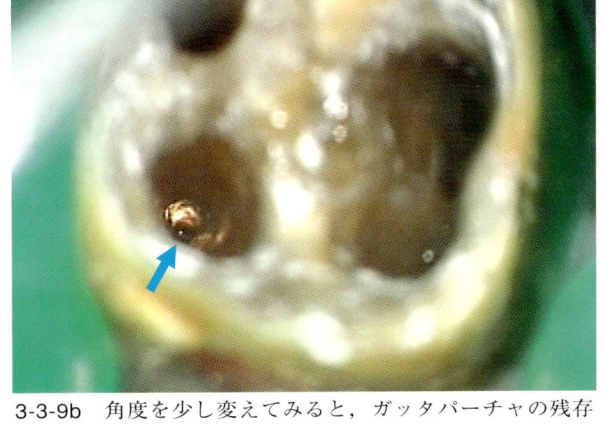

3-3-9b　角度を少し変えてみると，ガッタパーチャの残存が明らかになる（矢印）．

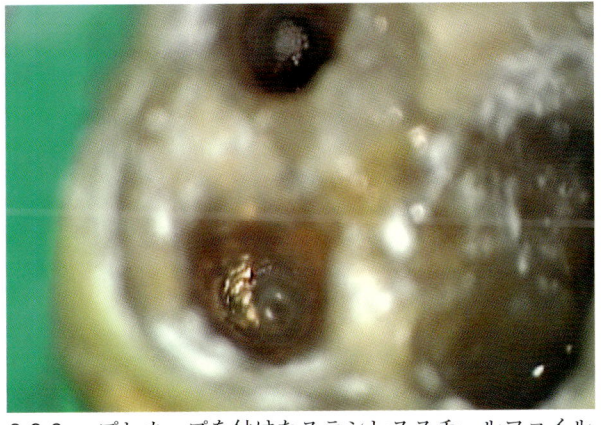

3-3-9c　プレカーブを付けたステンレススチールファイルなどを用いて，ガッタパーチャを掻きだす．

3-3-9d　ステンレススチールHファイルに付着してきたガッタパーチャ．

スチールファイルにプレカーブを付与し，根尖孔付近のガッタパーチャを除去する（3-3-9c,d）．

感染源を除去することが，根管治療の成功につながるという症例を2つ紹介する．

[感染源除去が根管治療の成功に繋がる症例1]

患者は下顎左側臼歯部の痛みを訴え来院した．エックス線写真では7の根尖部に透過像が認められた（3-3-10a）．患歯を残すために再根管治療を行うことを説明し，ラバーダム防湿を行った後に，マイクロスコープ下にて髄腔内を精査した（3-3-10b）．髄腔内の軟化象牙質を除去し，根管内からガッタパーチャを除去すると，根管内からあふれるように出血と排膿が認められた（3-3-10c）．計5回ほど通院していただき，根管内の感染源が取り除かれていることを確認した上で，根管充填を行った（3-3-10d〜g）．根管充填時のエックス線写真をみると，根管内の感染が強く，根尖孔が広く開いていたことがよくわかる．その後，痛みもなく経過している（3-3-10h,i）．

[感染源除去が根管治療の成功に繋がる症例2]

次の症例の患者は6に疼痛を訴え，歯科医院を受診した．根管治療を行い症状が改善したので，根管充填を行ったところ，急性症状が起きてしまい，歯内療法専門医である筆者のところへ紹介されてきた．初診時のエックス線写真では，近心根の根尖から分岐部にかけて透過像が認められ（3-3-11a），口腔内診査では，分岐部に深いポケットが存在していた（3-3-11b）．

治療内容と成功率について説明した後，ラバーダ

マイクロスコープによる歯内療法／MI時代の歯内療法

[感染源の除去が根管治療の成功に繋がる症例1]

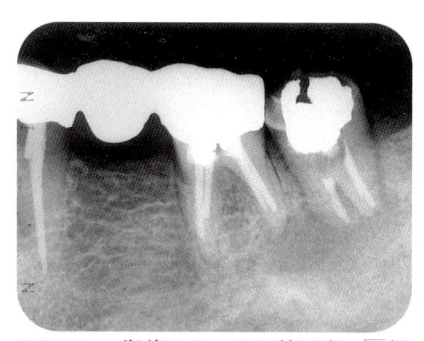

3-3-10a 術前のエックス線写真．「7根尖に透過像がみられる．

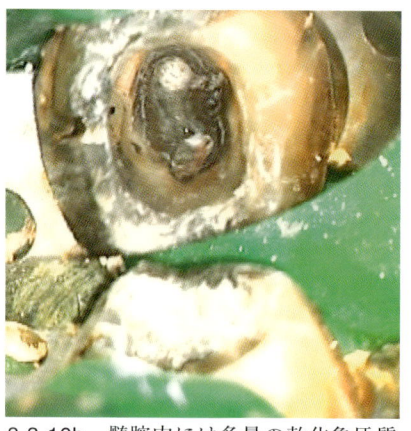

3-3-10b 髄腔内には多量の軟化象牙質が認められた．

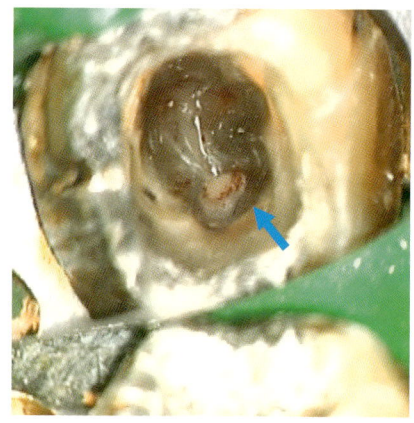

3-3-10c ガッタパーチャを除去したところ，根管内からあふれてくる出血と排膿が認められた（矢印）．

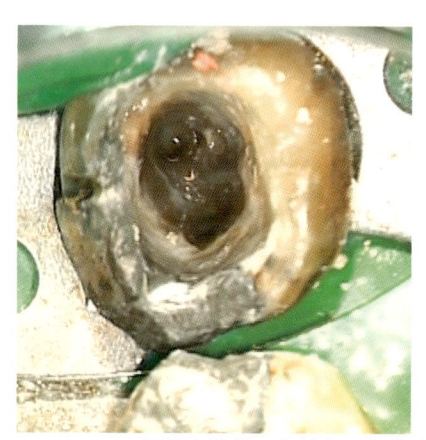

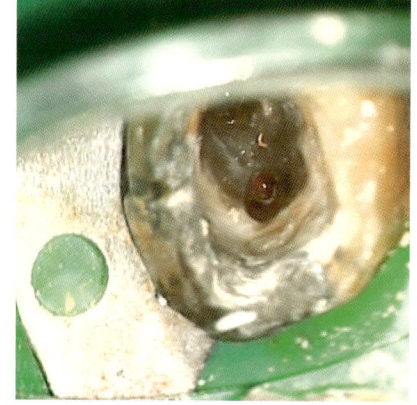

3-3-10d,e 根管充填前の根管内．根尖孔付近の軟化象牙質を取り除くと，根尖孔は広くあいてしまった．

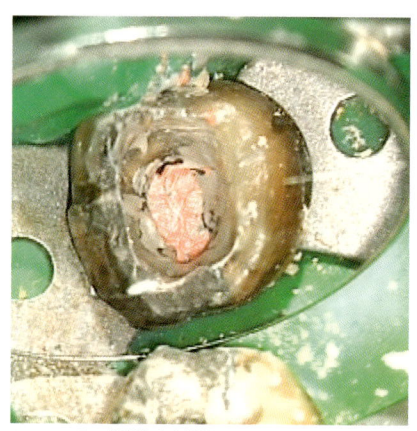

3-3-10f 根管充填時．

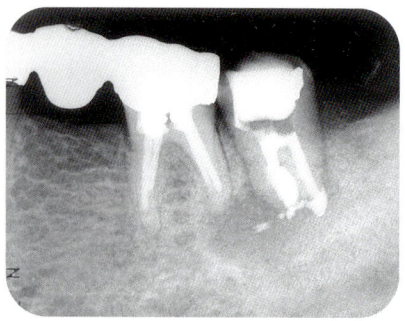

3-3-10g 根管充填時のエックス線写真．広くあいた根尖孔から根管充填材の溢出が認められる．

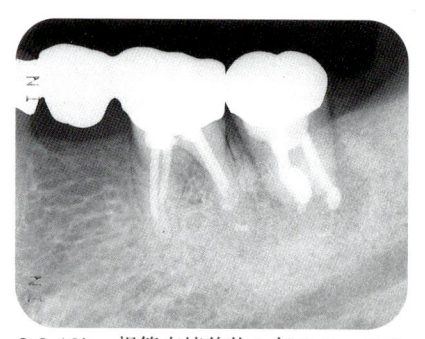

3-3-10h 根管充填後約1年のエックス線写真．

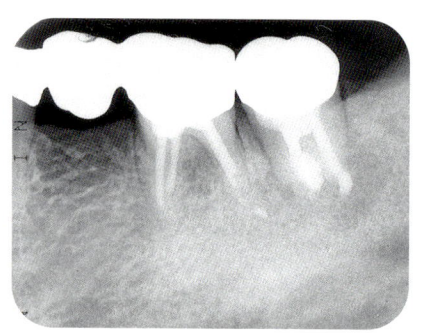

3-3-10i 根管充填後約2年のエックス線写真．透過像がかなり消失した．

ム防湿下でガッタパーチャを除去し，根管内をマイクロスコープ下で精査した（3-3-11c）．根管内の軟化象牙質を徹底的に除去した（3-3-11d）ところ，近心根管の遠心側（3-3-11e）および遠心根管の近心側（3-3-11f）に穿孔が認められた．そのほかの部分も健全歯質がかなり薄く，根管充填を行っても咬合圧に耐えられるか疑問であった．

患者には映像を使って歯根の状態を説明したのち，根管充填を行った（3-3-11g）．紹介元の主治医にも映像を添付した報告書を作成した．根管充填後1年が経過したところで，患者が歯の違和感を訴え来院したが，口腔内所見として問題はなく，エック

[感染源の除去が根管治療の成功に繋がる症例2]

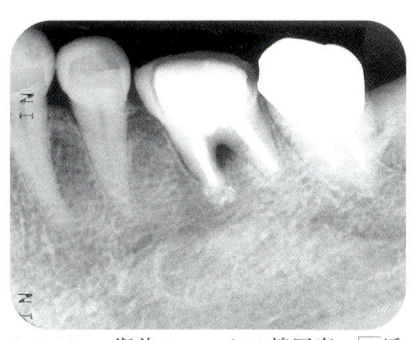

3-3-11a 術前のエックス線写真．「6近心根から分岐部にかけ透過像がみられる．

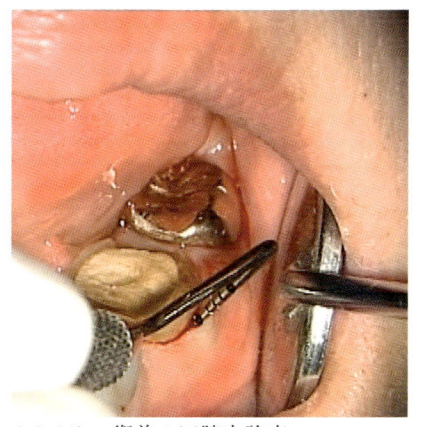

3-3-11b 術前の口腔内診査．

3-3-11c ガッタパーチャを除去し，根管内をマイクロスコープにて精査．根管内には多量の軟化象牙質が存在した．

3-3-11d 根管内の軟化象牙質を徹底的に除去．回転切削器具が届く部分は，マイクロスコープ下で回転切削器具を使用した方が効率がよい．

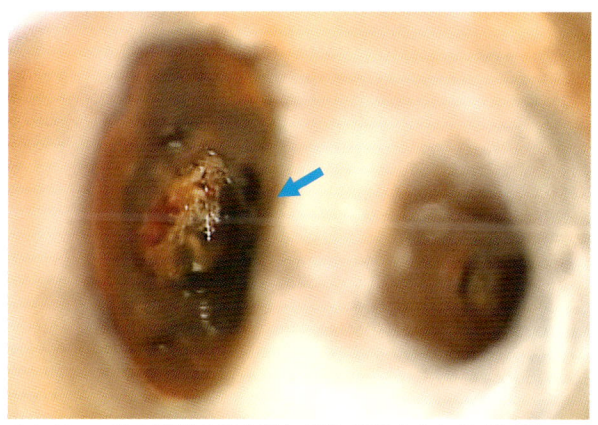

3-3-11e 近心根管の遠心側に穿孔が認められる（矢印）．

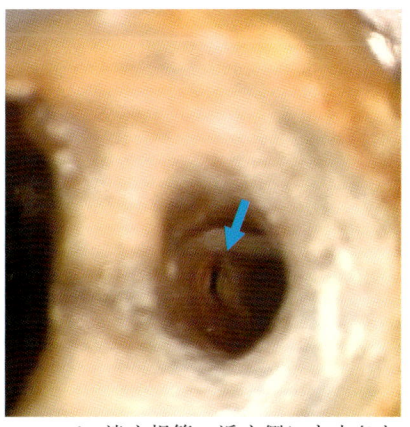

3-3-11f 遠心根管の近心側にも小さな穿孔が認められる（矢印）．

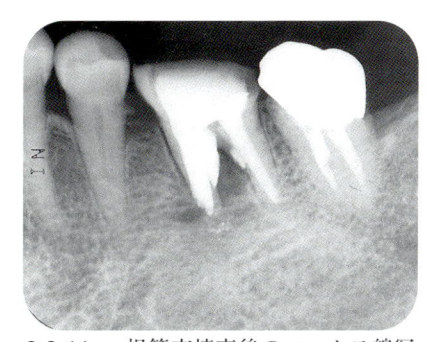

3-3-11g 根管充填直後のエックス線写真．

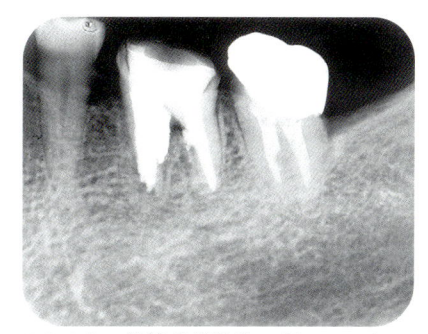

3-3-11h 根管充填後約1年のエックス線写真．経過良好である．

ス線写真でも治癒は良好（3-3-11h）である．
　ここであげた症例からもわかるように，根管治療の目的はあくまでも感染源の除去である．根尖孔まで穿通することはそのための手段であり，根管内を緊密に根管充填することは再感染を防ぐためである．感染源を除去せずに根管拡大を終了し，根管充填しても治癒は見込めないが，根管内の感染源を除去すれば生体は治癒の方向に向いてくれるのである．

ポジショニング

澤田則宏
東京都開業（澤田デンタルオフィス）

　現在，私はマイクロスコープを用いた歯内療法の際，ほとんど11時の位置で診療をしている．マイクロスコープを導入する前は9時の位置などさまざまな位置で歯内療法を行っていた．11時の位置に落ち着いたのは，ミラーテクニックを行うのに最適の位置が11時であるからかもしれない．

　見学に来られた先生から「どこでミラーテクニックを修得されたのですか？」という質問を受けたことがあるが，私はミラーテクニックをしっかりならったことがない．修得するためにちゃんと基本を学びたいと考えているが，残念ながらその機会に恵まれていないのである．ミラーテクニックを学んでいない私でも，マイクロスコープを使用しているうちに，自然と11時の位置で診療をするようになったのであるから，この位置が一番負担の少ないポジショニングなのかもしれない．

　しかし，これからマイクロスコープを使い始める先生に，あえてポジショニングのことまで規制する必要はないと考えている．いま行っている診療システムにマイクロスコープが導入されただけでも大きな変革である．そこにさらにポジショニングまで規制されては，日々の臨床ができなくなり，最後にはマイクロスコープを使わなくなるのではないだろうか．実際，マイクロスコープを導入している先生が全員11時の位置で診療しているわけではない．9時の位置からマイクロスコープを使用している先生もいらっしゃる．あまり深く考えすぎずに，とりあえず半日に15分ずつでもマイクロスコープを使う時間を作ってみたらどうだろう．まずは自分の慣れ親しんだポジショニングでマイクロスコープを使用してみよう．

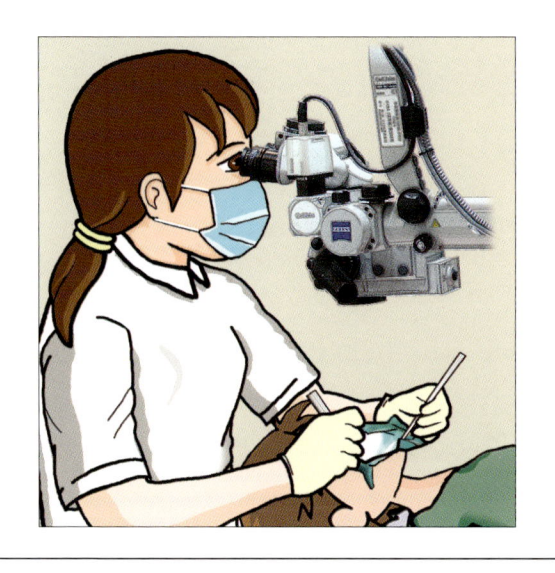

4　難症例へのアプローチ

4-1　**根管内異物の除去** ——————————— 96
　　　宮下裕志

4-2　**あかない根管** ————————————— 102
　　　飯島国好

4-3　**穿孔** ————————————————— 105
　　　澤田則宏

4-4　**歯根破折** ——————————————— 116
　　　宮下裕志

4-5　**歯根破折の診断** ———————————— 120
　　　飯島国好

マイクロスコープによる歯内療法／MI時代の歯内療法

1 根管内異物の除去

東京都開業（宮下歯科）

宮下裕志

治療用器具の破折

　根管治療中に根管内に異物が存在することが多々あるが，これは適切な根管治療を妨げることになりかねない．とくにその治療中の根管が感染している場合，あるいは疼痛を伴っている場合では，最大限の努力が発揮できない可能性があるからである．

　一般的には根管内異物を発見した場合，それを取り除く努力が必要だが，多くの場合は困難である．なぜならば，器具が破折を起こしているような症例は，根管の湾曲した部位に器具が食い込んでいるからである（4-1-1a,b）．通常リーミング操作中にあるいは回転器具を操作中に破折するのがほとんどである．根管の解剖を考えた場合，すべての根管はストレートではなく湾曲しており，その根管に対し剛性の高い治療用器具を回転させれば，回転するたびに器具には金属疲労が生じる．そしてある限界点に達したときに治療用器具の破折が起こる．

　とくにニッケルチタン製の器具では注意が必要で，ステンレススティールと比較して小さな力でも変化が生じやすく，破折しやすいことが多くの研究から示されている．頻繁に用いられる器具では注意が必要で，できるだけ早めに捨てることをお勧めする[1,2]．

根管内異物の除去器具と偶発症

　根管内異物には，高速タービン用切削バー（4-1-2a），根管治療用ファイル（4-1-2b,c），レンツロ（4-1-2d），根管内ポスト（4-1-2e～j）などがあり，これらが存在することで根管治療を困難にしてしまうことがある．そのためこれらの根管内異物を何とか除去する試みが必要とされることがある．

　長い歴史のなかではさまざまな根管内異物除去用器具が考案されてきた．筆者自身は超音波のエンドチップ（4-1-3a,b）をマイクロスコープ下で使用すること以外に何も特別なものは使用していない．

　しかし除去用器具を用いて根管内異物を除去しようとする際に，残念ながらさらなる偶発症が発生してしまうことがよくある．すなわち新たな器具の破折，根管の変移（4-1-4a～e／通常臨床で使用しているステンレススチールの硬いファイルを用いて回転，上下運動を行った場合，もともとの根管の概形が変化していくことが多い．逆にニッケルチタンの弾性ファイルをていねいに使用すれば，その変位量は最少となる），階段形成，さらには根管の穿孔である．

　このような問題を発生しないためには，その状況ごとにリスクと治療効果を考えあわせどのような治療が必要かという臨床判断とすることが重要である．とくに，根管治療を開始する前にその根管は器具の破折を引き起こしやすいのかどうかの判断も最

4-1 根管内異物の除去

[根管内異物の発見]

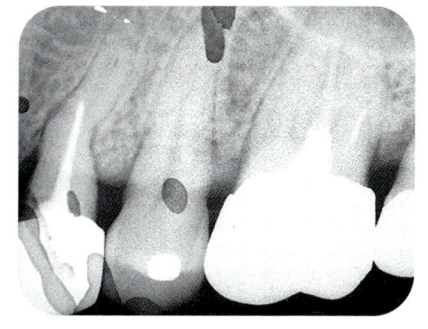

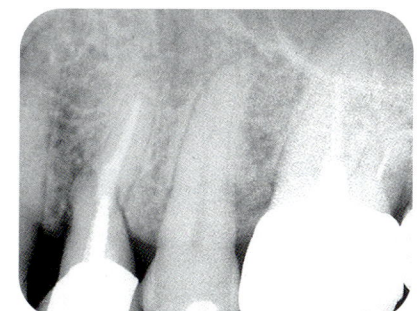

4-1-1a,b 根の湾曲部でファイルの破折が認められる．#40のリーマーが食い込んでいたが，何とか除去し，正しい根管を捜し，根管充填を行った．

[根管内異物の種類]

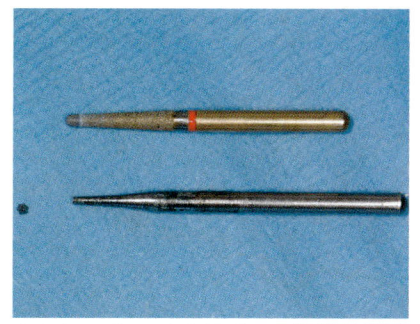

4-1-2a カーバイドバーの先端が根管内で破折してしまったが，何とか取りだした．

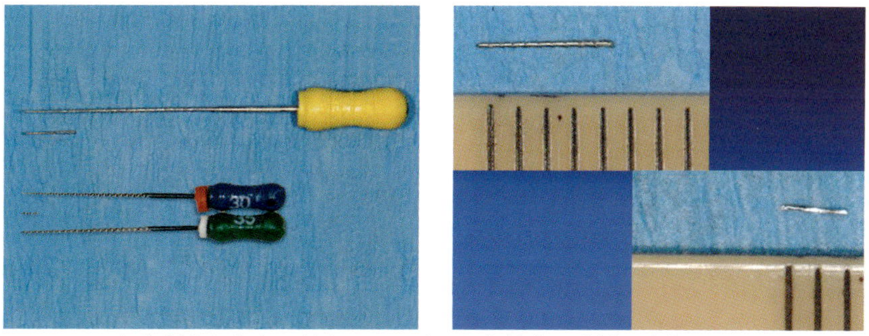

4-1-2b,c さまざまな太さ，長さのファイルが根管内に破折し残存している．

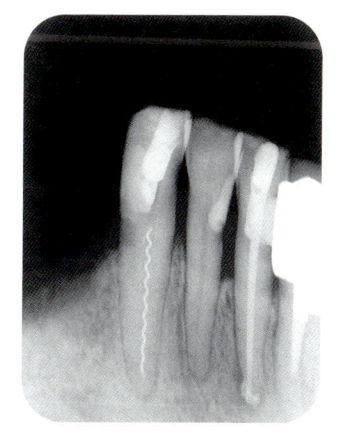

4-1-2d 根管内に残存したレンツロ．

[根管内ポストの除去]

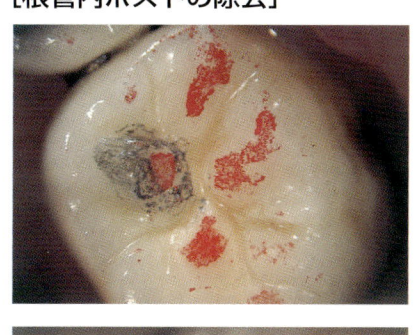

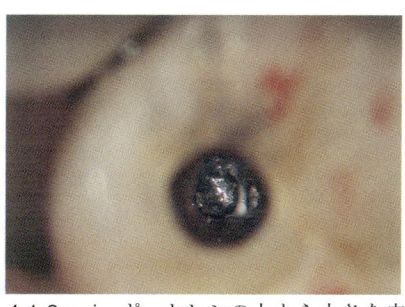

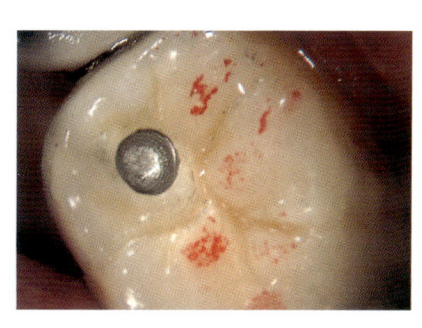

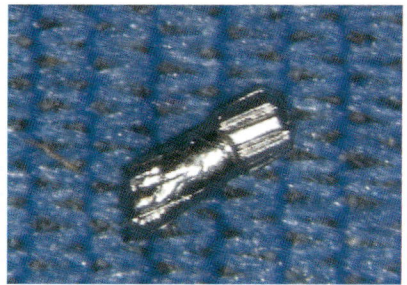

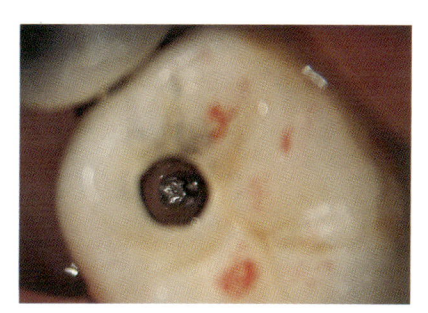

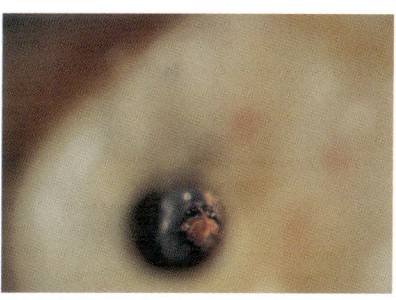

4-1-2e～j ポーセレンの上から小さな穴をあけ，メタルコアを削り取った後，根管内に埋入されていたポストの一部がみえる．超音波のエンドチップを利用することで，根管内ポストを除去することができた．除去後，ガッタパーチャにアクセスすることが可能となった．

4 難症例へのアプローチ

マイクロスコープによる歯内療法／MI時代の歯内療法

[除去用器具]

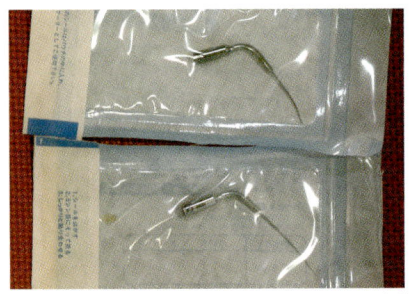

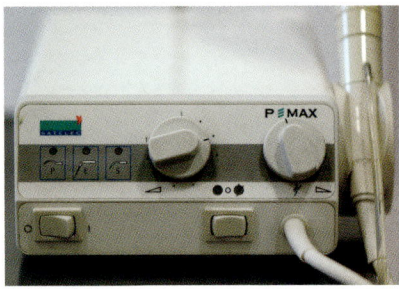

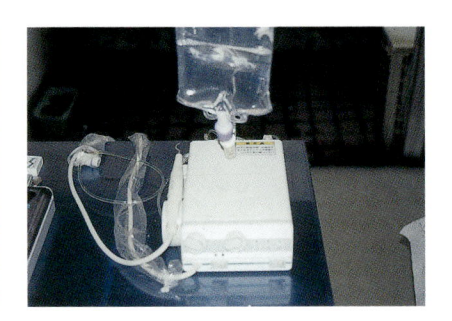

4-1-3a〜c　超音波のエンドチップ．減菌環境が可能な装置である．

[偶発症／根管の変移]

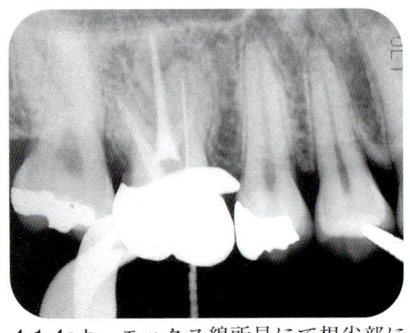

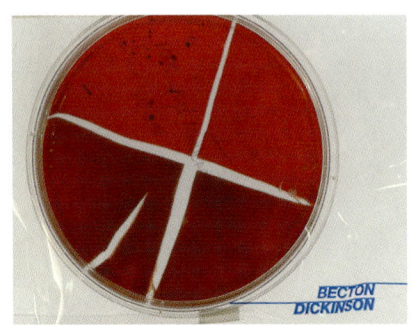

| 4-1-4a | 4-1-4b |

4-1-4a,b　エックス線所見にて根尖部に透過像が認められる 6]．近心根管は1根管で近心頬側根管のみ根管の開口部が存在したが，根尖部は閉鎖している．近心頬側第2根管（MB2と呼ばれる）は根管の開口部は石灰化し閉鎖しているようにみえた．
　細菌検査を行ってみるとかなりの数の細菌が検出されたことから，未治療の近心頬側第2根管への感染が示唆されたため，根管開口部の石灰化部をていねいに除去していった．

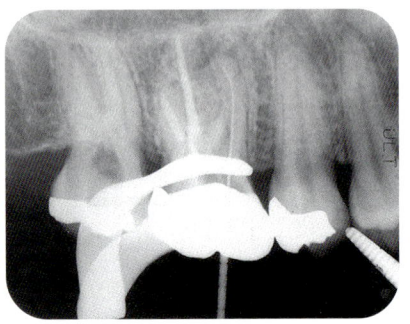

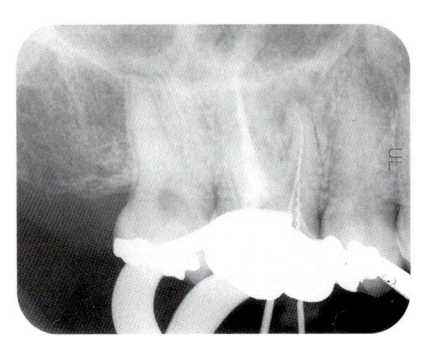

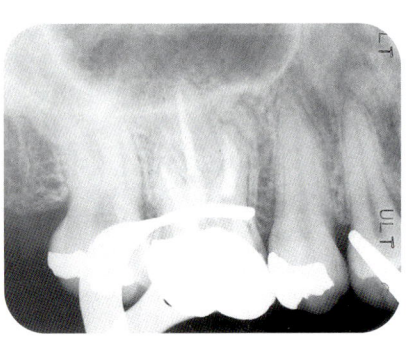

4-1-4c〜e　ようやく近心頬側第2根管を発見したが，かなり細いため治療が難しい．ほぼ根尖部で器具の破折を引き起こした．感染根管のため，新たな作業長を決定した後に近心頬側第2根管にファイルを挿入しエックス線写真を撮影，破折器具を何とか除去したが，その結果根管が直線的に変移を起こしている．

も大切な事柄の1つである．そして，それらに影響を与える因子として次のような事柄が挙げられる．

器具の破折対策

治療前に考えること

・臨床症状がないかどうか

・根尖部の状態（感染がないかどうか：根尖部圧痛，打診，エックス線写真）

・根管の状態（湾曲度がどうか：複数のエックス線で）

器具を回転する前に考えること

・治療用器具は疲労していないか（使用前にマイクロスコープで確認し，変形している器具は捨てる／4-1-5）

・十分に根管口付近は拡大されているか（破折しな

[治療用器具の疲労をマイクロスコープで確認]

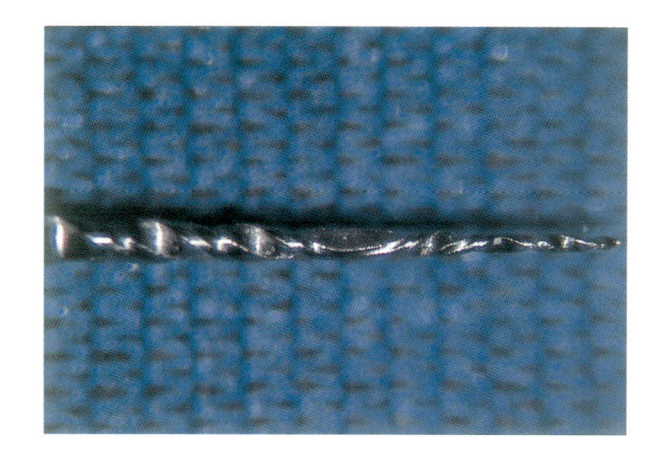

4-1-5　治療用器具が金属疲労していないかどうかを，マイクロスコープで観察し，安全の確認を行う．
　　　器具に変形が認められた場合はすぐに捨てるべきである．

[根管内バイパス形成と破折器具の除去]

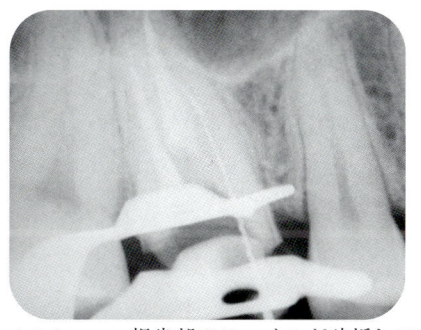

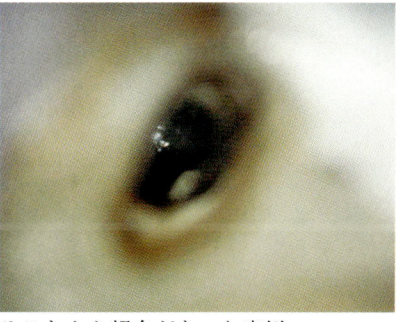

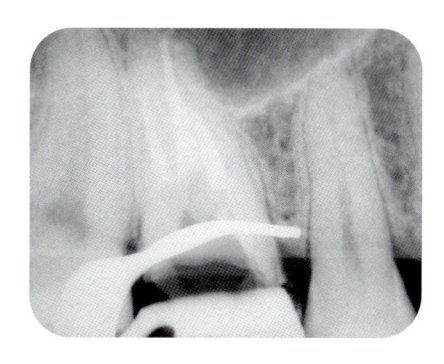

4-1-6a〜c　根尖部でファイルが破折していることから紹介があった症例．
　a　破折器具の内側から細いファイルを用いてバイパスを作って根尖部にアプローチを行った．
　b　除去するためにはマイクロスコープ下でファイルが確認できないと不可能である．
　c　結果としてファイルを除去することができ，根管充填した．補綴治療は開業医の先生により行われた．

い器具，あるいは破折してもネックの部分で破折が起こるために，除去しやすいゲーツグリッテンドリルなどを用いる）
・回転する際に器具を根管に食い込ませないように配慮する

破折してしまった場合に考えること

・臨床症状がないかどうか
　臨床症状がある場合は，可及的に除去する努力をする，あるいはバイパスを作り感染を除去する．
・根尖部の状態
　根尖部にエックス線透過像を伴う場合は，可及的に除去する，あるいはバイパスを作り感染を除去する．
・根管の状態
　細菌検査により根管が感染している場合は，可及的に除去を試みる
・破折した器具の太さおよび長さ
　破折前に根管治療が十分に行われていたかどうかを考える．
・破折した部位
　除去できるかどうかを考える．

破折器具の除去

　根尖部にエックス線透過像を伴う場合では，根管内の感染を除去するために，まずは破折した器具を除去する努力が必要である．しかしながら，いつも可能かというとそうではない．それぞれの診療室ではそのために必要な道具が揃っていないからである．まず，必要なものはマイクロスコープであるが，破折した器具が見えなければ，マイクロスコープが

[破折器具の除去を行うかどうかの判断]

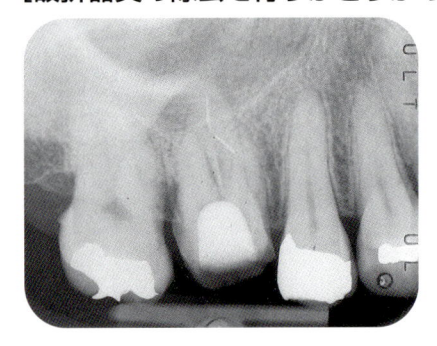

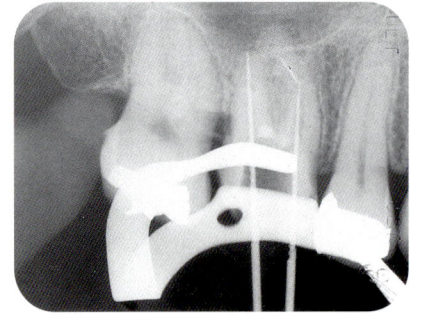

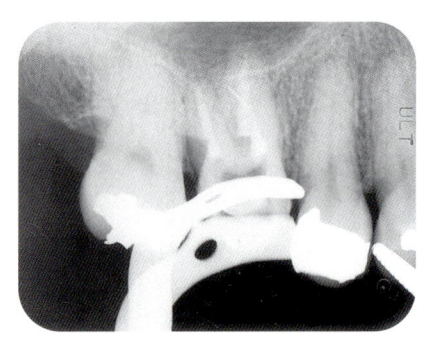

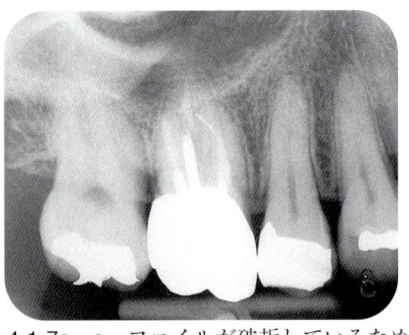

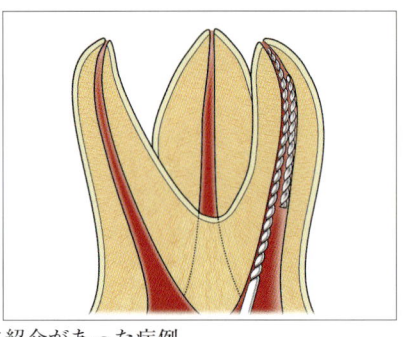

①折れた器具の外側に新たにファイルを入れバイパスを作って形成すると，根管の変位が起きてしまう．可能ならば破折器具の内側にファイルを挿入しバイパスを作って形成する．エックス線写真にて確認を行う．

4-1-7a〜e　ファイルが破折しているために紹介があった症例．
　口蓋根管と近心根管と両方に破折片が認められる．近心根管は湾曲しており，かつ根尖部であったため，感染の有無を確認し根管充填しコントロールしている．口蓋根管のファイルは除去した．
　この症例では，根管の感染が認められないこと，湾曲度が強く太いファイルが破折しており，除去のメリットよりもデメリットが大きいため除去していない．ただし将来問題が発生しても対応できる状態にしておくことが大切である．補綴治療は依頼のあった開業医の先生により行われた．

[根管内バイパス形成と感染除去]

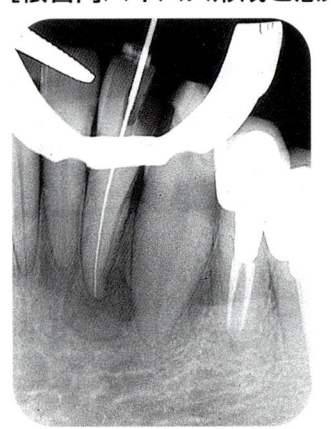

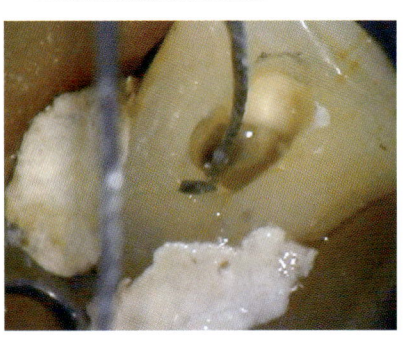

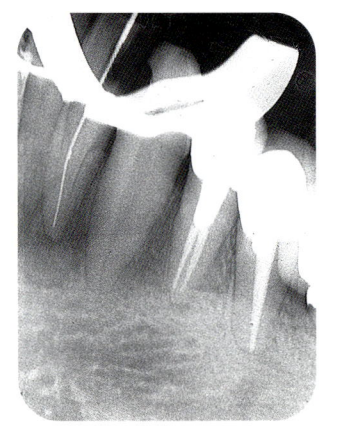

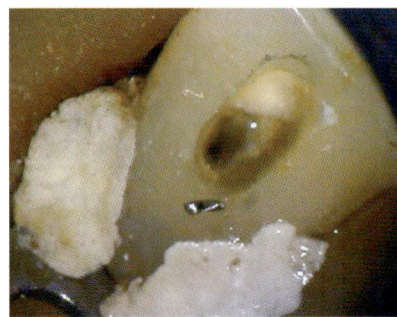

4-1-8a	4-1-8b

4-1-8a　初診時．作業長決定の際のエックス線写真．#15のニッケルチタンファイルを21mmまで挿入してエックス線写真を撮影した．この後，#35のニッケルチタンファイルが4mm程度破折した．その日のうちにファイルは除去した．

4-1-8b　次回来院時．作業長は20mm，#20に決定．エックス線写真を撮影したところ，根管中央部にまだファイルの破折片が残存していることがわかった（1mm程度）．バイパスを形成して根管の感染を除去する努力を行う．

4-1-8c,d　根管は頬舌的に思ったよりも湾曲しているので，マイクロスコープでも見ることはできない．この例は運よく1mmの破折片も除去することができた．

あっても除去することは困難であろう（4-1-6a～c）．

除去に際しては無理をしないことである．歯内療法の専門医であっても，いつも必ず根管内異物を除去できるわけではない[3]．

[根管内バイパス形成]

最も大切なことは，その器具が除去できるかどうかの診断を行うことである．場合によってはすでに取り除くのが不可能な場合がある．

もしも除去できないとわかったならば，バイパスを作り新たな作業長を決定し，できるだけ根管の感染を除去することを目標とする（4-1-7a～e）．

[器具破折の予防対策]

器具の破折に関しても予防対策が重要である．

ファイルが折れないように予防することと，根管が感染しない予防をしておくことである．ひとたび折れてしまっては，取り除くために大変な労力がかかる．

ラバーダムを行い，できるだけ感染させない配慮を臨床で行っているならば，たとえ抜髄治療中に突然ファイルが折れたとしても，あわてる必要はないし，またそれが除去できなくとも問題は起きないはずである．ラバーダムを含めた徹底的な無菌的アプローチについては述べたが（3-2　感染の除去／75頁参照），術者自身のテクニック的な問題をカバーしてくれるという非常に大きなメリットがある．

参考文献

1. Camps JJ, Pertot WJ：(1995) Torsional and stiffness properties of nickel-titanium K files. Int Endod J. 1995；28(5)：239-43.
2. Bonetti Filho I, Miranda Esberard R, de Toledo Leonardo R, del Rio CE. (1998) Microscopic evaluation of three endodontic files pre- and postinstrumentation. J Endod.1998；24(7)：461-4.
3. Suter et al.：Probability of removing fractured instruments from root canals. Int Endo J. 2005；38, 112-23.

ピラミッドの入口

飯島国好

東京都開業（飯島歯科医院）

ピラミッドは完成と同時に盗掘が始まる．なにせその村の人びとが子孫代々まで食べていけるほどの財宝が埋まっているのである．そんな中にあって，若くして亡くなったツタンカーメン王のピラミッドだけは奇跡的に盗掘を免れてきた．何千年も入口がわからなかったのだ．

近代になって，調査が開始され発掘が始まった．しかし，どうしても土に埋もれてしまっているピラミッドの入口がわからない．もうこれで調査は打ち切ろうかという時になって，一人の男が思いついた．探検隊のゴミ置き場として使っている場所だけがまだ発掘されていなかった．そうだ，あそこを掘ってみよう！　まさにそこがツタンカーメン王のピラミッドの入口であった．

この話は，高校時代の世界史の授業で聞いた．事実かどうかは不明である．しかし，根管の入口がわからないときいつも思い出す．本来あるべき場所をもう一度徹底的に探そう．隠されているピラミッドの入口を探そう．さあ，削片をどけてみよう．

2 あかない根管

東京都開業（飯島歯科医院）

飯島国好

あく根管とあかない根管の診断

　あかない根管には，完全に石灰化している根管，本来の根管から逸脱してしまっている根管，人為的に閉鎖されてしまっている根管，閉鎖はしていないが狭小化していて器具が入らない根管などがある．したがって，あかない根管の根管治療の際に大切なことは，あかない根管を無理にあけることではなく，第一にあかなくなっている原因を診断することであり，第二にあく根管かあかない根管かを判断することであり，第三にあかない根管をあけるよう無理のない挑戦を行うことである．

　つまり，あかない根管の根管治療で大きなウエイトを占めているのは診断である．マイクロスコープはあかない根管の根管治療にはとりわけ大きな戦力になる．

石灰化した根管

　石灰化した根管は石灰化の部位が根管口付近から，根管の中ほど，根尖付近などさまざまである．これまでレントゲン写真や手指の感触で判断していたものが，マイクロスコープの使用によって石灰化が自分の目で確認できるようになり，安心してあかない根管であると診断できるようになる（4-2-1a,b）．

　マイクロスコープで確認できない場合には，根管内を次亜塩素酸ナトリウムを満たして電気的根管長測定を行い，根尖よりアンダーの数値を示せば根尖で石灰化している可能性が高い．この方法は臨床ではかなり活用できる．覚えておいて損はない．

逸脱した根管

　リーマーやKファイルは思っている以上に切削力が強いので，簡単に根管壁を穿孔し，人工根管を開削してしまう．補綴物や修復物があると器具の挿入方向に制約を受け，方向が逸脱することもあるので（4-2-2a,b），補綴物を作り直す場合には術前に除去してから根管を探索する．

　根管がなかなか発見できない場合には，途中でレントゲンを撮影し方向を確認するとよい．一番確実に根管の逸脱を防ぐには，マイクロスコープを使用しながら根管治療を行うか，少しでも抵抗を感じたらマイクロスコープで方向を確認することが大切である．思わぬところに根管を発見することがあり，マイクロスコープの有難みと手探りの根管治療の限界を感じる．

[石灰化した根管]

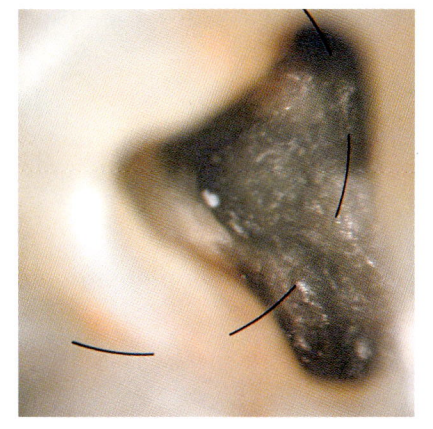

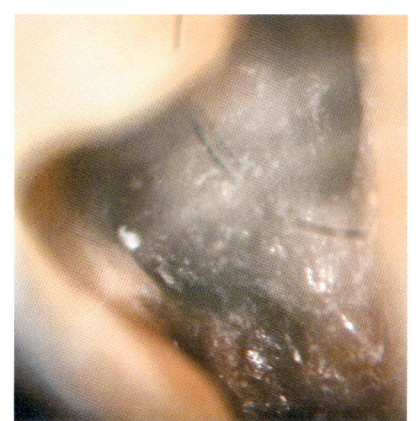

4-2-1a　根管口が石灰化しているのがわかる．
4-2-1b　aの拡大像．

[逸脱した根管]

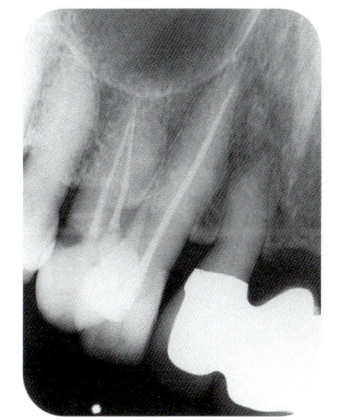

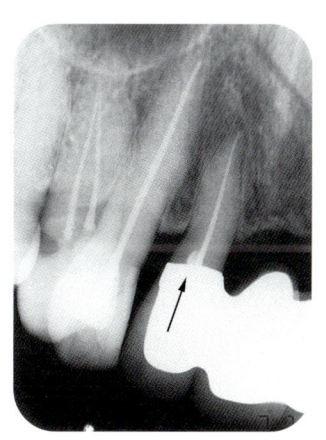

4-2-2a　補綴物が装着されている側切歯が歯髄炎を惹起した．
4-2-2b　根管を探していたのだが方向が違っており根管を少しそれた（矢印）．マイクロスコープで本来の根管を発見できた．

[人為的に閉鎖された根管]

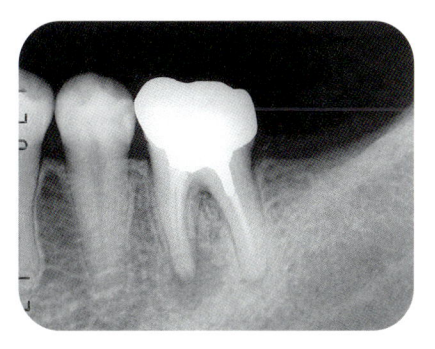

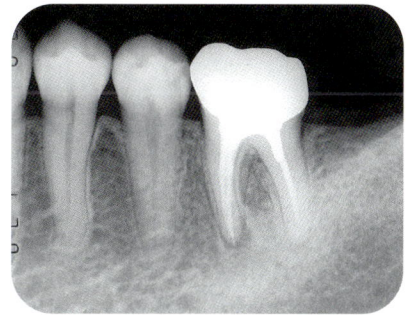

4-2-3a　治療中に目詰りを起こした |6 近心根が4年後に再発した．
4-2-3b　超音波で目詰りを解消して再根管充填を行った．徐々に近心根の透過像は小さくなっていっている．

人為的に閉鎖された根管

リーマーやファイルが破折して封鎖されてしまった根管，治療中に人工的に切削片などで目詰まりを起こしてしまった根管などが人為的に閉鎖されてしまった根管である．マイクロスコープによって，場所や方向を確認しつつ超音波スケーラーで遊離除去を試みる（4-2-3a,b）．自分で閉鎖させてしまった場合はたいてい思いあたるふしがある．「急いては事を仕損ずる」である．

あきにくい根管

あきにくい根管には，加齢による石灰化や狭窄などによって自然に閉鎖された根管，極端に湾曲して

病変のあるあかない根管

　病変があるのにあかない根管は，まずあきにくくしている原因を探り，原因の除去に努める．次にできるかぎり根尖に近づくように慎重に探索を進める．最終的にどうしてもあかない場合には，形成された部分までの清掃と消毒を十分に行い，そこまでの根管充填を行う．補綴などが必要な場合は経過をみてから行うようにする．

　もともとあかないくらい石灰化で細くなっている根管であるから，細菌や起炎性物質の量も少ない．根管口を完全に封鎖し，修復物の辺縁が十分な歯肉縁上歯質に設定されていて，口腔内との交通を遮断していれば，再発を防ぐことは可能である．この場合は根管治療よりも口腔内常在細菌との交通をシャットアウトすることが重要である．

ミラーの選択

飯島国好

東京都開業(飯島歯科医院)

　マイクロスコープを使用して歯内療法を行う場合，患歯を直接視ることができる場合はほとんどない．したがってマイクロスコープの治療は通常の歯科治療以上にミラーを多用することになる．

　この場合，使用するミラーが大きいとミラーカットがなく，患歯をマイクロスコープの視野の中心に捉えることだけに集中することができるので有利である．そこでマイクロスコープ用のミラーとして，第一選択はデンタルミラーではなく，臼歯部の頬側面や舌側撮影用の口腔内撮影用のミラーを使用している．部位によっては，角度のないストレートのミラーなので，対合歯にぶつかって入らない場合もある．そのような場合はデンタルミラータイプのミラーを使用している．

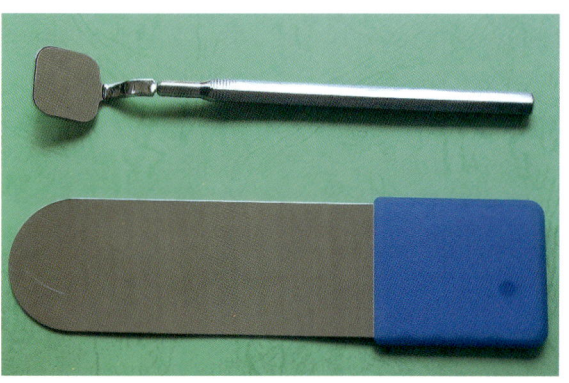

図1　マイクロスコープ用ミラー．

3 穿孔

東京都開業(澤田デンタルオフィス)

澤田則宏

予知性の高い穿孔部封鎖法

臨床で遭遇する事故の一つに穿孔(Perforation)があげられる．穿孔は，根管治療中や築造窩洞形成中に不注意で生じる人工的なものと，軟化象牙質がすでに髄床底に広がり，それを除去することにより生じる病的なものがある．どちらの場合も，処置が適切でなければ患歯の予後は不安なものになるであろう．ここでは，マイクロスコープを用いた予知性の高い穿孔部封鎖法について解説する．

穿孔部封鎖処置としては，外科的処置[1]と非外科的処置の2通りが考えられる．マイクロスコープを使った外科的歯内療法(Microsurgery)は，根尖切除術の精度を高め成功率の上昇に貢献した[2,3]．歯内療法におけるマイクロスコープの使用は，外科的歯内療法への応用から始まったため，穿孔部封鎖処置も外科的に歯根の外側から行うことで同様の結果が得られるのではないかと期待されていた．しかし，実際に外科的な穿孔部封鎖処置を行う(図1)と，その予後は必ずしも良いとはいえなかった．

穿孔部封鎖処置を外科的に行った場合，歯根表面に窩洞形成をし充填を行うが，この窩洞は歯根表面に外向きの窩洞となるため，通常の歯科用セメントなど接着性のない材料で修復すると，封鎖性材料が脱離しやすくなってしまう(図2)[4]．また，接着性レジンなどの材料による封鎖を試みるためには，被着面の十分な乾燥やプライマー・ボンディング処理などを確実に行う必要があり，周囲に血液のある状況で確実な処置をすることは困難を極める．

一方，穿孔部封鎖処置を非外科的に行った場合，窩洞は内向きとなるため，脱離する心配が少なくなる[4](図3)．現在，筆者は穿孔部封鎖処置をマイクロスコープ下で根管内から試み，Internal Matrix Techniqueを応用することにより，確実な臨床成績を得ることに成功している．

穿孔部封鎖の原則

穿孔部封鎖の原則は「無菌的に」，「緊密に」封鎖することである．どの歯科材料を使っても，穿孔部周囲に軟化象牙質を取り残した状態では治癒しない．通常の根管治療同様，感染を除去し，無菌的にすることが大原則である．たとえ穿孔していたとしても，無菌動物では何もしなくても治癒する[5]ことから，感染を除去することが最も重要ということが明らかである．

また，穿孔部封鎖後に歯根の外から再感染することを防ぐという点で，緊密に充填することも必要である．もし歯周病などの進行により，封鎖した穿孔

[外科的穿孔部封鎖処置]

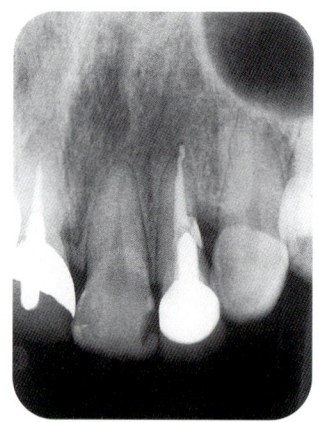

図1 側切歯遠心に認められた穿孔部を外科的に歯根表面から封鎖した.

[穿孔部の外科的封鎖]

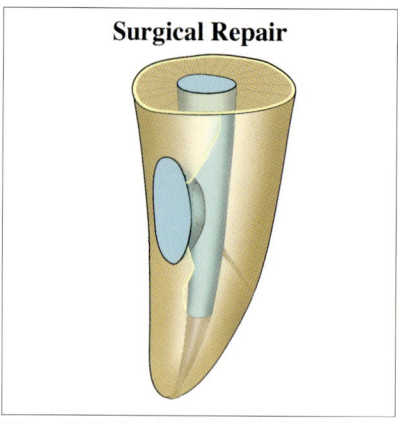

図2 穿孔部を外科的に封鎖した場合,窩洞は歯根表面に向かって外向きとなるため,修復材料の脱離が起こりやすくなる(文献4より引用).

[穿孔部の非外科的封鎖]

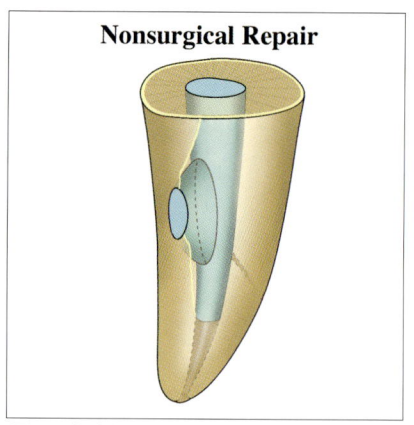

図3 穿孔部を非外科的に根管内から封鎖した場合,窩洞は内向きとなり,修復材料の脱離は起きにくくなる(文献4より引用).

[穿孔部から歯周組織内に入れる吸収性材料]

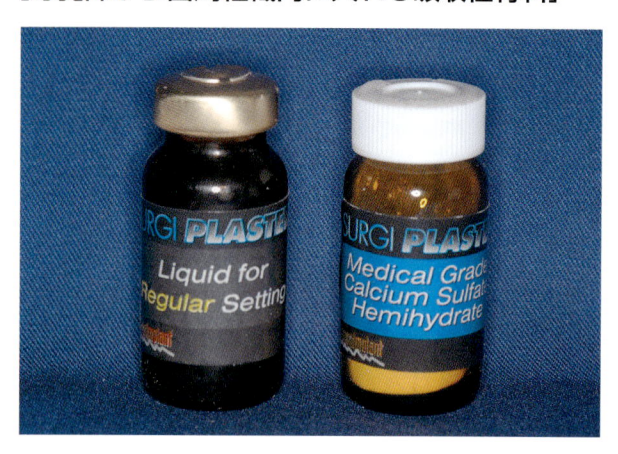

図4 医療用カルシウムサルフェート.
カルシウムサルフェートは操作性もよく,数週間で吸収され,骨に置換される.

部が歯周ポケットを介して口腔内に露出した場合,緊密でない穿孔部封鎖材料を通って根管系が瞬く間に再感染してしまう危険がある.

Internal Matrix Technique

根管充填と同様に,穿孔部封鎖の際も,充填材料が穿孔部から溢出してしまうと,その材料周囲は慢性炎症が起こり,治癒が遅延する可能性がある.Internal Matrix Techniqueは,穿孔部から歯周組織内に吸収性材料を押し込み,マトリックスを形成することにより,充填材料の溢出を防ぐ方法である[6].このマトリックスの形成により,出血をコントロールし完全に止血することも可能となったた

め,接着性材料など複数のステップ操作を必要とする材料でも安心して使用することができるようになった.

マトリックス材料は,封鎖処置後に歯周組織で速やかに吸収され,生体に害を及ぼさないものを選ぶ必要がある.マトリックス材料としては,ハイドロキシアパタイト[7],コラーゲン性材料[8,9],カルシウムサルフェート[7],酸化セルロース性材料[4]などの報告がある.筆者は,以前コラーゲン性材料をマトリックス材料として使用していたが,最近では医療用カルシウムサルフェート(図4)を使用している.

穿孔部を封鎖する充填材料は,さまざまな材料が使われている.従来使われてきたのはアマルガムであったが,封鎖性や着色などの問題から最近ではほとんど使われなくなっている.

[Internal Matrix Techniqueの術式]

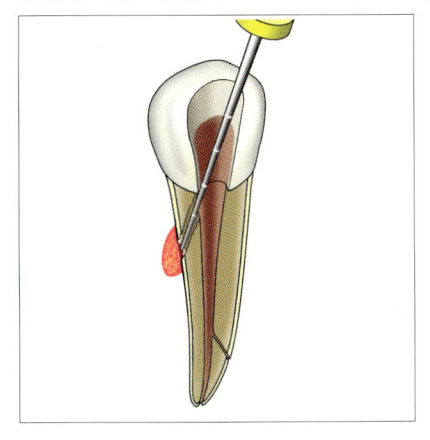

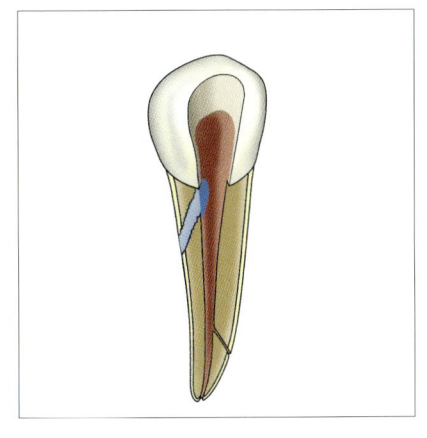

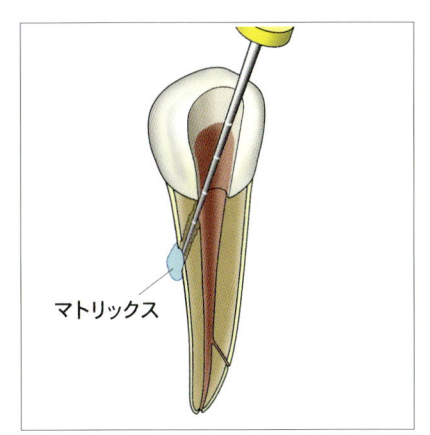

図5	図6	図7
		図8

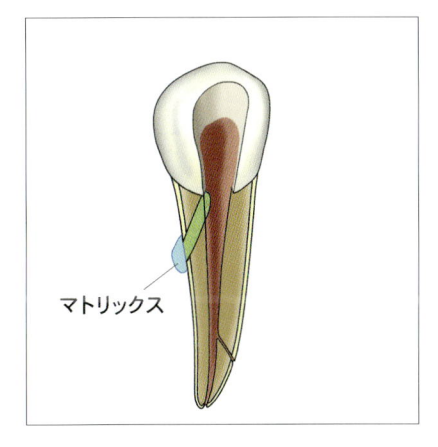

図5　浸潤麻酔をし，マイクロスコープ下にて穿孔の位置および大きさを確認する．
図6　穿孔部周囲の感染歯質を完全に除去し，ヒポクロなどを穿孔部に填入し無菌の状態にする．
図7　プラガーなどを用いてマトリックスを穿孔部から歯周組織内に充填する．マトリックス材は歯根表面と同じレベルまで充填する．
図8　穿孔部を修復材料で充填する．

　Internal Matrix Techniqueを行うのであれば，止血も完全に行うことができるため，接着性材料の使用も可能である．封鎖性および歯周組織への為害性，穿孔の位置そして充填の操作性などを考慮し，症例ごとに決めるとよいだろう．筆者は，接着性レジンかProROOTのどちらかを選択している．

Internal Matrix Techniqueの術式

　患歯には術前に十分な浸潤麻酔を行い，術中の再感染を未然に防ぐためにもラバーダムを必ず装着する．マイクロスコープを用いて，根管内から穿孔部の位置および大きさを確認する（図5）．

　穿孔部周囲の軟化象牙質を徹底的に除去し，ヒポクロを数分間入れ，無菌化を確実に行う（図6）．プラガーなどを用いて，歯周組織内にマトリックスとなる材料を充填する（図7）．このときマトリックスは歯根表面と同じレベルになるようにしっかり充填し，周囲の健全歯質にはマトリックス材料が付着していないことをよく確かめる．

　接着性レジンなどで穿孔部を封鎖する場合には，ヒポクロのコラーゲン喪失による接着への影響を考慮し，この時点で穿孔部周囲の健全歯質を一層削除しておくとよい．穿孔部を充填する材料は，歯周ポケットとの関係や操作性などを考慮し，グラスアイオノマー，接着性レジン，もしくはProROOTを使用する（図8）．

穿孔の位置

　穿孔の位置によって，封鎖処置の難易度および予後が変わってくる．穿孔部が歯周ポケットなどを介して口腔内と交通していない場合には比較的予後も良いが，歯頸部付近の穿孔で口腔内と交通している場合には予後に不安が残る．

　歯頸部近くの穿孔では，封鎖後に穿孔部周囲に歯周ポケットが形成されてしまう可能性が高い．歯周

[穿孔の位置]

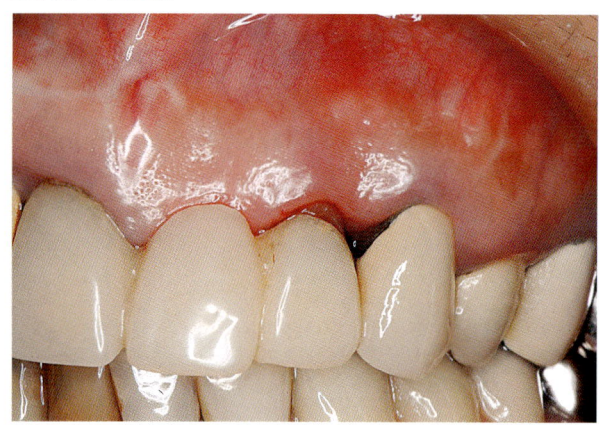

図9　|2遠心歯頸部直下の穿孔部封鎖を行ったが，限局性の深い歯周ポケットが残ってしまい，審美的な問題を残してしまった．

[穿孔部封鎖材料]

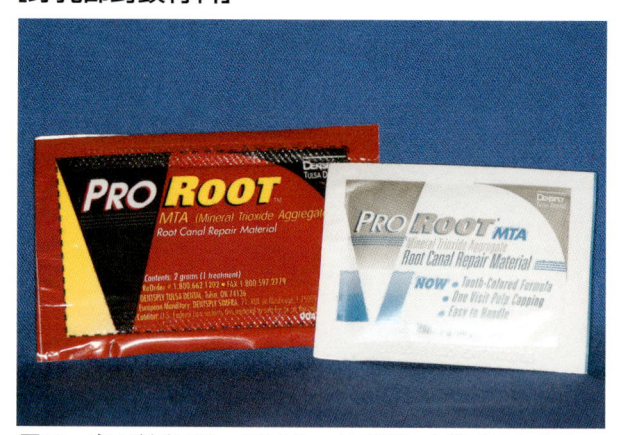

図10　左が従来のProROOT，右が新しく発売された白いProROOT．

[症例1]　根中央部唇側の穿孔

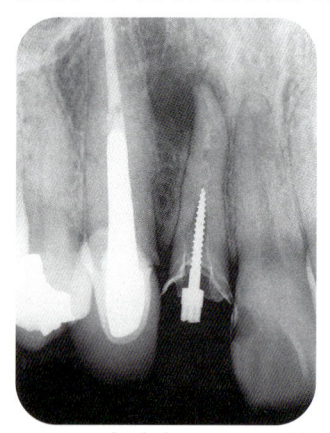

4-3-1a　初診時のエックス線写真．|2の根尖部に透過像が認められる．

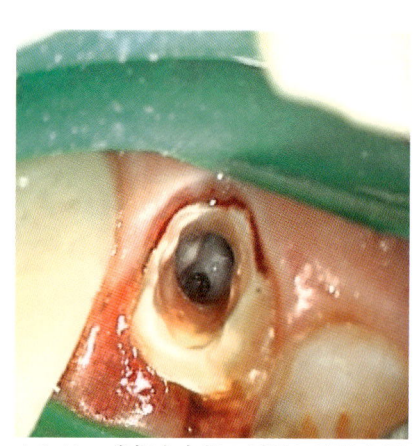

4-3-1b　歯根中央部の唇側に穿孔を認める．

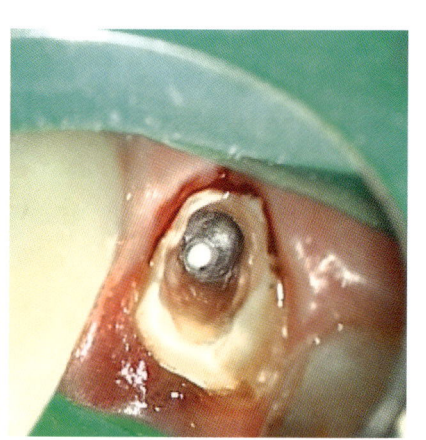

4-3-1c　医療用カルシウムサルフェートを穿孔部より歯槽骨内に充填する．

ポケットから細菌感染が及ぶと，穿孔部封鎖に使用した歯科材料の表面は汚染されてしまい，その表面を患者が自分で清掃することは難しいため，結果として穿孔部を中心として歯周病が広がってしまうのである（図9）．

もし，穿孔部封鎖材料に接して，歯根膜が再生されるのであれば，深い限局性の歯周ポケットが形成される可能性が低くなり，予後も良くなるであろう．歯科材料表面に接してセメント質ができるという唯一の材料がProROOTである[10]（図10）．残念ながら現在わが国では，薬事法でまだ認可されていないため手に入らない．

症例供覧

穿孔部封鎖をInternal Matrix Techniqueにて行った症例を供覧する．

[症例1]　根中央部唇側の穿孔

|1の再根管治療をはじめたところ，唇側に穿孔が認められたため，歯内療法専門医である筆者のところへ処置を依頼された．初診時に診査・診断を行い（4-3-1a），治療を開始した．

根管内をマイクロスコープで精査したところ，根中央部の唇側に穿孔が認められた（4-3-1b）．医療用

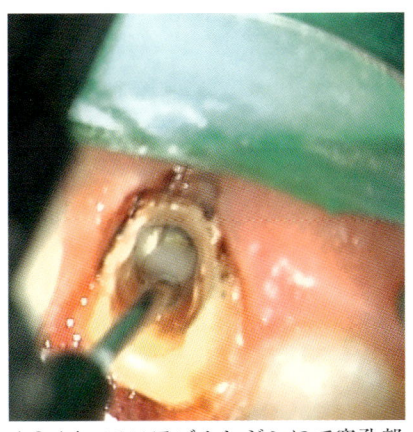

4-3-1d　フロアブルレジンにて穿孔部を封鎖．

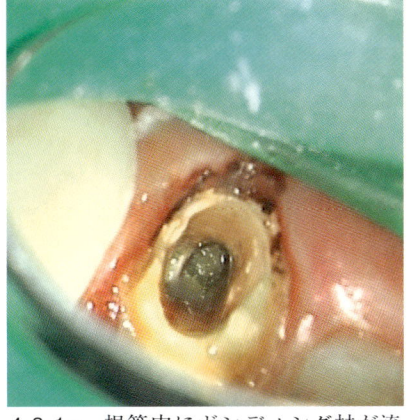

4-3-1e　根管内にボンディング材が流れ込むと，その後の処置が難しくなってしまうため，根管内には綿球を前もって挿入しておき，封鎖処置後に超音波チップなどを用いて綿球を除去すると根管内を誤って封鎖してしまうようなことがない．

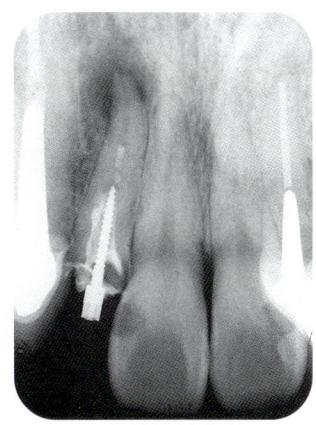

4-3-1f　穿孔部封鎖時のエックス線写真．

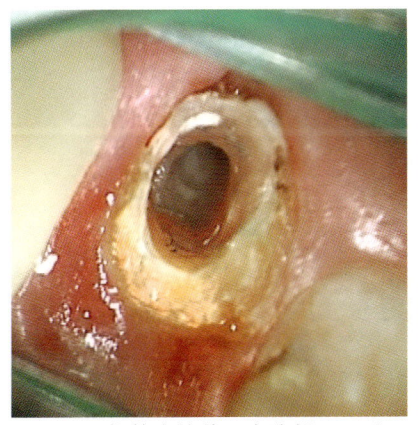

4-3-1g　根管充塡前の穿孔部．レジンにてしっかり封鎖されている．

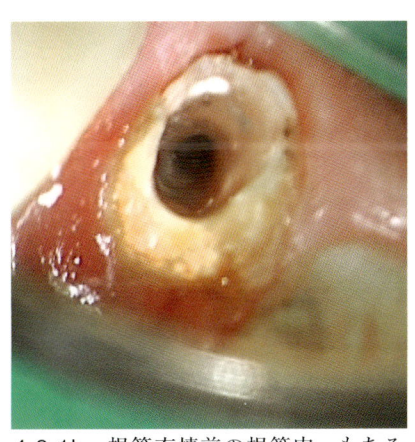

4-3-1h　根管充塡前の根管内．もちろん感染源をすべて除去し，排膿などの炎症所見はないことを確認する．

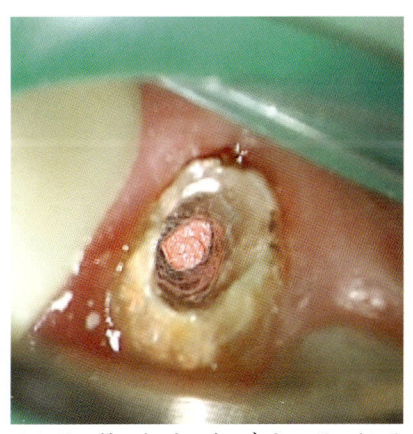

4-3-1i　ガッタパーチャとシーラーにて根管充塡．

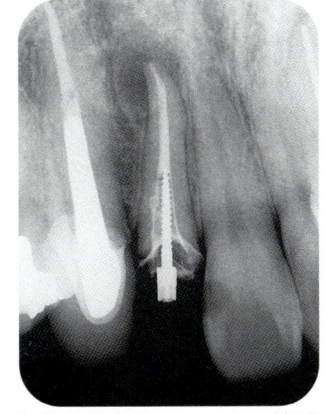

4-3-1j　根管充塡直後のエックス線写真．

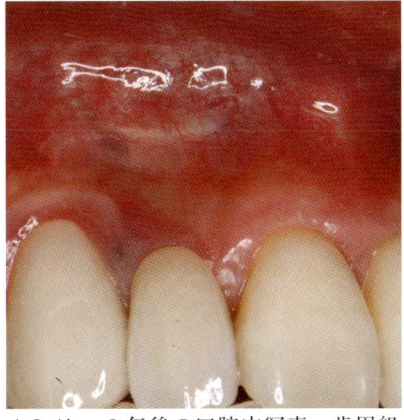

4-3-1k　2年後の口腔内写真．歯周組織の状態は健全であり，歯周ポケットなどの再発は認められない．

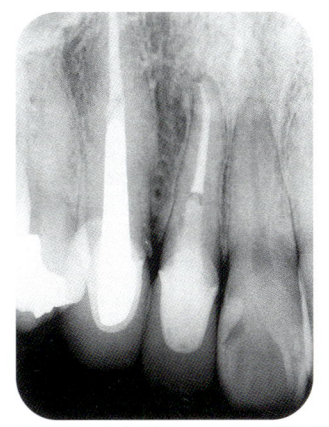

4-3-1l　2年後のエックス線写真．根尖の透過像も消え，歯根周囲にも炎症所見は認められない．

カルシウムサルフェートを穿孔部から歯槽骨内に充塡し，完全な止血を行うとともに，充塡材料が歯槽骨へ溢出しないようにマトリックスを形成した（4-3-1c）．根管壁を十分乾燥させた後，フロアブルレジンにて穿孔部を無菌的に緊密に封鎖した（4-3-1d～f）．

その後，通法どおりに根管治療を行い，根管充塡

マイクロスコープによる歯内療法／MI時代の歯内療法

[症例2] 髄床底の穿孔

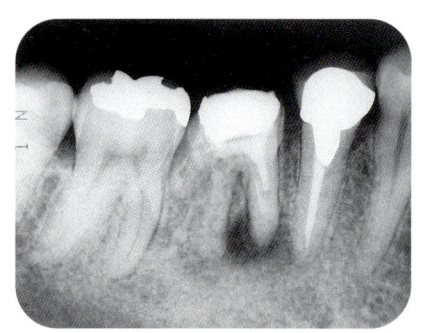

4-3-2a 術前のエックス線写真.

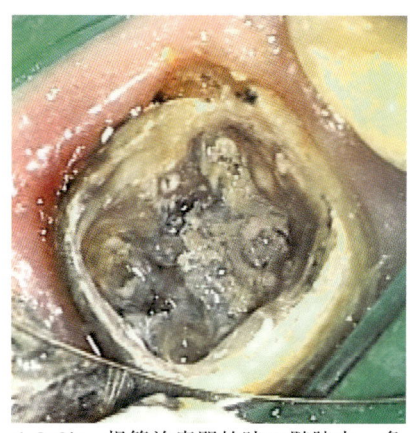

4-3-2b 根管治療開始時の髄腔内. 多量の軟化象牙質が認められる.

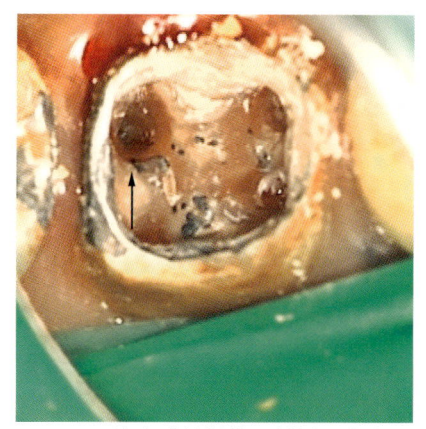

4-3-2c 遠心舌側根管の頬側に穿孔が認められた（矢印）.

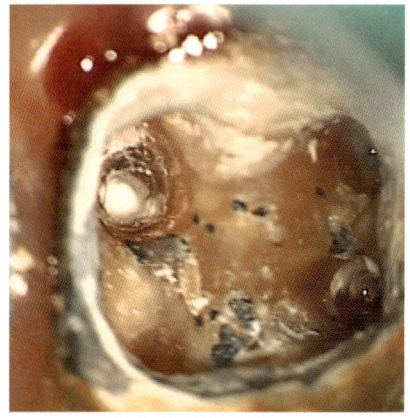

4-3-2d 軟化象牙質をすべて除去し，医療用カルシウムサルフェートを穿孔部より歯槽骨内に充填した.

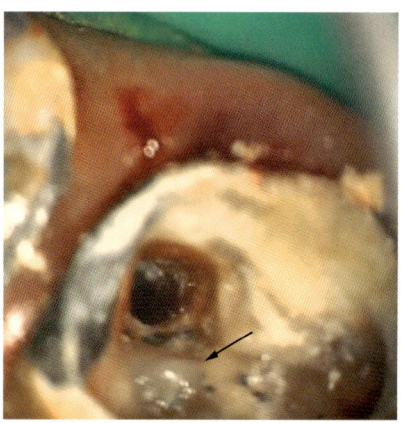

4-3-2e 穿孔部をフロアブルレジンにて緊密に封鎖（矢印）.

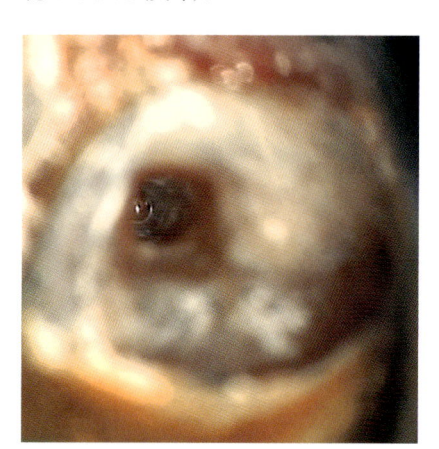

4-3-2f 根管充填前.

を行った（4-3-1g～j）．補綴処置は紹介元の歯科医院にて行い，経過は良好である（4-3-1k,l）

[症例2] 髄床底の穿孔

二十数年前に6|の抜髄処置を行い，その後に再根管治療も行った．1年前に歯科医院にて根尖のエックス線透過像を指摘された後，腫脹と切開排膿処置を数回繰り返していた．その後，再根管治療を行い根管充填まで行ったが，経過は思わしくなかった．セカンドオピニオンを求めて訪ねた歯科医院から，歯内療法専門医である筆者を紹介され来院した．

術前のエックス線写真では，カリエスが進行し，歯質がかなり薄くなっていることが予想された（4-3-2a）．穿孔などが認められれば封鎖処置を行うが，健全歯質がどのぐらい残っているかが問題であり，場合によっては抜歯となる可能性もあることを説明の上，同意を得て治療を開始した．

髄腔内をマイクロスコープで精査したところ，多量の軟化象牙質とスーパーボンド様の充填物が認められた（4-3-2b）．軟化象牙質をすべて除去したところ，遠心舌側根管の頬側よりの髄床底に穿孔が認められた（4-3-2c）．

医療用カルシウムサルフェートを穿孔部から歯槽骨内に充填し（4-3-2d），穿孔部周囲をしっかり乾燥させた後，穿孔部をフロアブルレジンにて緊密に封鎖した（4-3-2e）．その後，通法どおりに根管治療を行い，根管充填をした（4-3-2f～h）．その後の経過は良好である（4-3-2i,j）．

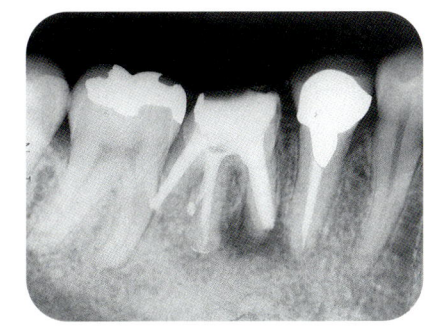

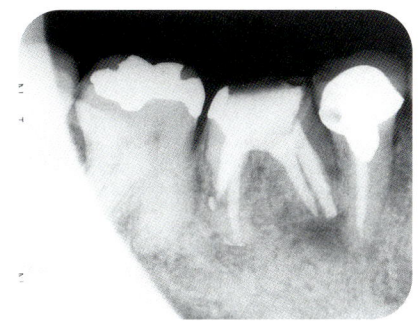

4-3-2g,h　根管充填時のエックス線写真 正放線（g）ならびに偏遠心投影（h）．

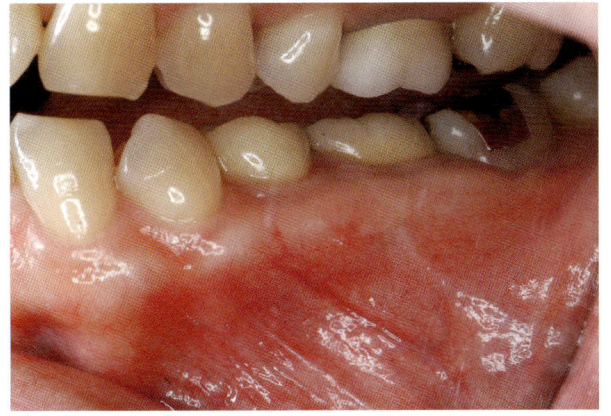

4-3-2i　1年5か月後の口腔内写真（ミラー像）．

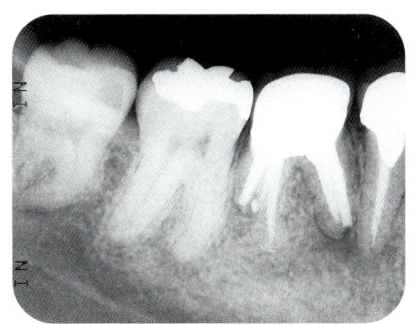

4-3-2j　1年5か月後のエックス線写真．

[症例3] 歯頸部直下の穿孔

|2 の根管治療を開始したところ，根管内から出血が認められ穿孔が疑われたため，抜歯もやむなしと考えたが，「保存できるならできるだけの処置をしたい」という患者の希望もあり，歯内療法専門医である筆者に紹介され来院した．

術前のエックス線写真では，歯根中央の口蓋側に透過像が認められた（4-3-3a,b）．診査の結果，穿孔が疑われることを説明の上，根管治療を開始したところ，予想どおり歯頸部直下の口蓋側に大きな穿孔が認められた（4-3-3c）．

医療用カルシウムサルフェートを穿孔部から歯周組織内に充填し，完全に止血処置を行った後（4-3-3d），フロアブルレジンにて穿孔部を緊密に封鎖した（4-3-3e）．穿孔部封鎖後に確認のため，エックス線写真を撮影したところ，術前には認められなかった不透過像が歯根中央部に認められた（4-3-3f）．根管充填前に根管内をよく精査したが，とくに問題は認められず，根管充填を行った（4-3-3g,h）．

根管充填直後には，口蓋側にも深い歯周ポケットは認められず（4-3-3i），術後の経過は良好であったが，歯根中央部に認められた不透過像が気がかりであり，この部分に細菌感染が残っていると再発する可能性があること，その際には次の選択肢として外科処置を行うことになるかもしれないことを紹介元の歯科医師に伝えた．

根管充填後4か月ほどで頬側に腫脹が再発してきた．エックス線写真を撮影し（4-3-3j,k），歯根外の感染が疑われたため外科的歯内療法（Microsurgery）を行うことで同意を得た．オペ直前の診査で，口蓋側に深い歯周ポケットの形成が認められ（4-3-3l），歯根周囲には肉芽組織が多量に存在し，口蓋側には健全な骨がほとんど存在しない状態であった（4-3-3m）．オペ後も口蓋側には，深い歯周ポケットが限局性に残ってしまい，予後に不安を残す結果となった．

本症例から学ぶことは多い．術前に確認された口蓋側の穿孔が大きく，透過像も大きく広がっていることなどから，歯根周囲組織にすでに感染が及んでいた可能性がある．また充填材除去の際に材料の溢出を防ぐことができなかったのか．そして穿孔部が歯頸部直下であったことも考慮した場合，レジンで

[症例3] 歯頸部直下の穿孔

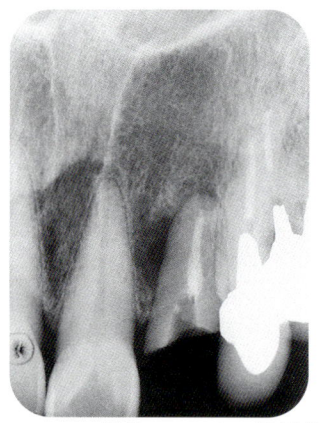

4-3-3a 術前のエックス線写真（正放線投影）．2|歯根中央の近心側に透過像が認められる．

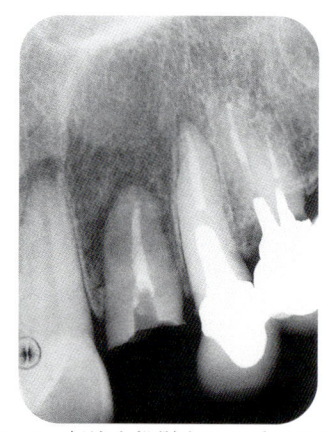

4-3-3b 偏遠心投影すると透過像が歯根と重なってしまっていることから，炎症は口蓋側に広がっていることがわかる．

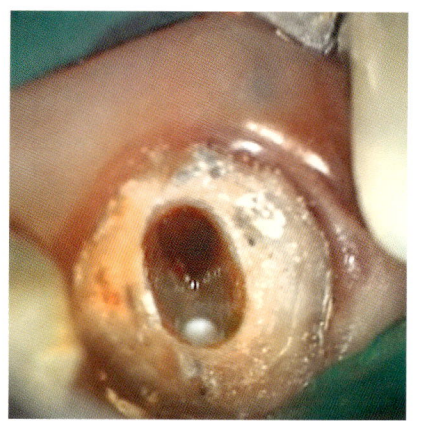

4-3-3c 口蓋側に認められた穿孔．

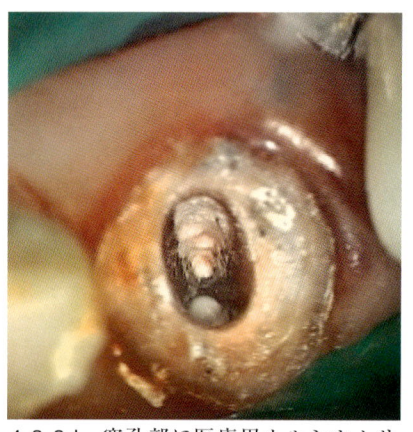

4-3-3d 穿孔部に医療用カルシウムサルフェートを充填し，穿孔部からの出血をコントロールし，封鎖材料の溢出を防ぐ処置を行った．

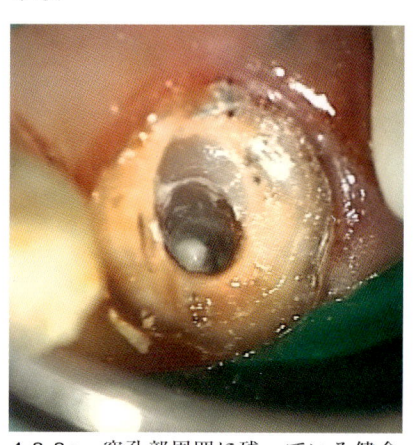

4-3-3e 穿孔部周囲に残っている健全歯質が薄かったため，より確実に封鎖するため，接着性レジンにて封鎖処置を行った．

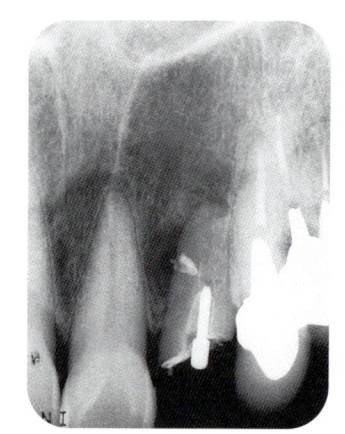

4-3-3f 穿孔部封鎖後のエックス線写真．術前には認められなかった不透過像が2|歯根中央部に認められる．

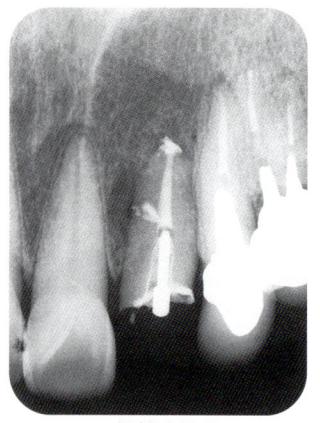

4-3-3g,h 根管充填後のエックス線写真．正放線(a)と偏遠心投影(b)．

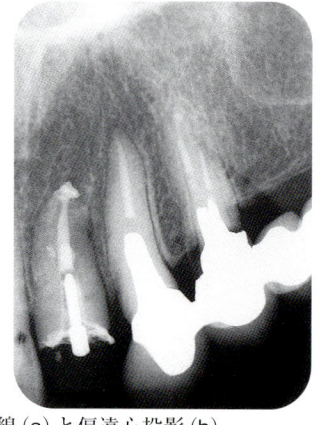

4-3-3i 根管充填後の口腔内診査．口蓋側に深い歯周ポケットは認められない．

封鎖するよりもProROOTで封鎖した方が充填材に接して歯根膜および骨が再生され，歯周ポケットの形成を最小限にすることも可能であったのではないか．根管充填直後にオペを行うことで，歯周ポケットの形成前に穿孔部外の感染源掻爬を行うことができたのではないか．

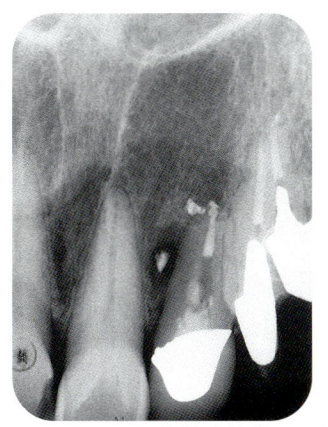

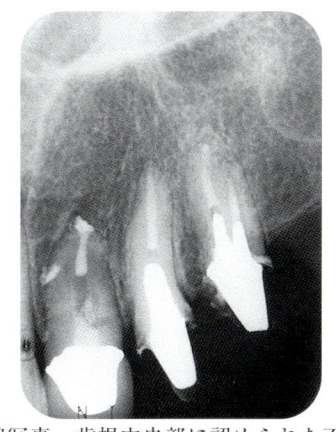

4-3-3j,k ②の根管充填後4か月のエックス線写真．歯根中央部に認められた不透過像は，歯根から離れた位置に移動しており，歯根周囲に溢出した歯科材料であることが判明した．

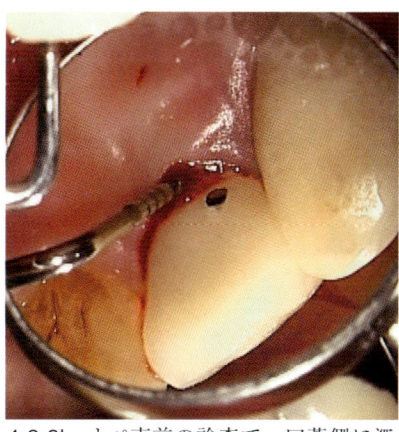

4-3-3l オペ直前の診査で，口蓋側に深い歯周ポケットの形成が確認された．

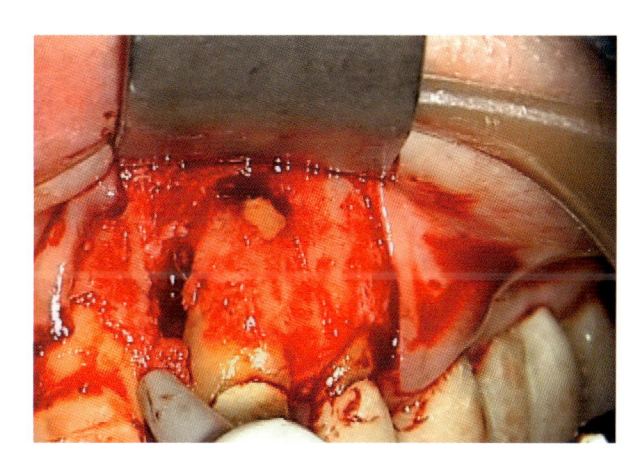

4-3-3m オペ中の口腔内写真．歯根の近心から口蓋側にかけて大きな骨欠損が確認された．

このように振り返ると教えられることの多い症例であり，今後のためにもあえてここで提示させていただいた．

[症例4] 頬側歯頸部の穿孔

②根尖相当部の違和感を訴え来院した症例である．術前のエックス線写真より，②および①の根尖に透過像が認められた(4-3-4a,b)．術前のエックス線写真から，②頬側の歯質が薄くなっているため，穿孔が疑われることを説明の上，２１の再根管治療を行うことにした．

髄腔開拡を行うと，②頬側歯頸部に穿孔が認められた(4-3-4c,d)．穿孔周囲の軟化象牙質を徹底的に除去した後，医療用カルシウムサルフェートを穿孔部から充填し，穿孔部封鎖処置を行った．穿孔の位置が歯頸部であったため，将来この部分に歯周ポケットが形成され，唇側の歯肉ラインが変化することを懸念し，封鎖にはProROOTを使用した(4-3-4e,f)．

臨床症状として，とくに問題は認められない．術後のエックス線写真(4-3-4g)と口腔内写真(4-3-4h)をあげる．側切歯歯頸部に歯周ポケットが形成されることを懸念してProROOTを使用したが，色が歯肉をとおして透けてみえてしまい審美的な問題を残してしまった．

[症例5] ⑤近心の穿孔

3年前に⑤近心に穿孔があるのを確認していたが，歯周ポケットと交通しているわけでもなく，症状もなかったため経過観察していた．最近になって歯間乳頭付近にフィステルが生じたため，症状はなかったが治療を行う必要があると判断し，歯内療法専門医である筆者に紹介され来院した．

術前のエックス線写真では，⑤近心に透過像が認められ，穿孔が疑われた(4-3-5a)．問診では，患歯に装着されている冠は以前ブリッジの支台として使用していたものであり，かなり古いものということ

[症例4] 頬側歯頸部の穿孔

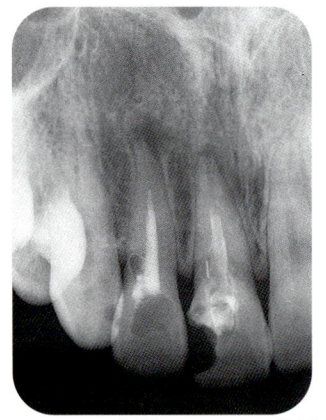

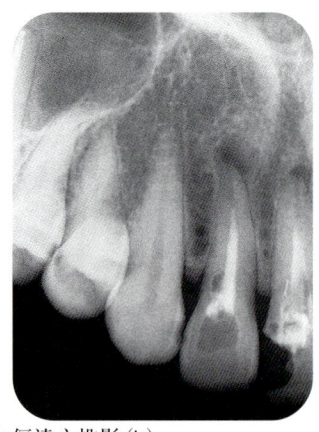

4-3-4a,b　術前のエックス線写真．正放線（a）と偏遠心投影（b）．

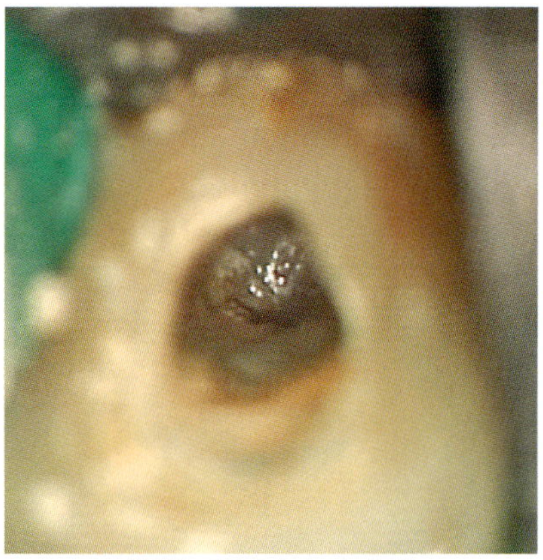

4-3-4c　頬側に認められた穿孔．

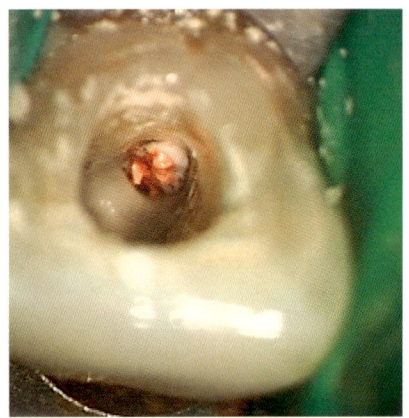

4-3-4d　本来の根管内にはガッタパーチャが充填されている．

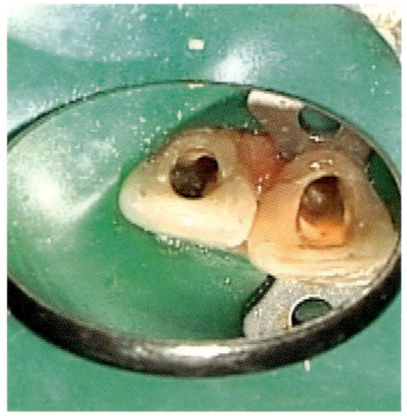

4-3-4e　側切歯頬側の穿孔部をProROOTにて封鎖．

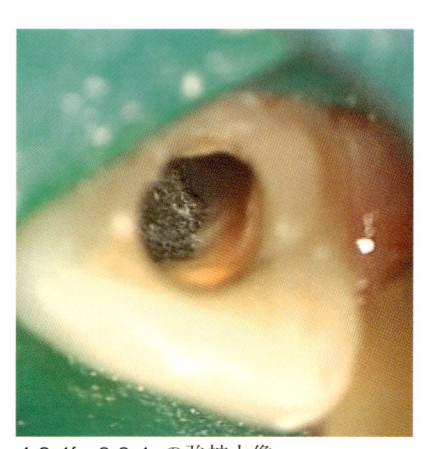

4-3-4f　3-3-4eの強拡大像．

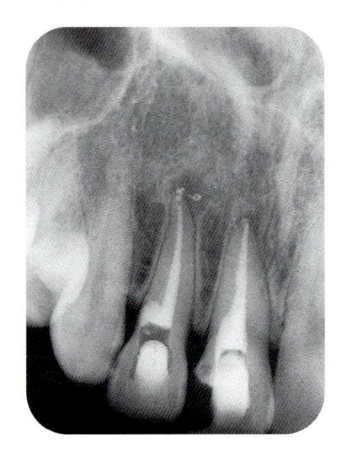

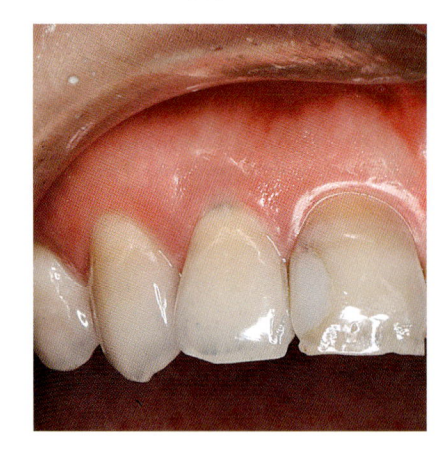

4-3-4g｜4-3-4h

4-3-4g　根管充填終了後のエックス線写真．
4-3-4h　穿孔部封鎖後の口腔内写真．頬側歯頸部にProROOTの色が透けて見えてしまっている．

であった．

　患歯の根管内に感染があった場合，外科的に歯根周囲を掻爬しても予後は不良であり，再発の原因となる可能性があることを説明した．また現在歯周ポケットは正常であるが，外科処置によりわずかに残っている骨がなくなってしまうと，穿孔部は歯周ポケット内に露出する可能性があることを考えた結果，冠を除去し根管内から穿孔部の封鎖を行うことで患者の同意を得た．

　冠を除去し，ポストを除去し，感染歯質および根管充填材を除去すると|5近心側に穿孔が認められた（4-3-5b）．医療用カルシウムサルフェートを穿孔部

[症例5] 5̅ 近心の穿孔

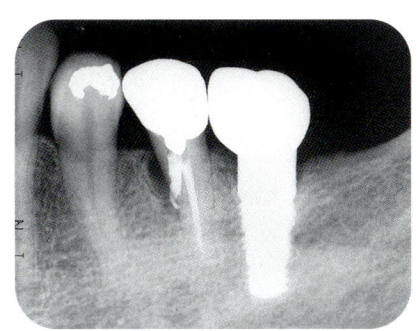

4-3-5a 術前のエックス線写真．歯根近心側に透過像が認められる．

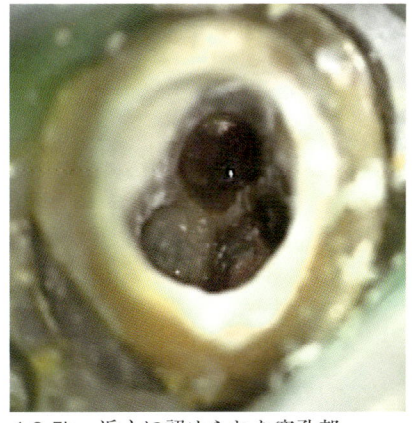

4-3-5b 近心に認められた穿孔部．

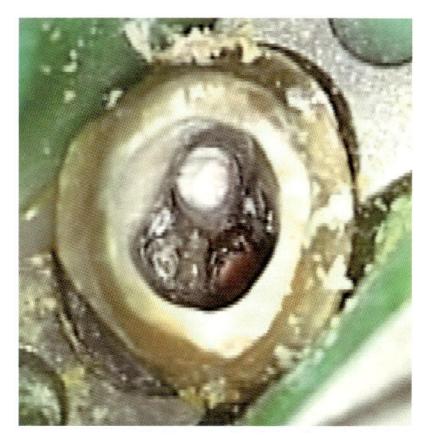

4-3-5c 穿孔部から歯槽骨内に医療用カルシウムサルフェートを充填．

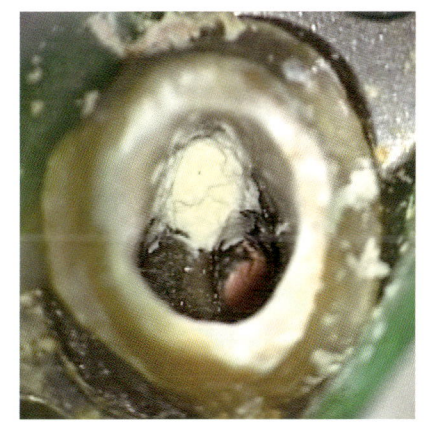

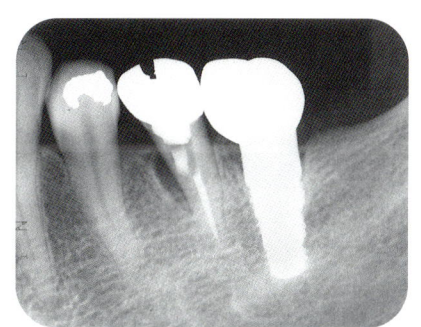

4-3-5d 穿孔部封鎖は白いProROOTにて行った．
4-3-5e 穿孔部封鎖後のエックス線写真．

から歯槽骨内に充填し（4-3-5c），穿孔部の封鎖にはProROOTを使用した（4-2-5d,e）．穿孔部封鎖後，患歯周囲にあった違和感も消失したため，補綴処置に移行し経過観察中である．

まとめ

マイクロスコープ下でInternal Matrix Techniqueを用いると，確実に「無菌的な」「緊密な」穿孔部封鎖処置が行えるため，良好な予後を期待することができる．従来は抜歯になっていたような歯でも確実に残すことが可能となり，マイクロスコープによる歯内療法がもたらした大きな変革であると感じている．

今後の残された課題は，穿孔の位置や大きさによって生じる審美的な問題などを克服することであろうか．

参考文献

1. Rud J, Rud V, Munksgaard EC：Retrograde sealing of accidental root perforations with dentin-bonded composite resin. J Endod. 1998；24(10)：671-677.
2. Rubinstein RA and Kim S：Long-term follow-up of cases considered healed one year after apical microsurgery.J Endod. 2002；28(5)：378-83.
3. 吉岡隆知，麻薙万美，石川涼一，澤田則宏，須田英明：外科的歯内療法での手術用実体顕微鏡の効果．日本歯科保存学会雑誌．2001；44(3)：451-456.
4. 吉川剛正，澤田則宏，須田英明：Internal Matrix Techniqueを使用した穿孔部の非外科的封鎖法．日本臨床歯内療法学会雑誌．2002；23(1)：37-43.
5. 工藤純一：無菌ラットによる髄床底穿孔の処置に関する研究．日本歯科保存学雑誌．1989；32：201-213.
6. Lemon RR：Nonsurgical repair of perforation defects. Internal Matrix Concept. Dent Clin North Am. 1992；36(2)：439-457.
7. Alhadainy HA, Himel VT, Lee WB, Elbaghdady YM：Use of hydroxylapatite-based material and calcium sulfate as artificial floors to repair furcal perforations. Oral Surg Oral Med Oral Pathol Oral Radiol Endod. 1998；86：723-729.
8. Ruddle CJ：Micro-endodontic nonsurgical retreatment. Dent Clin North Am. 1997；41(3)：429-454.
9. Wong R and Cho F：Microscopic management of procedural errors. Dent Clin North Am. 1997；41(3)：455-479.
10. Torabinejad M, Hong CU, Lee SJ, Monsef M, Pitt Ford TR：Investigation of Mineral Trioxide Aggregate for root-end filing in dogs. J Endodon. 1995；21(12)：603-608.

4 歯根破折

東京都開業(宮下歯科)

宮下裕志

歯根破折とマイクロスコープ

　根管治療がなされている歯牙では，歯根破折がみられることがある．歯根破折には水平的歯根破折，近遠心方向の歯根破折，頬舌側方向の歯根破折の3つのタイプがあるが，水平的歯根破折は歯牙に大きな外傷力が加わった場合に発生する（4-4-1a,b）．

　一方，臨床では生活歯を割ってくるような患者さんにでくわす場合があるが，近遠心方向の歯根破折がよく見られる．これに対し，根管治療がなされている失活歯では，頬舌的な縦破折が多い．歯根破折に関してマイクロスコープが活躍する場は診断においてである．

生活歯の場合

　生活歯にクラックが入っている場合では，マイクロスコープを用いてよく見ないと確認できないケースがある．たとえば，「冷水反応が取れない」と患者さんの症状のみから判断し抜髄したような症例では，将来クラックから歯根破折を引き起こす可能性は大である．われわれ臨床医は，現在みえる臨床症状に対しての処置を行うことが多いが，将来をみすえた臨床判断を行う必要がある．すなわち冷水痛がある症例では，何が原因でしみるのかを徹底的に診査し確認する注意が必要である（4-4-2a～c）．

　生活歯におけるクラックが原因で抜髄となった症例では，現在は十分な歯質が残存しているのではあるが，予防的に歯冠修復が必要となることがある[1]．とくに咬合パターンに問題がみられるような場合では負担過重による歯根破折の発症が誘発されやすいので，注意が必要である．

　4-4-3a,bは左側の咬合が崩壊し，右側の臼歯部のみしか咬合できない状態で7̄|に動揺度3度，頬側歯肉に腫脹および深いポケットを伴って来院された女性である．生活歯のようであるが，電気歯髄診査および冷水に反応はなかった．マイクロスコープにて診査を行うと，咬合面から遠心辺縁隆線部にクラックが存在していることから，試験削合を行い失活していたことが確認できた症例である（4-4-3c,d）．エックス線では失活していると疑わない症例でも，クラックが存在する場合，複数の生活歯髄診査にて正しい診断を行うことが望ましい[2]．

失活歯の場合

　失活歯が歯根破折しているかどうかの判断は非常に難しい．歯根の破折が目で見える場合は明らかで

4-4 歯根破折

[外傷による歯根破折]

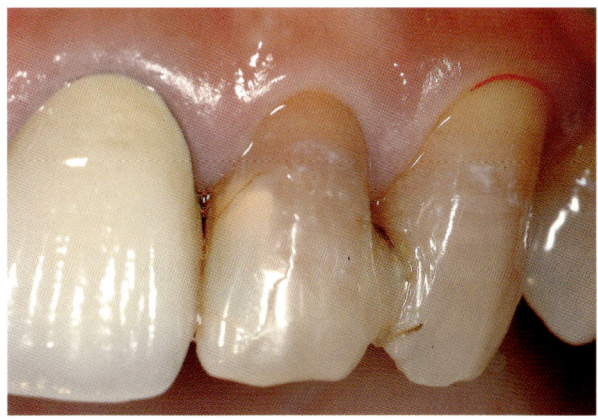

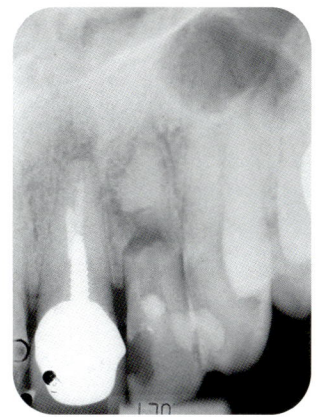

4-4-1a,b 外傷を受けた既往は不明の中年男性．失活歯のため変色が認められる．エックス線により水平的な歯根破折が明らか．根管は感染している．

[冷水痛とクラック]

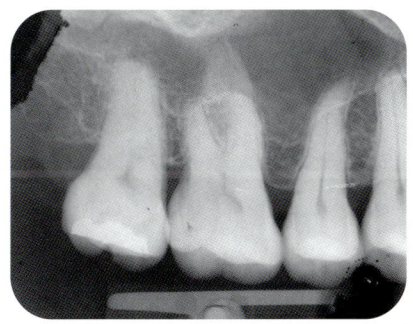

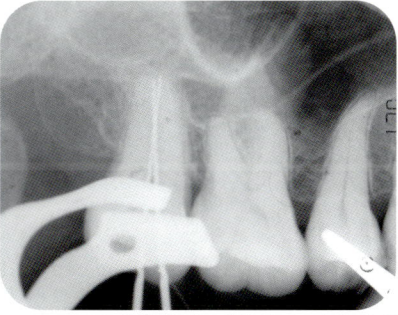

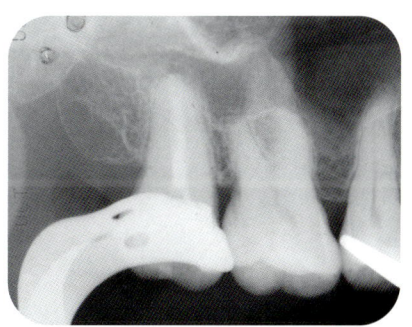

4-4-2a〜c ７｜に冷水痛を訴えていた女性．クラックが歯髄腔まで延びていたため歯髄症状が取れず，抜髄が必要とされた．

[クラックと生活歯髄診査]

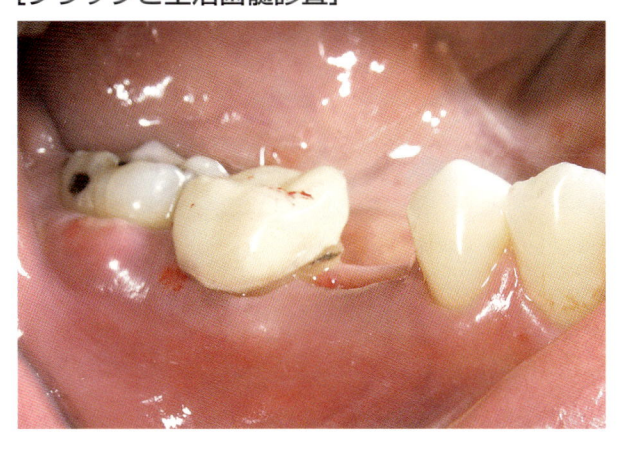

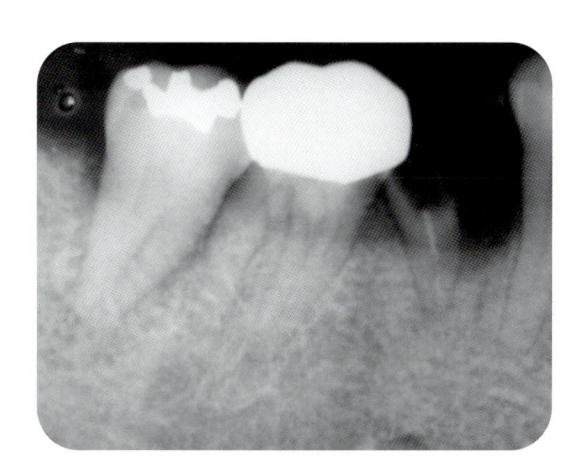

4-4-3a〜d ７｜は早期接触が存在．歯牙は動揺度3度を示し，レントゲン像では歯根膜腔の拡大が確認できる．根尖部の透過像は明らかではない．冷水反応はなく，マイクロスコープにより遠心辺縁隆線部にクラックが発見できた．試験削合で失活が確認できた．根管治療後，歯肉の腫脹は改善した．

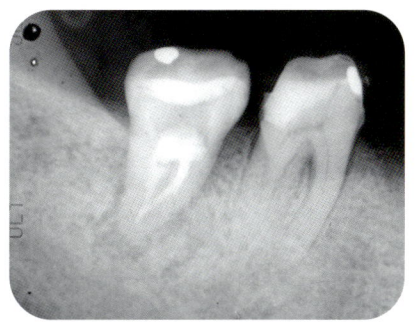

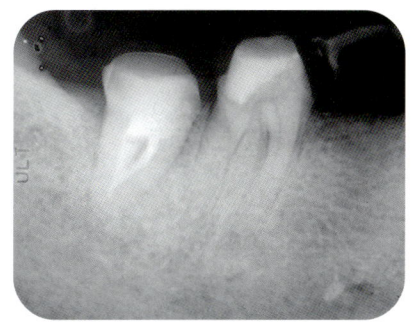

4 難症例へのアプローチ

マイクロスコープによる歯内療法／MI時代の歯内療法

[歯根破折とフィステル]

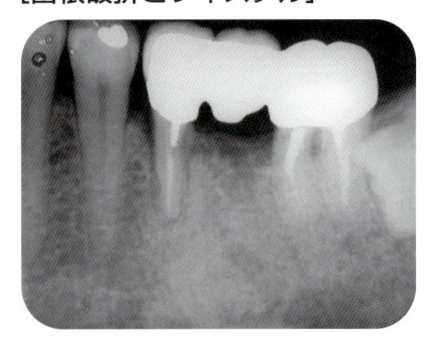

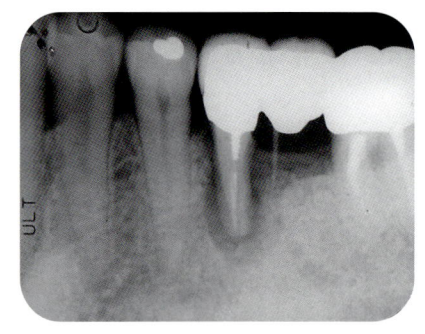

4-4-4a,b ⌐6 付近に違和感があり来院した．原因ははっきりせず，数か月後の近心根にはフィステルが発現，はっきりとエックス線透過像が確認できるようになった．

[歯根破折のエックス線透過像]

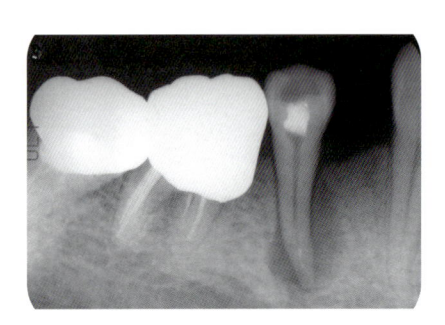

4-4-5a,b 大きな根尖部エックス線透過像を伴う⌐5．腫脹，ポケットを伴った歯根破折．

[歯根破折を疑い外科的確認]

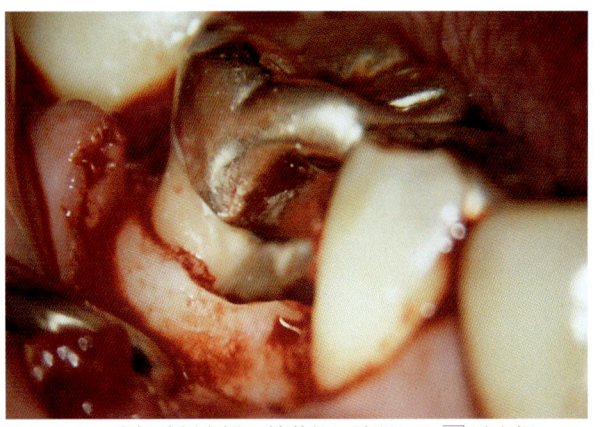

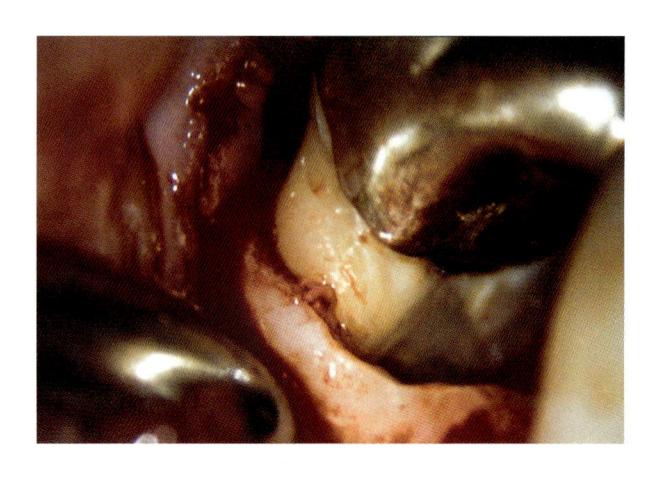

4-4-6a,b 歯根破折を疑い外科的に確認した⌐6近心根．

[歯肉の腫脹と歯根破折]

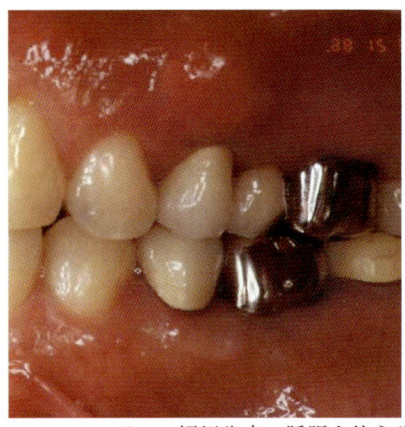

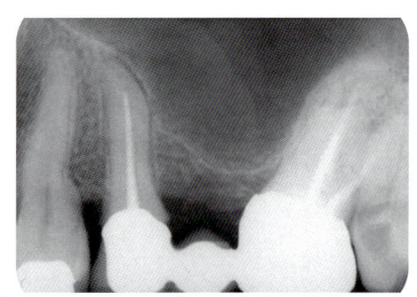

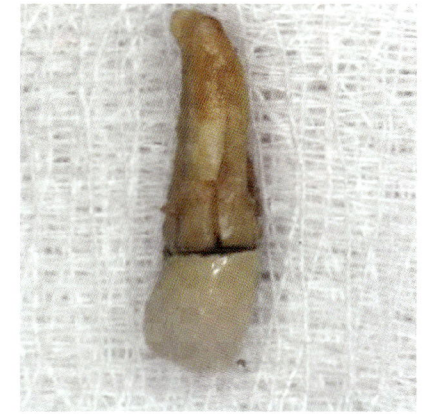

4-4-7a〜c ⌐5 の頬側歯肉の腫脹を伴う歯根破折．エックス線での診断は非常に困難である．

4-4 歯根破折

［クラックと細菌検査］

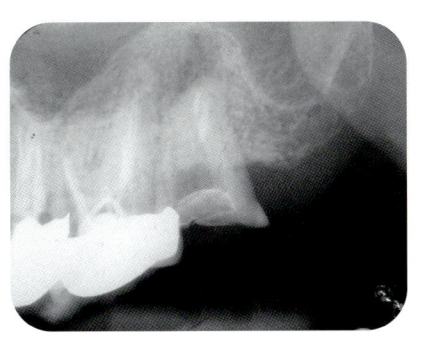

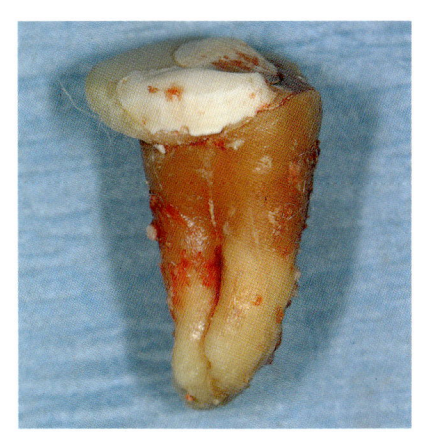

4-4-8a〜c ｜7 の違和感を訴えていた女性．エックス線所見では通常の根尖部の透過像に見えるが根管内からクラックが確認された．細菌検査にて非常に多くの細菌が根管内から検出され抜歯となった．

あるが，必ずしもプロービングを行っても歯根破折が起こっている歯牙すべてに深いポケットが存在するとは限らないし（4-4-4a,b），深いポケットが存在したとしても歯周病なのか，エンド由来の排膿路が形成されているのか，歯根破折なのかの鑑別は非常に難しい（4-4-5a,b）．

一方，外科的に確認する方法もあるが，フラップを開けたとしても，当然骨のなかの破折線は存在したとしても確認することはできないのである．外科的にわかる症例は，プロービング時にほぼ歯根破折だとわかっているのだが，それを確認するために行っていることが多い（4-4-6a,b）．反対に視診とプローピングで明らかでもエックス線には歯根破折の兆候が認められない場合もある（4-4-7a〜c）．

このように歯根破折の存在を正確に診断を行うためには，通常は視診，触診，打診，エックス線診査などのクラシックな診査を複数行うことで判断するしかないが，もしもマイクロスコープがあれば，根管の内側から簡単に確認できる場合が多い．クラックの場合はさらに診断が難しいが，臨床では根管治療を行っている際に偶然発見することが多い．このように怪しい場合は細菌検査をすれば比較的確実にわかるから便利である（4-4-8a〜c）．

参考文献
1. Lynch & McConnell：The cracked tooth syndrome. J Can Dent Assc. 2002；68(8)：470-5.
2. 宮下 裕志：歯内−歯周（エンドペリオ）病変に対する鑑別診断および治療法，現代の治療指針　全治療分野とペリオドントロジー，Year Book 2004，クインテッセンス出版，東京，2004；84-5.

マイクロスコープによる歯内療法／MI時代の歯内療法

5 歯根破折の診断

東京都開業（飯島歯科医院）

飯島国好

診断とは何か？

　歯根破折に診断はない，などというと誤解を招きそうだが不思議なことに，本当になかったのだ．破折歯を接着して再植する方法もあるが，現実には歯根破折の発生イコール抜歯となってしまうことが多い．診断から治療が始まる歯科臨床のなかでは，歯根破折の診断即抜歯というスタイルでは本当に診断といえるのだろうか？　診断という名に値するのだろうか？

　診断とは症状を診査して判断することをいう．したがって単に病名をつけるだけの行為ではない．
　診断とは，
①病名
②原因
③治療方針
④予後の見通し
を含む総合的な判断であると考えている．
　歯根破折をこのような意味での診断として考えてみると，病名以外の原因の推定も，治療方針の確立も，予後の見通しも満足できる段階とはいえない．とりわけ予後の見通しはほとんどなかったも同然である．

歯根破折の診断

　歯根破折の診断には2種類あると思う．一つは破折しているかどうかという現在の診断と，もう一つは破折する可能性があるかどうかという未来の診断である．つまり始まり（frontend）での診断と終わり（backend）での診断である．

　無髄歯には歯根破折の可能性が常に存在する以上，本来はこの2つの診断は不可欠である．しかしこれまで，将来の破折予測の診断は存在していなかった．本稿では歯根破折が発生した時点での診断を歯根破折の診断とし，根管治療時における破折予測の診断を破折確率として考えてみたい．
　主な歯根破折の診断法としては，
①問診
②視診
③光透過法
④打診
⑤バイトテスト
⑥レントゲン写真
⑦プロービング
⑧電気的根管長測定器
⑨マイクロスコープ
などがある．

[根管外からのマイクロスコープ診断]

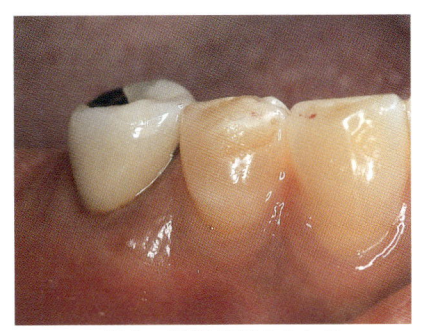

4-5-1a 歯肉の腫脹が認められる.

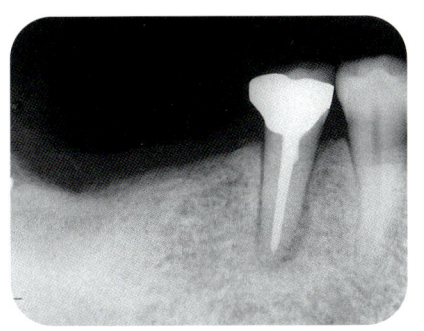

4-5-1b 歯根膜腔の拡大が歯根の全体に見られる.

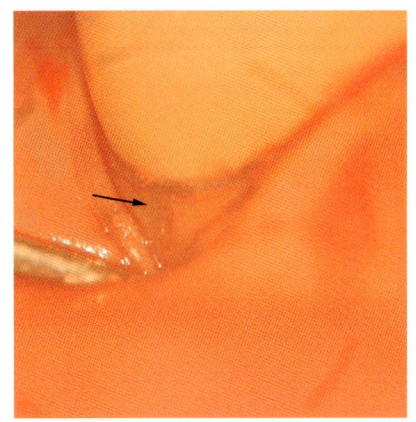

4-5-1c マイクロスコープで破折線を確認.

マイクロスコープによる歯根破折の診断

　歯根破折の診断は，破折線を肉眼で確認するのが最も確実な診断法である．しかしこの方法は有髄歯の咬合面の破折ならば可能であるが，無髄歯ではほとんどの場合補綴されていて，しかも破折部位は歯根部が大部分なので限界がある．したがってほとんどの場合に，レントゲン写真以外では破折線の確認は困難になってしまう．しかもそのレントゲン写真でも破折線が確認できずに，歯根膜腔の拡大や歯根全体の透過像だけの場合には確定診断を下すのが難しい．そのような場合，補助的に探針による歯頸部周囲の歯根の触診による破折線の探索を行っても，はっきりした破折線に成長していない初期の破折の場合には，確信がもてるほどの感触は得られないのが実情である．

　補綴物や支台築造を除去して，根管内をミラーなどを使用して直視したとしても，歯頸部付近に発生している明瞭な破折線以外の根管内の破折線は肉眼で発見するのはなかなか難しい．

根管内からのマイクロスコープ診断

　根管深部の破折線はマイクロスコープを使用することによって，十分な光量と強拡大が確保され，はじめて直視による確実な診断が可能になった．湾曲根管や狭小な歯根の場合には，電気的根管長測定器を併用することによって，根尖部はるか手前で根尖部から穿通した数値を示すので，破折を確認することができる．

根管外からのマイクロスコープ診断

　補綴物を除去せずに歯根破折の診断を肉眼によって求めるには，これまでは診断的外科を行って歯根部を直視して確認するしか方法はなかった．しかし歯頸部歯肉を充填用の平頭の充填器など，歯肉を傷つけにくく出血させない器具を用いて，歯肉をわずかに1～2mm下げて，マイクロスコープによって観察することで，触診でもレントゲン写真でもわからないごく初期の破折線を発見することが可能である（4-5-1a～c）．補綴物を除去せずに診断可能であるので，ほとんどの歯冠修復物の診断に応用できる．

破折確率

これまでの歯根破折の診断

　根管治療後の歯には，常に歯根破折の可能性がある．しかし，これまでは患歯の診断といっても，現在の患歯の治療対象としての根尖性歯周炎や，歯周病や，咬合などの診断であった．

[破折確率]

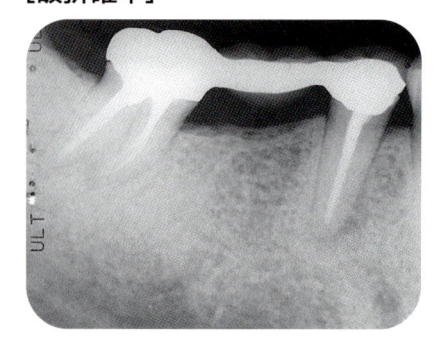

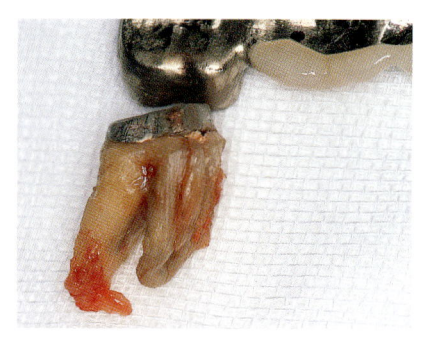

4-5-2a　ブリッジ装着時のレントゲン写真（1999.5.4）．
4-5-2b　第二大臼歯の歯根破折を起こしてしまった（2004.12.11）．

　まだ発生していない歯根破折の診断は将来発生してからの問題で，起きていない時点での歯根破折の診断はまったく必要とされていなかった，というより診断のしようがなかった．しかし歯根破折の診断を発生してから行うよりは，根管治療に着手した時点で行っていた方が，歯根破折の予防という観点からははるかに利点が大きいのではないだろうか．

破折確率

　歯質の欠損の程度や，部位あるいは咬合など歯根破折の原因となる要因の重なりによって，歯根破折の発生の可能性は大きくなる．

　これまでの歯根破折の症例から主な破折要因を抽出し，現在治療中の歯の歯根破折の診断，すなわち破折確率の推定を試みてみた．個体差が大きい上に，あくまでも臨床上の印象なので，数学的確率でもなく経験的確率でもないが，治療開始時に歯根破折の要因が見えるようになり，患者さんにも説明がつくので，臨床上のメリットは十分あると考えている．

　歯根破折の原因としてはあまり多くてはチェアサイドでメモを見ながらということにもなりかねないので，10項目とした．

　開始（Initiation）
　　・無髄歯
　助長（Promotion）
　　・縁上歯質がない
　　・メタルコアの使用

　進行（Progression）
　　・主咀嚼歯である
　　・最後方歯である
　　・頬小帯の存在
　　・大臼歯の咬合支持がない
　　・他歯の咬合負担をしている
　　・咬合に問題がある
　　・パラファンクションがある

　すべての始まりは歯髄を失ったことにあるので，これを開始（initiation）とした．助長（Promotion）の2項目は構造の問題であり，進行（Progression）の7項目は機能の問題である．これらの要因がそれぞれ今後10年以内に歯根破折を起こす確率を，構造の問題だけであるならば5％程度，機能の問題も加わった場合には10％程度考えてみた．

　この方法で下顎の第一大臼歯欠損のブリッジを想定してみる．無髄歯で縁上歯質のほとんどないキャストコアで支台築造された第二大臼歯の破折確率は，パラファンクションも存在していれば，10項目中7項目から8項目が当てはまることになる（5-5-2a）．1項目5％程度と最小に見積もった場合の10年以内の破折確率は35％，1項目10％程度と最大に見積もった場合の10年以内の破折確率は80％という驚くべき高い破折確率となる．事実，4年後に歯根破折を起こしてしまった（4-5-2b）．補綴治療の前に少しでも破折確率を下げる配慮をする必要性を痛感する．

5 ケースプレゼンテーション

5-1 フルアーチブリッジ支台歯の感染根管治療に
頬側根面からアプローチ ———————————— 124
宮下裕志

5-2 未処置根管の探索と根管治療 ———————————— 128
中川寛一

5-3 ラバーダムを装着するため，
クラウンレングスニングを行った症例 ———————————— 130
澤田則宏

5-4 第三の眼としてのマイクロスコープ ———————————— 133
飯島国好

マイクロスコープによる歯内療法／MI時代の歯内療法

1 フルアーチブリッジ支台歯の感染根管治療に頬側根面からアプローチ

東京都開業（宮下歯科）

宮下裕志

症例 5-1

初診時：1997年
患者：58歳，女性
主訴：歯牙の動揺．

上顎には義歯が入っており（5-1a），それが非常に気になっており，できれば義歯は装着したくないということであった

補綴治療後の経過観察

広範囲に及ぶ重度な歯周病であったが，何とか保存できる歯牙はほとんどすべて保存し，下顎にはフルアーチのブリッジを装着した．治療後の経過を追うために全顎エックス線写真を撮影した（2001年）．「2のみに偶然根尖部エックス線透過像が確認され，根管の感染が示唆された（5-1b,c）．臨床症状はまったくない．どのような対応がされるだろうか．

[解釈]

Bergenholtz & Nyman（1984）の研究によれば，歯周病の重度の患者さんに対し，広範囲な補綴治療を行った数年後に生活歯が失活する可能性は単冠の場合は3％，ブリッジの支台歯となっている場合は15％程度と報告されている[1]．

この症例の場合も歯周病が重度の患者さんで，ほとんどすべての歯牙が生活歯のままブリッジの支台歯として利用したが，1本は無症状のうちに感染根管となってしまった．これは歯周病がかなり重度な症例であるが，決して根尖から感染したのではなく，補綴治療の際にエナメル質を切削する量が大きいため，露出した象牙細管あるいは不顕性の露髄部を通して細菌が進入してきたと考えるのが自然であろう．

[治療]

治療方法としては，
A：抜歯を行うか
B：ブリッジをはずして根管治療を行い，再びフルブリッジを装着する方法か
C：クラウンから小さな穴を開けて根管にアクセスする
という3つの方法があり，普通はこのなかから選択される．

1990年代のイエテボリ大学では1970年代までに行った広範囲な歯周補綴の後の偶発症として症例のようなケースをいくつかみることができた（図1）．通常このような症例の治療方法は，歯の数が十分ある場合でブリッジの維持に問題がなさそうなときは「2を抜歯する．もしもこのような症例が上顎であったならば，咬合面のメタルの部分から小さな穴を開けて根管治療を行う方法が選択されていたと思われる（図2～6）．

しかしながら，小さな穴とはいえ「2のポーセレ

5-1 フルアーチブリッジ支台歯の感染根管治療に頬側根面からアプローチ

[フルアーチブリッジ支台歯の感染根管治療に頬側根面からアプローチ]

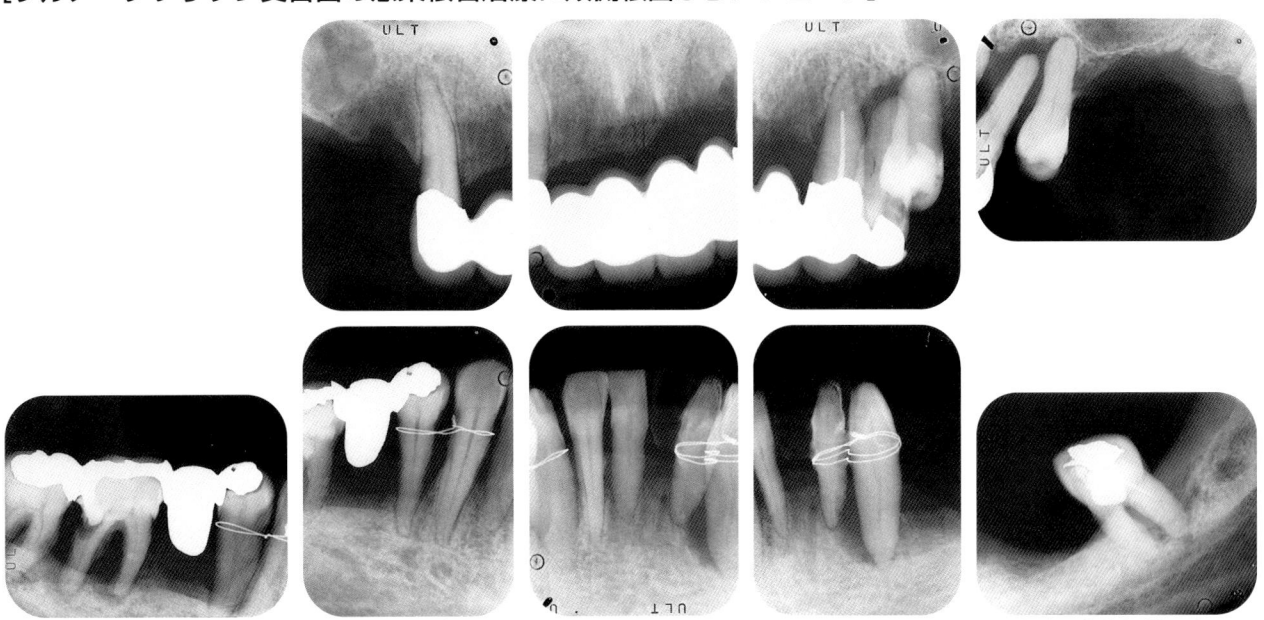

5-1a　58歳，女性の全顎エックス線写真．主訴は歯牙の動揺．広範囲の歯周病が進行し，ほとんどの歯牙の支持組織は失われている．

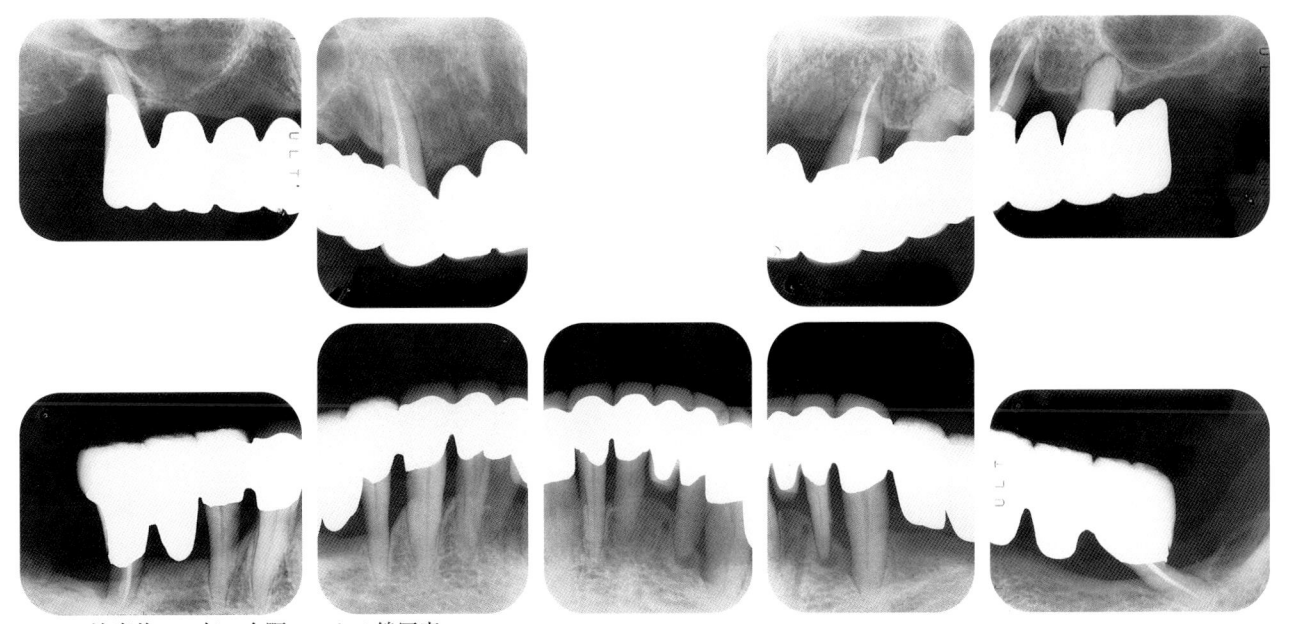

5-1b　治療後2001年の全顎エックス線写真．

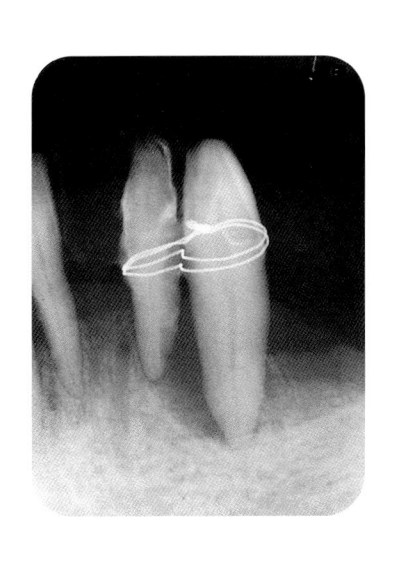

5-1c　治療前の$\overline{2}$のレントゲン像．Lindheの分類では歯周病重度．

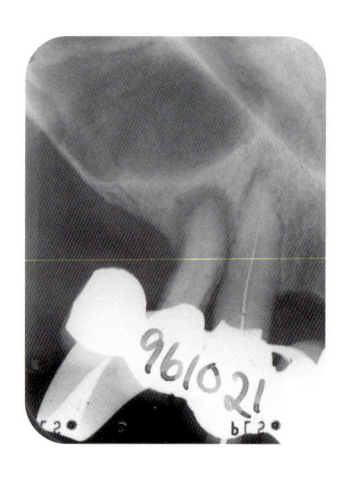

図1　スウェーデンで治療された 4 3| の感染根管のエックス線の状態. 3| の疼痛に対する治療が行われている.

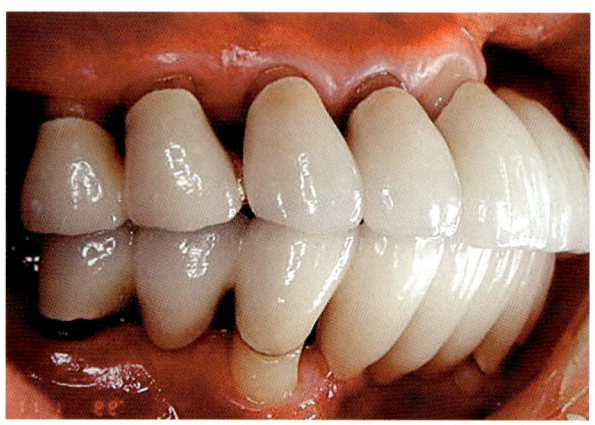

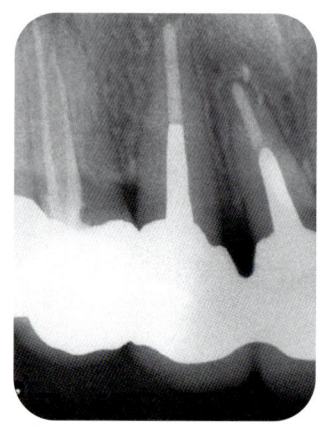

図2, 3　某歯科医院で治療された広範囲の歯周補綴後に 4| の感染根管が発覚. 再根管治療が必要とされた.

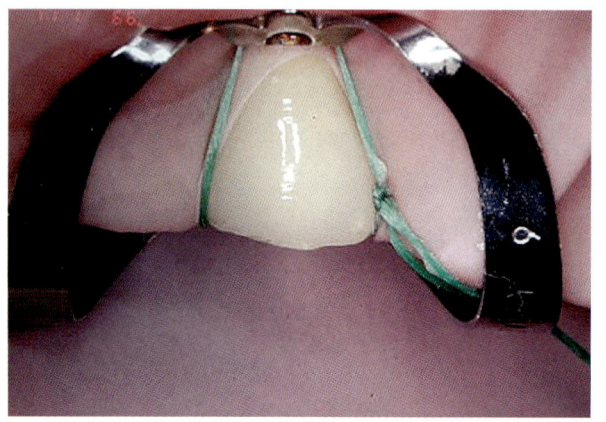

図4　ブリッジであるが, 除去せずにかつ可及的に無菌的に治療することが可能である.

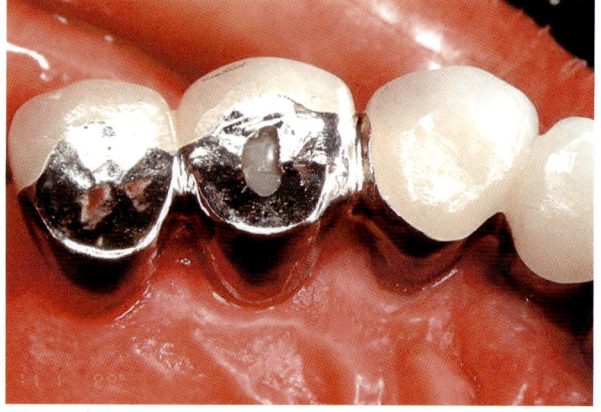

図5　咬合面から小さな穴を開けて根管治療を行う際にマイクロスコープが効果を発揮する.

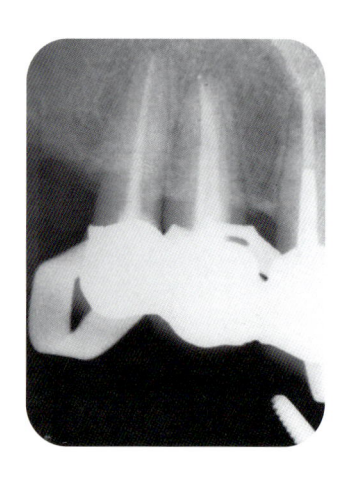

図6　治療後数か月の状態. 根管治療は適切に終了し, 治療後, 臨床症状はなくエックス線所見においても正常な歯根膜腔が認められる.

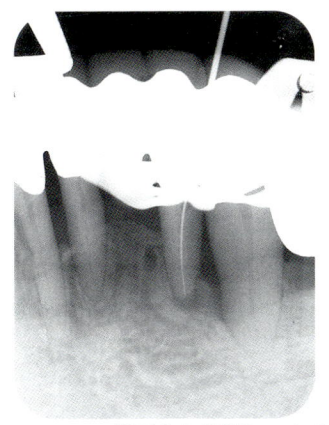

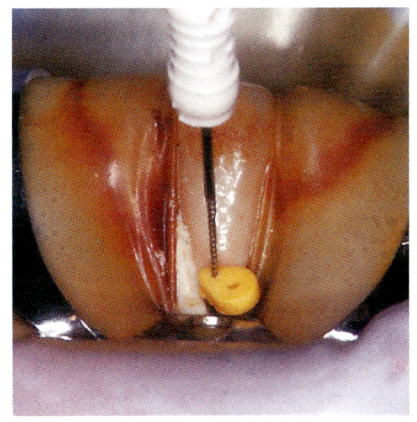

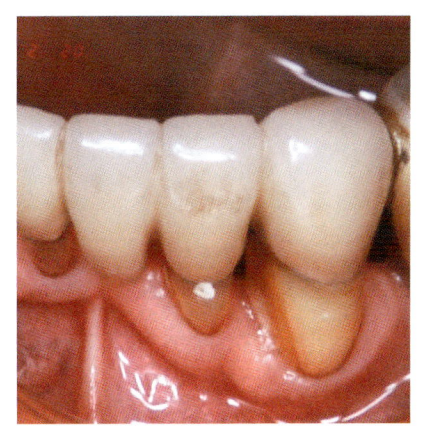

5-1d〜f　根面から根管にアクセスする．
　どのような症例に対しても無菌治療は鉄則で，最大限の努力をおしまないことが大切である．

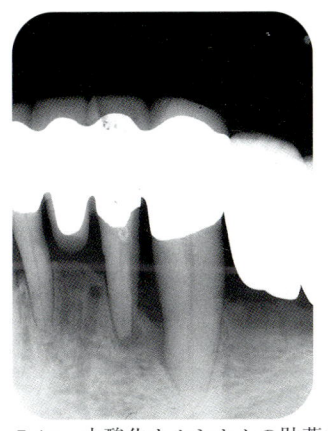

5-1g　水酸化カルシウムの貼薬で経過を観察する．

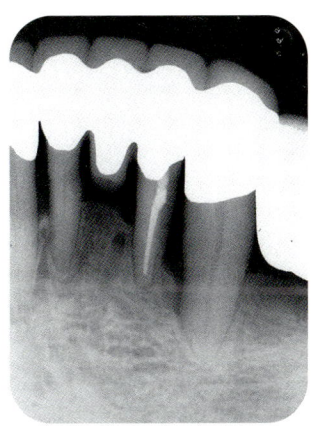

5-1h　根尖病変は完全に消失．補綴による歯髄への感染といった失敗を最小限の治療で回復することができた（2005.1.18）．

ンクラウンに咬合面から穴を開けることはポーセレンのクラックや破折といったリスクが伴うと考えられたため，マイクロスコープを最大限に利用したA, B, Cの3方法以外の手法を用いた．治療を行った部位は頬側根面からである（5-1d〜f）．

[予後]
　根管治療も大切な治療ではあるが，患者さんにとって最も大切なことは歯周病の進行の予防と残存歯の保存である．とくに補綴治療は必要とされないため，根管治療を2回ほど行い，経過を確認しながら治療を終了した．2005年の現在，経過は良好で根尖部エックス線透過像は完全に消失し，正常な歯根膜腔が認められる（5-1g, h）．

参考文献
1. Bergenholtz & Nyman：Endodontic complications following periodontal and prosthetic treatment of patients with advanced periodontal disease. J Periodontol. 1984 ; 55(2) : 63-8.

マイクロスコープによる歯内療法／MI時代の歯内療法

2 未処置根管の探索と根管治療

東京歯科大学歯科保存学第一講座

中川寛一

再根管治療

　歯内療法領域における再治療のポイントの一つに，処置領域の明示と乾燥がある．エンドイーズシステムは各種のシリンジ，ブロアー，バキュームチップが同梱された歯内療法処置用のシリンジシステムであり，根管の吸引乾燥を目的として使用される（図1）．

　さらに根管へのアプローチに使用する機器としてマイクロオープナーやマイクロデブライダーがあり，種々なサイズのものが選択応用できる．顕微鏡を用いた根管治療の場合，従来のリーマーやファイルでは，観察視軸や照明軸線上に機器や術者の手が重なり，処置がより困難になってしまう．

　この症例は顕微鏡下に未処置根管の探索を行った例である．

症例 5-2

主訴：下顎第一大臼歯の咬合時痛，違和感を主訴として紹介来院した

[根管探索と根管治療]

　開拡窩洞を整備し，近心，遠心の根管口部を10倍程度で精査すると，近心根管の延長が細い溝となってさらに隅角部に回り込んでいることが確認された（5-2a）．マイクロオープナーにRC-Prep（EDTA製材）を塗布し注意深く探索すると，近心咬頭の直下相当部位に未処置の根管口が確認された（5-2b）．

　ついでTi-Niテーパーファイルを併用するクラウンダウン法にて根管を拡大・形成し，根管をなめらかなテーパー状に仕上げた（5-2c）．照明を強くし，根端孔部にフォーカスを合わせ，20倍で観察すると根端孔部の水面（組織界面）が明瞭に観察された．根管充填後，術前に存在した不快症状はほぼ消失した（5-2d）．

[コメント]

　石灰化した根管口部や，細い根管系の探索に顕微鏡は威力を発揮する．上顎第一大臼歯の近心頬側第2根管（MB2）や本症例のような隠れた根管口部の探索はrelated grooveと呼ばれる髄床底のラインをトレースすることが重要である．

　顕微鏡は，観察視軸と照明軸がほぼ軸線上にあることで，これらの微妙なコントラストを見分けることが可能である．

[再根管治療と根管の吸引乾燥]

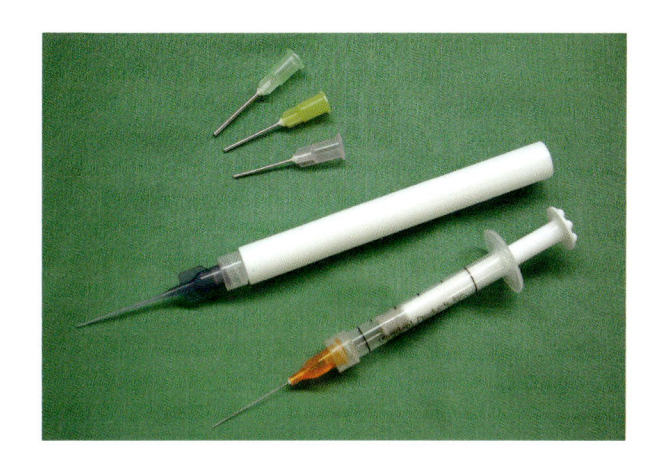

図1　根管の吸引乾燥を目的としたエンドイーズシステム．

[未処置根管の探索と根管治療]

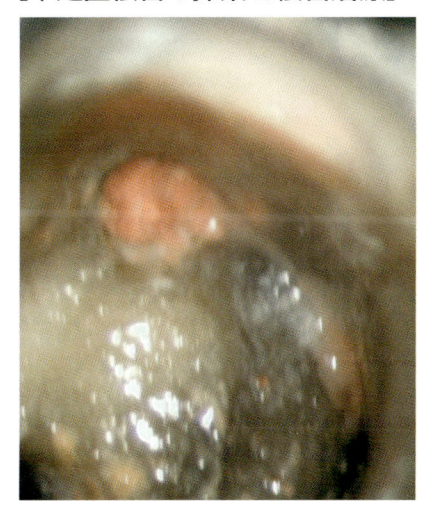

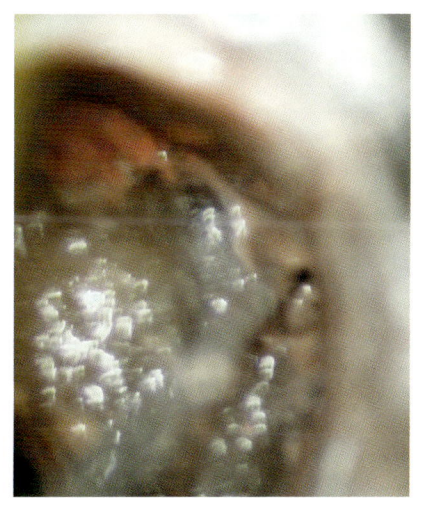

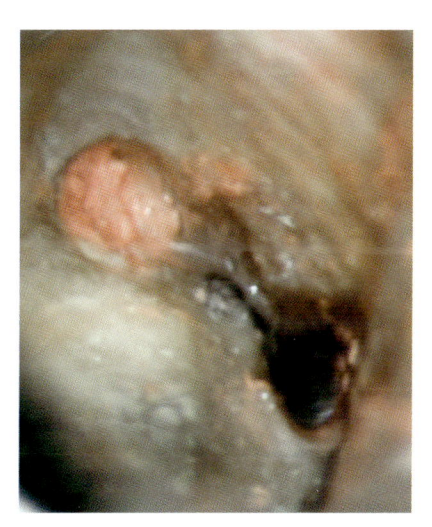

5-2a	5-2b	5-2c
		5-2d

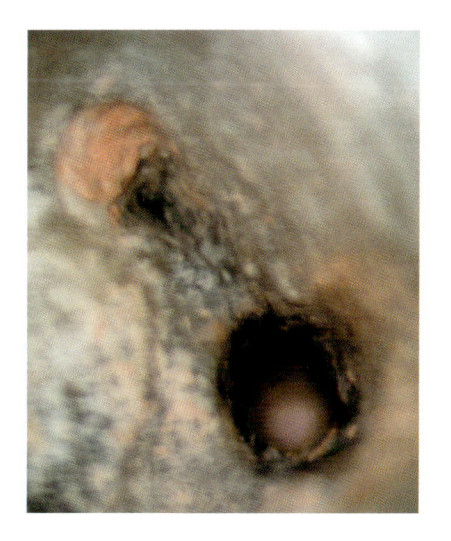

5-2a　近心根管の延長に細い溝（related groove）となって，隅角部に回り込んでいるのが見える．
5-2b　近心咬頭の直下相当部に未処置の根管口を発見した．
5-2c　Ti-Niテーパーファイルを用いクラウンダウン法で根管を拡大・形成し根管をなめらかなテーパー状に仕上げた．
5-2d　根管充填を行う．

マイクロスコープによる歯内療法／MI時代の歯内療法

3 ラバーダムを装着するため，クラウンレングスニングを行った症例

東京都開業（澤田デンタルオフィス）

澤田則宏

症例 5-3

患者：39歳，女性
来院までの経過

　患者は，9年前に7|に自費の補綴物を装着した．その際，古い築造体はそのままで補綴処置を行っている．遠方からの通院であったが，年2回の定期チェックを行ってきた．最近になって違和感が生じ，遠心にはフィステルが出現し，エックス線写真でも歯根周囲に透過像が認められた．

　歯根破折の可能性などを説明の上，意図的再植を試みたところ，コアごと補綴物が脱離してきた．もう一度精査すると，遠心中央に10mmの限局した深い歯周ポケットが存在することが確かめられた．肉眼でははっきりとした破折線は認められなかったが，微小亀裂が存在する可能性が高いと考え，確定診断のために歯内療法専門医である筆者に紹介されてきた．

[診断]

　当院初診時のエックス線写真では，根尖に透過像が認められ，歯根の遠心に沿って透過像が認められた（5-3a,b）．歯根を取り囲むエックス線透過像は歯根破折の典型像であり，依頼元の歯科医師が歯根破折の可能性を考えたのも当然であった．

　マイクロスコープ下で髄腔内を精査したところ，明らかな破折線は認められなかった（5-3c,d）．また遠心中央部の歯周ポケットも，このときの診査ではさほど深くはなかった．このことから紹介元で確認された深い歯周ポケットは，根尖病巣からの排膿路が組織の脆弱な部分，つまり歯周ポケットを経由して口腔内に現れていた可能性があると考えた．

　以上の診査結果から，再根管治療によって歯を保存できる可能性があると判断した．

[治療にあたって]

　しかし，ここで一つ問題があった．口蓋側の歯質が歯肉縁下に存在し，ラバーダムのクランプがかけられないのである．口蓋側の歯肉に浸潤麻酔を毎回施し，歯肉にクランプをかけて処置することも可能ではあるが，このままの状態では根管充填後の補綴処置も十分に行えないのではないかと考えた．

　そこで，もし根管充填後にクラウンレングスニングなどの外科処置を行うのであれば，その処置を根管治療前にやっていただけないかと，紹介元の歯科医師に相談した．

　紹介元の歯科医院にてクラウンレングスニングを行っていただき，歯肉の治癒を待って，当院で根管治療を開始した（5-3e）．術前のエックス線写真読影でも疑われていたが，近心頬側根管は未処置の状態であった（5-3f）．通法どおりに根管治療を行い，根管充填した（5-3g～k）．

[ラバーダムを装着するため，クラウンレングスニングを行った症例]

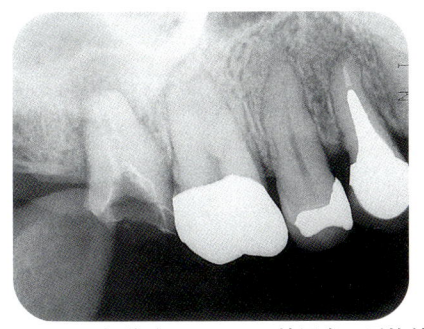

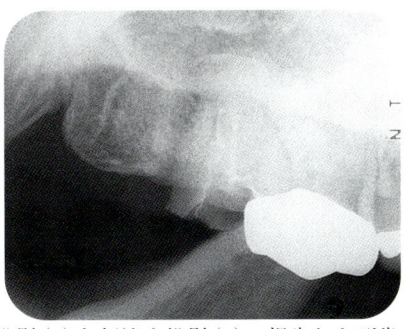

5-3a,b　初診時のエックス線写真．正放線投影（a）と偏遠心投影（b）．根尖および歯根遠心側に透過像が認められる．遠心根管と口蓋根管には根管充填材が認められるが，近心頬側根管があると思われる部分には根管充填材が認められない．

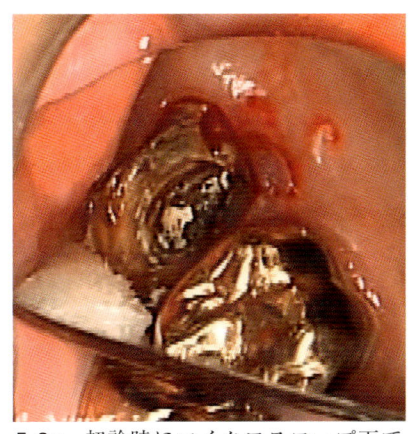

5-3c　初診時にマイクロスコープ下で診た 7⏌．

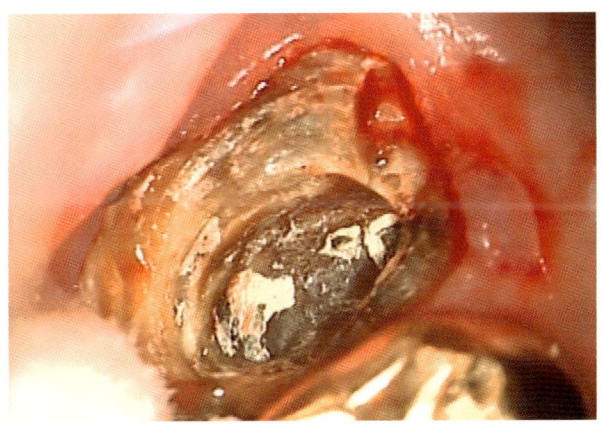

5-3d　5-3cの強拡大像．明らかな破折線は認められない．

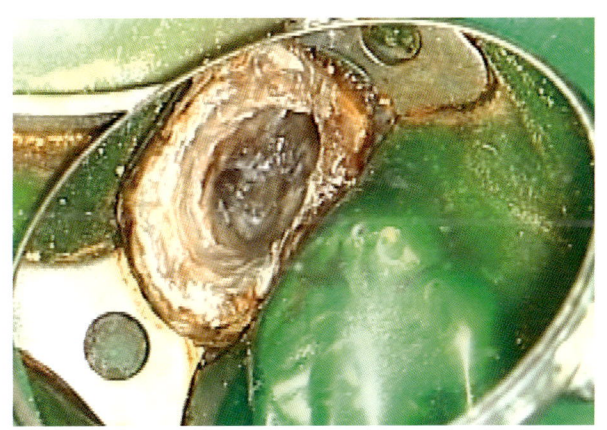

5-3e　根管治療開始時．クランプは歯質をしっかりとらえており，ラバーダムが安定してかかっている．

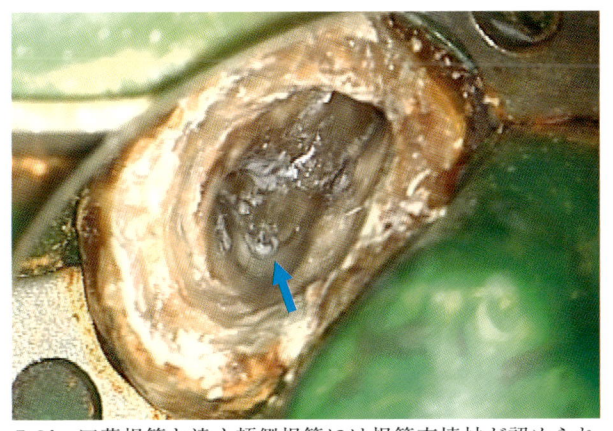

5-3f　口蓋根管と遠心頬側根管には根管充填材が認められたが，近心頬側根管には根管治療を施した形跡がない（矢印）．

5-3g　根管充填前の根管内．

まとめ

本症例は根管治療の際に不可欠であるラバーダムを装着するため，根管治療に先立ちクラウンレングスニング処置を行った症例である．一連の治療過程で補綴処置をする際にクラウンレングスニングの処置が必要となるのであれば，先に行っても問題はない．

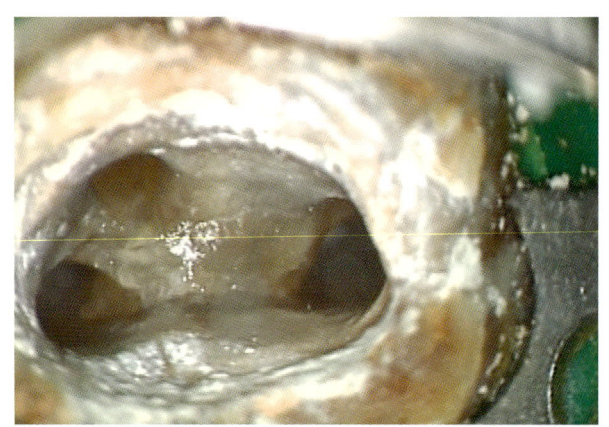

5-3h　5-3gの強拡大像．

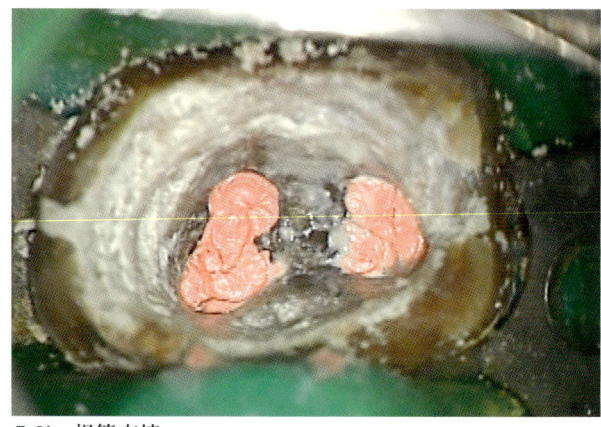

5-3i　根管充填．

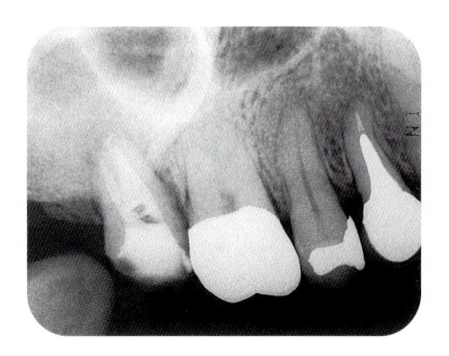

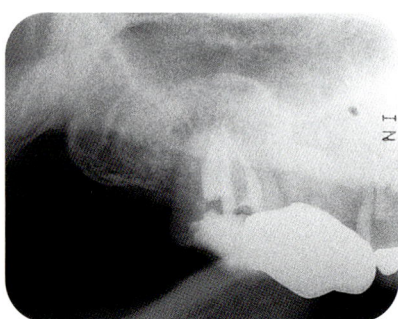

5-3j | 5-3k

5-3j,k　根管充填後のエックス線写真．正放線投影（j）と偏遠心投影（k）．

　今回のような最後方臼歯でなければ，矯正的挺出を行うのも一法である．

　ある歯科医師から，「クラウンレングスニング処置をした後で，根管治療を行っても歯の保存が難しくなったらどうするのか．根管治療で治ったという確信が持ててからクラウンレングスニングを行いたい」という質問を受けたことがある．もちろん治療過程で保存困難となることもないとはいえないが，患者にその可能性を十分に説明しておけば問題はないであろう．

　それよりも，クラウンレングスニングを先に行わず，ラバーダムも十分にかけないままに根管治療をしたのでは，治る症例も治らなくなってしまうのではないだろうか．ラバーダムの装着が，根管治療の成功率に影響するという報告もある[1]．

　われわれ歯内療法専門医は必ずラバーダムを装着して歯内療法を行う．一連の治療と考えるのであれば，今回のようにラバーダムをかけるために先に歯周外科処置を行うことも必要であろう．

参考文献
1. Van Nieuwenhuysen JP, Aouar M, D'Hoore W：Retreatment or radiographic monitoring in endodontics. Int Endod J. 1994；27(2)：75-81.

マイクロスコープによる歯内療法／MI時代の歯内療法

4 第三の眼としての マイクロスコープ

東京都開業（飯島歯科医院）

飯島国好

症例5-4

患者：38歳（初診時．現在60歳），女性，小児科医．
要約：19年後の再発をコロナルリーケージと診断してしまった．再根管治療でようやく歯根破折と診断できた．先入観や思い込みによる診断間違いを防ぐためにも，マイクロスコープによる第三の眼は必須であると痛感した．
初診：1982年6月21日
身長：145cm，体重：46kg
主訴：|7の疼痛

[治療経過]

初診時，自発痛および打診反応があり，大きな修復物がある（1982.6.21／5-4a）．修復物を除去したところ，歯髄との交通も認められたため，抜髄に踏み切るが頬側根と口蓋根の2根管しか発見できなかった．根管充填を行った．頬側根は細くて十分な拡大ができずシルバーポイントによる根管充填を行った（1982.7.3）．

ポスト形成後，キャストコアの印象を行い（7.10），キャストコア装着（7.22）．クラウンの形成，印象（9.30），最終補綴物の装着を行った（10.7）．

リコール時に|7の咬合調整を行っている（1991.10.1／1992.6.19／10.7／1994.9.10／5-4b）．

最終補綴19年後に|7の口蓋側腫脹で来院する（2001.9.29／5-4c,d）．切開，投薬．この時点で，再発を歯頸部のう蝕由来のコロナルリーケージと診断した．治療中の歯肉縁下の欠損からの口腔内常在菌との交通を防ぎ，ラバーダム防湿を行って根管治療をすすめるため，次回に歯冠伸長術を行うことを説明し，了解を得る．

歯冠伸長術を実施（2001.10.11／5-4e）．術後の痛みも腫れもなかった．キャストコアを除去し，即時重合レジンのテンポラリークラウンを接着性レジンセメントで装着した（10.19）．再根管治療を行い，シルバーポイントも除去した（10.25）．

根管充填のため電気的根管長測定器による根管長測定時に，根尖はるか手前でメーターが根尖オーバーを示したため，レントゲンによる根管長測定を行う．この時点では通電性の高い根管内の薬液か，メーターの誤作動としか考えなかった（11.1／5-4f）．テンポラリークラウンを新製した．フィステルが少しあり，打診反応もあったため，経過をみることにした（11.8）．

咬むと痛いと訴え，打診反応もある（12.13）．フィステルが大きくなったため再根管治療を行う．再びメーターが根管に入ったばかりで，根尖孔外の数値を示した．今回は歯根破折を疑い，マイクロスコープで根管内を視たところ破折線を確認した（2002.1.10）．

5 ケースプレゼンテーション

マイクロスコープによる歯内療法／MI時代の歯内療法

[第三の眼としてのマイクロスコープ]

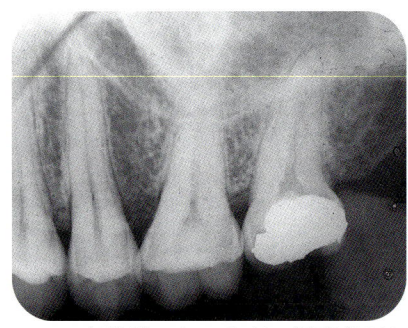

5-4a　初診時のレントゲン写真（1982. 6. 21）．

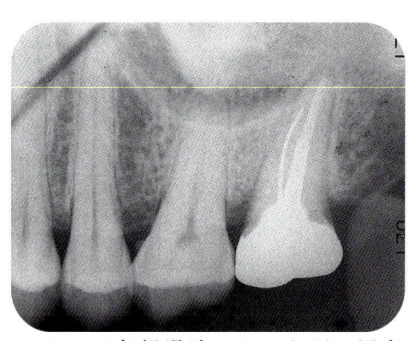

5-4b　12年経過時のレントゲン写真（1994. 9. 10）．

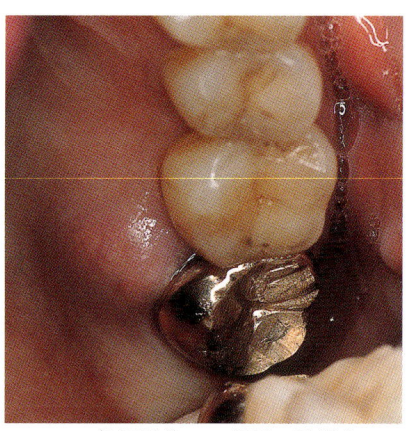

5-4c　19年経過後の口蓋側の腫脹（2001. 9. 29）．

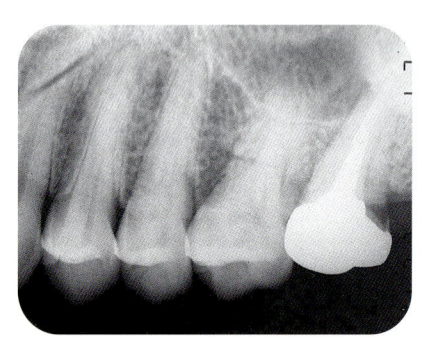

5-4d　同日のレントゲン写真．遠心にう蝕が認められる．

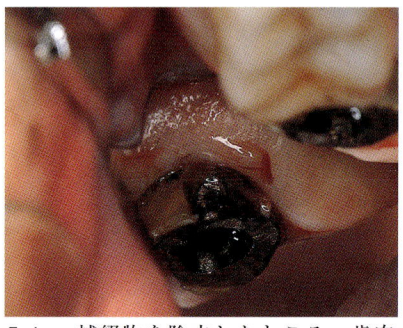

5-4e　補綴物を除去したところ．歯肉縁下におよぶう蝕がみられる（2001. 10. 11）．

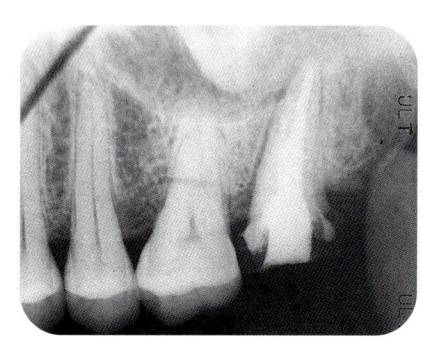

5-4f　根管充填を行った．

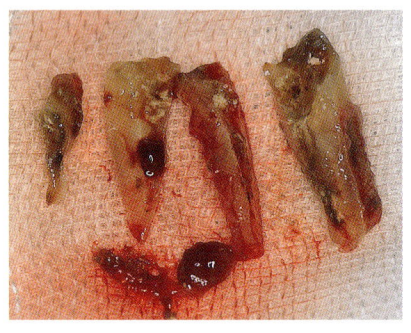

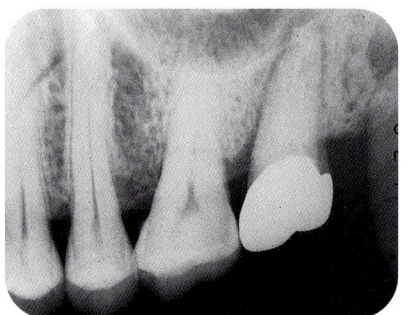

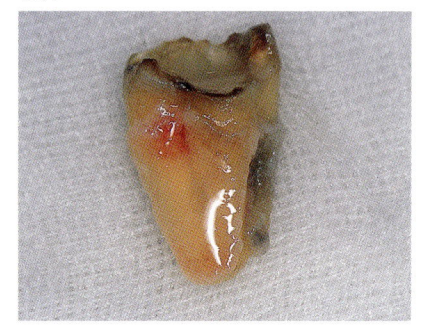

5-4g	5-4h	5-4i
5-4j		

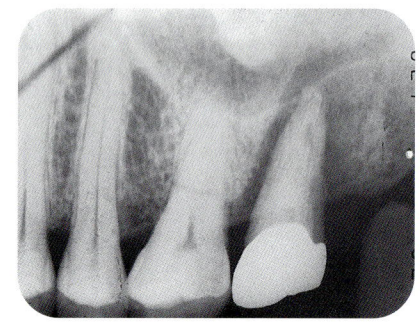

5-4g　抜歯時．4つに破折していた．
5-4h　接着性レジンセメントで接着．
5-4i　再植を行った．
5-4j　2年後に抜歯となってしまった．

[考察]

原因の推定として，
①構造的要因としては，部分的に縁上歯質がほとんどないところや薄いところがあった．
②機能的要因としては，著しいファセットから睡眠時の噛みしめや咬頭干渉があったと思われる．

5　ケースプレゼンテーション

予後

接着再植（5-4g〜i）を試みたが，2年後に抜歯になってしまった（5-4j）．

この症例から学んだこと

チェアサイドにマイクロスコープがなく移動式の場合，時間に追われたり忙しいと，ついマイクロスコープによる診断や確認をおろそかにしがちである．思いこみによる診断間違いを防ぐためにも，第一の眼としての肉眼，第二の眼としてのレントゲン写真に次ぐ，第三の眼としてのマイクロスコープによる診断と治療は欠かすことができないと痛感した．

マイクロスコープの写真撮影

飯島国好

東京都開業（飯島歯科医院）

ビデオカメラやデジタルカメラの撮影装置が装着されているマイクロスコープを最初から購入した場合や，購入後に記録装置を増設した場合には，マイクロスコープの動画または静止画の撮影には不自由しない．問題は，記録装置を増設せずに，マイクロスコープの写真撮影をしたい場合である．

多少の煩わしさを厭わなければ，マイクロスコープの接眼レンズにデジタルカメラのレンズを密着させ，ストロボ発光をストップし，近接撮影のモードにし，液晶の画面で確認しつつ，ズームで視野を調節すれば，撮影することが可能である．このとき，接眼レンズとカメラのレンズの口径があっていることが望ましい．

現在，旅行などで携帯するには旧式で重くなってしまった，NikonのCOOLPIX950をマイクロスコープの撮影専用として使用している．専用ノートに撮影番号や日時や氏名などを記録しておけば一番良いが，口腔内写真ほど枚数を多く撮影するわけではないので，ついでに患者さんのカルテを撮影しておくことで代用している．

なお，今回確認のため，別のメーカーのデジタルカメラで撮影してみようとしてみたら，カメラの液晶画面にマイクロスコープの像がどうしても入ってこず，撮影できなかった．レンズの口径が合っていても，すべてのデジタルカメラで撮影できるわけではないようである．

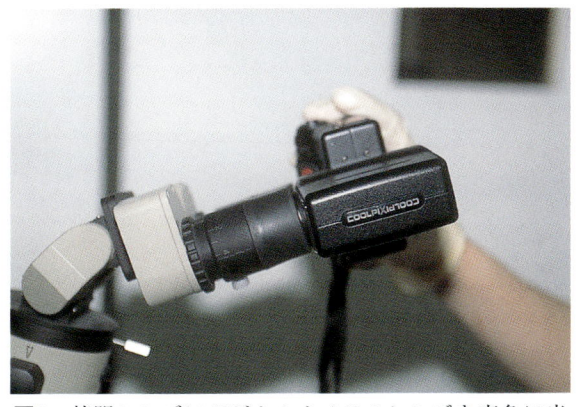

図1　接眼レンズにデジタルカメラのレンズを直角に当てる．

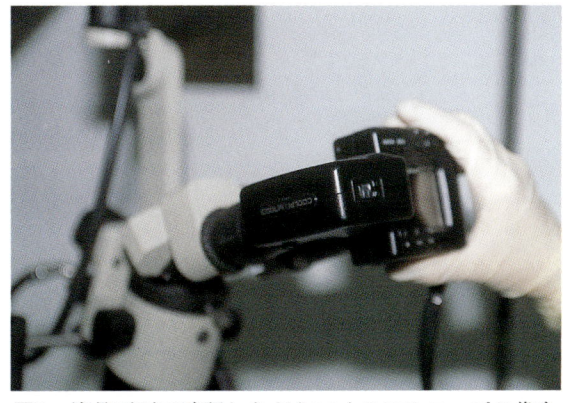

図2　液晶画面で確認しながらマイクロスコープの像を捉える．

索引

[あ]

あかない根管　102
あきにくい根管　103
あく根管とあかない根管の診断　102
アクセスキャビティプレパレーション
　　——の重要性　70
　　——のステップ　71
　　——の目的　70
アシスタントスコープ　55
アシスタントに顕微鏡を覗かせるメリット　21
アシスタントは術者の見えない視野をカバー　21
誤って抜髄を行う理由　47
アントレー　25

[い]

医原性疾患　75
イスムス　34
痛みの問診　43
痛みを大きく訴えるタイプ　48
逸脱した根管　102
意図的再植　130
医療用カルシウムサルフェート　106
色収差　18
色ぼけ　18
インスツルメントの振動　33
インレーによる修復　59

[う]

ウェットボンディング　68
う窩　42
　　——の感染歯質の除去　58
　　——の無菌化　57
う蝕　57
　　——が原因で露髄した場合　63
　　——が原因の露髄　62
　　——と最小侵襲治療　45
　　——のMI治療　46
　　——のMI治療と修復物　46
　　——のMI治療の切削量　46
　　——の診断　52
　　——の組織学的分類　64
　　——の発見や診査　52
　　——ハイリスクの患者　47
　　——病変の4層　64

[え]

壊死層　62, 63
エナメル質の切削　124
縁上歯質の確保　74
エンジン用ファイル　73
エンドフォルダー　28

[お]

大きな修復治療後の冷水に対する誘発痛　63
温度刺激による過敏反応　65

[か]

カーバイドのラウンドバー　71
開拡窩洞　128
外傷歯　117
外傷による歯根破折　117
階段形成　96
回転切削器具　87
ガイドホールの形成　71
解剖学的根尖孔　32
拡大後の根管口　73
拡大された術野　17
確認の手段　52
過酸化水素水　79
過切削から歯質を保護　30
画像構成　54
画像処理　55
画像の記録サイズ　54
ガッタパーチャの残渣　32
窩底が比較的鈍角か平坦　52
窩底象牙質　57
　　——の厚さの診断法　57
　　——の表面を清掃　58
兼松式合釘撤去鉗子　88
壁掛け　20
可変式鏡筒　19
ガラスに反射した虚像　26
カルテを撮影　135
加齢による石灰化　103
観察視軸と照明軸　16
観察像が正像　17
観察部位の色再現性に忠実　17
患者へのドキュメンテーションの提示　54
感染源の除去が根管治療の成功に繋がる症例1　92
感染源の除去が根管治療の成功に繋がる症例2　93

根管口の位置　30
感染根管治療　75
感染根管の見逃し　80
感染歯質の除去　53, 59
感染歯質の診断と除去　57
感染除去
　　——へのセカンドステップ　78
　　——へのファーストステップ　75
感染層　63
感染象牙質　63, 65
　　——の切削　57
　　——を除去せずに充填された症例　64
感染の除去　75
感染の除去（清掃）　84
感染部の完全除去　64
感染予防　75
貫通　71
感度　54

[き]

機器の根管壁から遊離　33
器具の破折対策　98
器具破折の予防対策　101
器具を回転する前に考えること　99
機種選定　17
キセノン光源　20
キャビテーション後　58
キャンセリアー　34
教育システム　54
狭窄　103
頬側歯頸部の穿孔　114
鏡筒　18
極端に湾曲している根管　103
記録装置　21
記録媒体と保存性　54
近心頬側第2根管　87, 98, 128
金属疲労　96

[く]

偶発症　32, 96
屈折率　18
クラウンダウン法　128
クラウンレングスニング　130
グラスアイオノマー　107
クラック　40
　　——と細菌検査　119
　　——と生活歯髄診査　117
黒い線状構造　85

[け]

経過観察によって生活力を確認　57

ゲーツグリッテンドリル　87
外科的な穿孔部封鎖処置　105
懸架装置　20
顕微鏡　29
　　──の大きな特徴　29
　　──の解像度　29
　　──の視野　29
　　──の倍率　29
　　──酔い　83

[こ]

口蓋側腫脹　133
効果と費用　68
口腔自己管理　46
口腔内との交通を遮断　103
光源　20
咬合痛　42
構造の位置関係を正確に把握　29
高速タービン用切削バー　96
高倍率　29
広範囲な歯周補綴後の偶発症　124
光量不足を感度で補う　54
光路と視線　29
光路分割装置（beam splitter）　54
ゴールドインレー　65
ゴールドインレー修復の適合チェック　38
黒線　30
国内で手に入るマイクロスコープ　22
固定式鏡筒　19
コロナルリーケージ　133
根管外からのマイクロスコープ診断　121
根管拡大終了後の感染歯質の残留　90
根管が見逃された場合の無菌治療と無菌治療でない場合の結末　82
根管形成の不整形態　32
根管形態　32
根管口　31, 70
　　──周囲の石灰化象牙質　73
　　──周囲の石灰化　73
　　──の入口　72
　　──の拡大　72, 73
　　──の確認が容易　80
　　──の石灰化象牙質の除去　70
　　──の探索　72, 85
　　──の明示　70, 79
　　──部を10倍程度で精査　128
根管充填の不備　31
根管上部の形成　87
根管数だけ浅くくぼみをつける　71
根管切削粉　32
根管探索と根管治療　128
根管治療　36
　　──のクオリティー　77
　　──の成功の鍵　75
　　──の3つのステップ　84
　　──の目的　75, 84
　　──用ファイル　96
根管貼薬剤の除去　37
根管内異物
　　──の種類　97
　　──の除去　96
　　──の除去器具　96
　　──の発見　97
根管内
　　──から穿孔部の封鎖　114
　　──からのマイクロスコープ診断　121
　　──穿孔の所見　33
　　──に残存している感染源　90
　　──の異物　33
　　──の感染源　91
　　──の器具の操作性の確保と向上　70
　　──の視認性　70
　　──の視野の確保　70
　　──バイパス形成　99, 101
　　──バイパス形成と感染除去　100
　　──破折機器　33
　　──へのアプローチ　79
　　──への細菌感染の除去　75
　　──への細菌感染予防　75
　　──ポスト　96
　　──ポスト除去　89
　　──ポストの除去　97
　　──をファイリング　26
　　──を無菌的にする　84
根管
　　──に追従した根管拡大　90
　　──の入口　101
　　──の数　82
　　──の感染　100
　　──の失探　31
　　──の穿孔　96
　　──の変移　96, 98
　　──の見逃し　77
　　──の湾曲　96
　　──壁の汚染・清掃状態　32
　　──を感染させない　83
根尖孔
　　──と大きさ　32
　　──の移動　32
　　──付近のガッタパーチャを除去　91
根尖病巣からの排膿路　130
根尖部ガッタパーチャの残留除去　91
根尖部の根管形成　90
根尖まで見ることができることもある　80
根中央部の唇側に穿孔　108
コントラクションギャップ　50
コンポジットレジン修復のギャップ　39
コンポジットレジン修復の適合チェック　38

[さ]

細菌感染　65
細菌検査　78, 98
細菌の侵入　40, 62
細菌の侵入路　52
再根管治療　90, 128, 130, 133
再根管治療と根管の吸引乾燥　129
最小侵襲治療の定義　45
作業距離　17
刷掃指導　52
酸化亜鉛セメント　66
暫間的間接歯髄覆髄法　58
暫間的歯髄保存処置　57
残存象牙質
　　──の厚さの測定　57
　　──の厚さを術前に測定　57
　　──の厚みが1mm以上　58
　　──の診断　57
　　──の量　57

[し]

次亜塩素酸ナトリウム　57, 58, 86, 102
シアノアクリレート　34
歯科用ミラー　26, 27
歯冠修復物の診断　121
歯冠伸長術　133
歯冠破折を防止する効果　74
歯頸部直下の口蓋側に大きな穿孔　111
歯頸部付近の穿孔　107
試験削合　117
歯根切断端　34
歯根破折　34, 41, 42, 116, 133
　　──とフィステル　118
　　──とマイクロスコープ　116

──のエックス線透過像　118
　　　──の鑑別　119
　　　──の原因　122
　　　──の診断　120
　　　──の存在を正確に診断　119
　　　──の予防　122
　　　──を疑い外科的確認　118
歯質の欠損　52
歯質の保存　45
歯周外科処置　132
歯周病　124
歯周病治療　36
歯周ポケットから細菌感染　108
歯周ポケット形成　113
歯周ポケットの中の確認　38
歯周ポケットを圧迫させ根面の清掃　37
視診　120
歯髄炎　43, 57
歯髄炎が生じた歯牙　49
歯髄が石灰化した根管　103
歯髄生存率　60
歯髄生存率の推測値　60
歯髄に近い部分のみをわずかに残す　64
歯髄の生活反応　42
歯髄の生活力　57
歯髄の保存　45
歯髄反応の変化　49
歯髄保存　45
歯髄保存の鍵　57
歯髄由来　49
自然に閉鎖された根管　103
支台歯の感染根管治療に頰側根面からアプローチ　124
失活歯の歯根破折　116
失活歯の割合　46
視点確保　16
視点の移動　16
視度補正　83
歯肉の腫脹と歯根破折　118
視認性の良さ　29
視野　19
充填材料の溢出を防ぐ方法　106
修復材料による細菌性の漏洩程度　66
修復材料を酸化亜鉛セメントで封鎖　66
修復治療　36
修復物　49
　　　──におけるマイクロリーケージ　68

　　　──の脱離　49
　　　──の辺縁封鎖　66
　　　──のマージン　52
　　　──マージンの適合　46
　　　──マージンの摩耗　52
修復法　59
手術用顕微鏡　14
術後の細菌感染　62, 65
術前の歯髄の状態　62
術中の感染除去　62, 63
術野
　　　──の細菌検査　79
　　　──の消毒　79
　　　──の滅菌　78
手用ステンレススチールファイル　91
上顎小臼歯の狭窄根管　37
小窩裂溝　52
焦点距離（作業距離）　17
焦点深度　29
照明装置　20
照明の光軸（照明軸）　29
照明の光路と作業領域　29
初期う蝕の診断　52, 53
除去用器具　98
助手用観察装置　21
処置の記録と画像処理　54
白い線　86
人工根管　102
人工的に閉鎖された根管　103
診査におけるマイクロスコープの有用性　37
唇側の歯肉ラインが変化　113
診断とは何か？　120
診断におけるマイクロスコープの利用　36
診療効率　16

[す]

髄腔壁の穿孔　72
髄腔開拡　84
髄腔内の軟化象牙質の除去　84
水酸化カルシウム　68
　　　──製剤　32
　　　──貼薬　127
　　　──の除去　37
髄室・根管内の亀裂　34
髄室形態　30
髄室形態の把握　30
髄室内・根管内の石灰化物　30
髄室内の色調の違い　30
髄室内の視野の確保　70

髄室内の石灰化物　30
髄床底　72, 85
　　　──・根管壁の穿孔　33
　　　──および根管口の位置の指標　30
　　　──穿孔　110
　　　──のrelated groove　30
　　　──の解剖学的形態　70, 72
　　　──の郭清　72
　　　──の構造　30
　　　──の切削　71
　　　──の穿孔の危険性　71
　　　──の線状構造物　30
　　　──のパーフォレーション　37
垂直性破折　76
スウェーデンの疫学調査　46
ズーム式　20
スタッキング　56
ステップワイズテクニック　64
スプーンエキスカベータ　58

[せ]

生活歯におけるクラック，歯牙破折の存在　42
生活歯における補綴物の脱離　43
生活歯にクラックが入っている場合　116
生活歯のブリッジ支台歯　124
静止画像の記録　55
清掃効果　59
生体防御反応　57
生理学的根尖孔　32
石灰化した根管　102
石灰化を自分の目で確認　102
接眼レンズ　16, 19
切削時の偶発的露髄　57
切削範囲を明視　30
切削片で目詰まりを起こした根管　103
切削法　58
接着再植　135
接着性光重合レジン　59
接着性レジン　107
　　　──セメント　90
　　　──における防湿の重要性　67
接着力　43
セル（細胞）　14
穿孔　93, 105
　　　──修復材料の脱離　106
　　　──の位置　107
　　　──の位置や大きさによって生じる審美的な問題　115

──部外の感染源掻爬 112
──部が歯周ポケット内に露出する可能性 114
──部から歯周組織内に入れる吸収性材料 106
──部周囲の軟化象牙質 107
──部周囲をしっかり乾燥 110
──部充填材料 107
──部の外科的封鎖 106
──部の歯質辺縁の確認 33
──部の所見 33
──部の非外科的封鎖 106
──部封鎖材料 108
──部封鎖の原則 105
──部を無菌的に緊密に封鎖 109

[そ]
双眼顕微鏡 14
象牙細管に通じる未充填部 50
象牙細管由来 49
象牙細管レベルでの露髄 57
象牙細管を封鎖 49
象牙質知覚過敏 49
象牙質の不用意な切削を防ぐ 58
象牙質の露出部を封鎖 49
側壁および髄床底の郭清 70
側壁穿孔の所見 33

[た]
第一の眼 135
大開咬の持続 44
対合歯とのスペース 26
第三の眼 133
第三の眼としてのマイクロスコープ 134
第2根管
──（MB2） 31
──の発現位置 31
第二の眼 135
対物レンズ 17
対物レンズについた汚れ 17
ダイヤファイル・スプレッダー 28
ダイヤモンドスケーラー 58
ダイヤモンドのチップ 58
ダイヤモンドバー 46
打診 120
打診痛 42
脱灰がエナメル質内か象牙質の表層 52
脱灰層 63
段階式変倍機構 19
単板のカラーCCDヘッド 55

単レンズ顕微鏡 14

[ち]
知覚過敏 42, 48
知覚過敏症状の問題解消 49
築造体の除去 88
築造や隔壁を前もって作ってから根管治療 77
治癒の進捗状況を確認 32
超音波スケーラー 58, 72
超音波スケーラーで遊離除去 103
超音波チップ 26, 28
超音波によるキャビテーション 59
超音波のエンドチップ 96, 98
長時間の開咬 44
直接歯髄覆罩 60
──後の歯髄生存率 60
──の失敗 62
──の失敗の原因 62
──の適応症 68
──の予後 61
──の予知性 60
──法と水酸化カルシウム 67
直線的形成の利点 74
治療時の無菌状態の維持 83
治療の未処置領域 32
治療前に考えること 98
治療用器具
──の破折 96
──の疲労 99
──の疲労をマイクロスコープで確認 99
陳旧性の破折線 34

[て]
適合性および二次う蝕のチェック 39
手探りの根管治療の限界 102
デジタルカメラ 21
徹底的な軟化象牙質の除去 84
テレスコープ
──システム 15
──による拡大像 15
天蓋の除去 72
電気的根管長測定 102
電気的根管長測定器 26, 57, 120, 121, 133
天吊り 20
デンティンブリッジの形成 66
テンポラリークラウンの装着 74

[と]
動画から静止画像 56
動画からの静止画記録と画像処理 55
動画の記録 55
疼痛の鑑別診断と歯髄の保存 48, 62
疼痛の診断 48
疼痛の誘発 42
疼痛の歴史 63

[な]
なぜポストごと外れてきたのか 40
軟化象牙質 49, 62, 105
軟化象牙質除去 93
軟組織（肉芽組織）の増生 33
難治性の根尖性歯周炎の原因 32

[に]
二次う蝕 46
二次う蝕の診断 52, 53
ニッケルチタン製の器具 96

[は]
バイトテスト 120
バイトブロック 44
倍率 20
破折確率 122
破折機器周囲歯質の切削 33
破折器具の除去 99, 101
破折器具の除去を行うかどうかの判断 100
破折してしまった場合に考えること 99
破折歯を探そう 76
破折線 34, 40, 121
破折断端の確認 33
破折要因 122
抜髄 47, 60
抜髄か経過観察かの臨床判断 60
ハロゲン光源 20
反復洗浄 31

[ひ]
ビームスプリッタ 21, 54
光透過法 120
光ファイバーの寿命 51
ピクセルサイズ 54
非外科的歯周治療 37, 38
被写体感度 54
ヒポクロ 107
病変のあるあかない根管 103

表面反射ミラー　26
ピラミッドの入口　101

[ふ]

ファイバースコープ　16
ファイルのあたりやすい部分とあたりにくい部分　90
ファイルの滅菌　78
フィステル　130, 133
封鎖性材料の脱離　105
フォーカス調整レバー　41
深い歯周ポケット　108
深いポケット　119
副根管開口部　34
複根歯の髄床底　30
不顕性の露髄　43, 124
フッ素塗布　52
フッ素塗布と刷掃指導　53
フットコントローラー　21
部分歯髄切断法　60
部分的修復　52
ブリッジ咬合面からのアプローチ　76
ブリッジの脱離　62
ブリッジを保存しながら根管治療　79
フルアーチブリッジ支台歯の感染根管　124
プレカーブを付与　91
フロアブルレジン　109
プロービング　119, 120
ブロック使用による苦痛軽減　44
プロテージ　25

[へ]

壁着性象牙質瘤　30
ヘッドランプ　15
ヘミセクション　38
辺縁漏洩　66
変倍機構　19

[ほ]

防湿　43
防湿コントロール　61
防塵ガラス　17
ポーセレンクラウンに咬合面から穴を開ける　124
ポジショニング　94
ポストの印象　39
ポストを残存させ無菌治療　78
補綴治療　36
補綴物脱離　41
補綴物の上から根管治療　74
補綴物の除去　74
補綴物の不適合　78
補綴物マージンのギャップ　40

[ま]

マージン周辺のう蝕　52
マージンの摩耗　53
マージン部にリテンショングルーブの形成　66
マージン部のマイクロリーケージによる細菌感染　65
マージン部分の軟化象牙質　85
マイクロサージカルフォーセップス　34
マイクロスコープ　120
　　——（顕微鏡）の発明　14
　　——下の根管解剖　29
　　——でう窩を観察　52
　　——によるう蝕の診断　52
　　——による拡大像　16
　　——による感染象牙質の除去　57
　　——による処置の記録　54
　　——の選び方　17
　　——の懸架装置　20
　　——の効果的な利用法　36
　　——の写真撮影　135
　　——の種類と特徴　17
　　——の接眼レンズにデジタルカメラ　135
　　——の選択基準　16
　　——の導入　36
　　——の特徴　17
　　——の変倍機構　19
　　——の有用性　36
　　——の用途　36
　　——本体のバランス　21
マイクロデブライダー　26, 28
マイクロファイル　28
マイクロリーケージ　78
マトリックス材料　106
マニー歯科用実体顕微鏡　23

[み]

見落とされた感染歯質が残る根管　85
ミクログラフィア　14
未処置根管の探索　128
未治療の根管探索　80
見逃し根管　82
見逃し根管の探索　80
ミラー　27

ミラーの選択　104

[む]

無菌治療　75, 127
　　——とブリッジ咬合面からのアプローチ　76
　　——のための工夫　77
　　——のための治療順序　77
　　——を行うための工夫　76
無菌的治療　50

[め]

メインテナンス　17
メチレンブルー溶液　34

[も]

問診　120
問診の重要性　50, 63

[や]

ヤンセン　14

[ゆ]

誘発痛　50
有用な器具　26
床置き　20
ユニバーサ300　24

[よ]

ヨード　79
ヨシダ・デンタルマイクロスコープ　25
予知性の高い穿孔部封鎖法　105
予防的に歯冠修復が必要　116

[ら]

ラウンドバー　58
ラバーダム
　　——と歯牙の隙間の封鎖工夫　78
　　——のクランプがかけられない　130
　　——を装着するため，クラウンレングスニングを行った症例　131
　　——を含めた包括的な無菌治療の勧め　81
　　——を用い徹底的な無菌環境　75
ラバーダム防湿　44, 49, 50, 91
　　——時のクランプの装着　74
　　——の重要性　48
ランプの寿命　51

[り]

リーケージ　43, 50, 62, 64
リーケージによる歯髄への炎症変化　66
リーマーやファイルが破折して封鎖　103
利益とリスク　68
立体視　29
立体的（三次元）な観察　17
リテンショングルーブ　66
臨床症状　99
隣接面う蝕　48
隣接面の初発う蝕　52

[る]

ルートキャナルリーマー　87
ルートトランク　31

[れ]

冷水痛　40, 67
冷水痛とクラック　117
冷水痛に対するマイクロスコープの利用　42
冷水痛を主訴とした上顎大臼歯を診断　39
冷水反応　50
冷水反応の鑑別診断　42
レーベンフック　14
レーベンフック顕微鏡　14
レジン充填の不良　43
レジン充填を行った後の冷水痛　43
レジン修復後のマイクロスコープ像　53
レンズコーティングと色収差　18
レンズの口径　135
レンズの種類　18
レンツロ　96
レントゲン写真　120

[ろ]

ロールワッテで簡易防湿　75
露出した象牙細管　50, 124
露髄　58
露髄面　62
ロバート・フック　14

[わ]

湾曲部分に達するまでの直線的形成　73

[A]

AAE（米国歯内療法学会）　15
AAPのガイドライン　63
Access Cavity Preparation　84
Apical Preparation　90
aviファイル　56

[B]

Bjørndal　64
Braumann　14

[C]

Carr　15
CCDカメラ　54
CCDビデオカメラ　21
CD-ROM　55
cleaning and shaping　84
CODA (Commission on Dental Accreditation:認定医委員会)　15
Coli　66
Coronal Flare　87
Coronal Flare形成方法　87
Cox　66
Cvek　60

[D]

DENTA300　24
DMS25ZC　23
DVD　55

[E]

EBM的アプローチ　61
EDTA　31

[F]

FDI会議　45

[H]

Hession　75
Hörsted　61
Hファイル　28

[I]

Internal Matrix Technique　106
Internal Matrix Techniqueの術式　107

[J]

Jokinen　75

[K]

Kakehashi　75
Kim　15
Kファイル　28
M300　24

[M]

MC File　28
minimal intervention　45
MI時代の根管治療　75
MI時代の臨床判断　45
MI修復　39
MIの概念　45
Moller　75

[O]

Odesjo　46
OPMI Movena　22
OPMI pico with MORA interface　22
OPMI PROergo　22

[P]

Papamichael　15
Partial pulpotomy　60
ProROOT　108
ProUltra　28

[R]

registax　56
related groove　30, 128

[S]

S/N比　54
　——の改善　56
Saunders　72
Scipioni　15
SCポイント4　28
Shovelton　61

[T]

Ti-Niテーパーファイル　128
TVモニター　55

[W]

Wevelet変換　56
White line　86

[1]

10%次亜塩素酸ナトリウム　31

1̄ の感染根管で見逃された舌側根管　80

[2]

200〜250mmの対物レンズ　17
2̄ 根管性の切歯　31
|2̄ の偶発性露髄を伴った症例　61

[3]

3％過酸化水素水　31
35mmカメラ　54
3̄ CCDヘッド　55
3Mix　64
3̄ 根管性の小臼歯　31

[5]

50ミクロン以下の構造を判別　29
5̄ 近心の穿孔　115
5̄ の冷水痛　62

飯島　国好（いいじま　くによし）
長野県出身
1972年　日本歯科大学卒業
現在　　東京都大田区開業
　　　　北海道大学歯学部非常勤講師

〈主な著書〉
『治癒の病理』医歯薬出版　1988年（共著）／『歯根破折』医師薬出版　1994年／『MI時代の失活歯修復』クインテッセンス出版　2004年（共著）

中川　寛一（なかがわ　かんいち）
山口県出身
歯学博士
1979年　東京歯科大学卒業
1983年　東京歯科大学大学院歯学研究科修了
1985年　東京歯科大学講師（歯科保存学第一講座）
1990年　東京歯科大学退職　山口県にて開業
1994年　東京歯科大学復職・歯科保存学第一講座講師
現在　　東京歯科大学教授　歯科保存学第一講座主任
　　　　東京歯科大学千葉病院副院長

〈主な著書〉
『カラーアトラス治癒の歯内療法　マイクロスコープを応用した歯内療法処置』クインテッセンス出版，2000／『Autotransplantation of Teeth, Wound healing in transplantation and Replantation』 Quintessence Publishing, 2001／『エンドサージェリーのエッセンス』クインテッセンス出版，2003

宮下　裕志（みやした　ひろし）
香川県出身
1986年　九州歯科大学卒業
1993年　スウェーデン，イエテボリ大学歯周病学教室大学院留学
1995年　同大学歯周病学教室大学院終了
1996年　同大学口腔診断および歯内療法学教室大学院終了
　　　　歯周病専門医および歯内療法専門医取得
現在　　東京都港区開業　宮下歯科

〈主な著書〉
『科学に基づく歯内療法への方向転換』医歯薬出版　2000年／『Evidence Based Dentistry for effective practice』2003年（contributor）／『現代の治療指針　全治療分野とペリオドントロジー』クインテッセンス出版　2004年（共著）

澤田　則宏（さわだ　のりひろ）
東京都出身
歯学博士
1988年　東京医科歯科大学歯学部卒業
1992年　東京医科歯科大学大学院修了
1995年　東京医科歯科大学歯学部助手
1997年　米国ペンシルベニア大学歯内療法学講座留学
2002年　東京都新宿区開業
　　　　東京医科歯科大学摂食機能保存学講座
　　　　歯髄生物学分野　非常勤講師

〈主な著書〉
『現代の根管治療の診断科学』クインテッセンス出版1999年（共著）／『エンドドンティクス21』永末書店2000年（共著）／『エンドサージェリーのエッセンス－アトラス・外科的歯内療法－』クインテッセンス出版　2003年（共著）／

マイクロスコープによる歯内療法──MI時代の歯内療法

2005年7月10日　第1版第1刷発行

編　　者	飯島　国好
著　　者	中川　寛一／宮下　裕志／澤田　則宏
発 行 人	佐々木　一高
発 行 所	クインテッセンス出版株式会社 東京都文京区本郷3丁目2番6号　〒113-0033 クイントハウスビル　電話（03）5842-2270（代表） 　　　　　　　　　　　　（03）5842-2272（営業部） 　　　　　　　　　　　　（03）5842-2279（書籍編集部） web page address　　http://www.quint-j.co.jp/
印刷・製本	サン美術印刷株式会社

Ⓒ2005　クインテッセンス出版株式会社　　　　禁無断転載・複写
Printed in Japan　　　　　　　　　　　　　　落丁本・乱丁本はお取り替えします
　　　　　　　　　　　　　　　　　　　　　　ISBN4-87417-865-0 C3047

定価は表紙に表示してあります